MW00618931

Richard David Precht

# Künstliche Intelligenz und der Sinn des Lebens

Richard David Precht

# Künstliche Intelligenz und der Sinn des Lebens

GOLDMANN

Originalausgabe

Sollte diese Publikation Links auf Webseiten Dritter enthalten, so übernehmen wir für deren Inhalte keine Haftung, da wir uns diese nicht zu eigen machen, sondern lediglich auf deren Stand zum Zeitpunkt der Erstveröffentlichung verweisen.

Dieses Buch ist auch als E-Book erhältlich.

Verlagsgruppe Random House FSC® N001967

3. Auflage
Copyright © 2020
by Wilhelm Goldmann Verlag, München,
in der Verlagsgruppe Random House GmbH,
Neumarkter Str. 28, 81673 München
Umschlaggestaltung: UNO Werbeagentur, München
Umschlagmotiv: FinePic®, München
Redaktion: Regina Carstensen
JT · Herstellung: kw
Satz: Buch-Werkstatt GmbH, Bad Aibling
Druck und Bindung: GGP Media GmbH, Pößneck
Printed in Germany
ISBN 978-3-442-31561-1
www.goldmann-verlag.de

Besuchen Sie den Goldmann Verlag im Netz

Der Zyklon vermag eine Stadt wegzufegen,
aber nicht einmal einen Brief zu entsiegeln
oder den Knoten einer Schnur zu lösen.

*Paul Valéry*

# *Vorwort*

Dieses Buch ist der Essay eines Philosophen, der sich fragt, was künstliche Intelligenz mit unserem Selbst- und Menschenbild macht und wie sie unsere künftige Selbstverwirklichung beeinflusst. Es sagt Ihnen nicht, wie künstliche Intelligenz technisch funktioniert oder welche vielfältigen Einsatzmöglichkeiten sie in der Gegenwart und Zukunft bietet. Es geht, mit einem Wort, um die Frage eines künftigen Menschseins in einer immer technisierteren Welt; einer Welt, in der Technologie nicht wie ein Automat funktioniert, sondern in der sie die Automation selbst automatisiert und damit selbsttätig in unser Leben eingreift. Was bedeutet das für uns? Welcher Sinn wird dadurch gestiftet und welcher wird genommen? Und vor allem: Welche Grenzen müssen wir ziehen, damit diese Zukunft tatsächlich human wird?

Das Buch wurde in den viel zu warmen Wintertagen dieses Jahres geschrieben, und es war noch nicht beendet als das Coronavirus die Welt still zu stellen schien, in einer endlosen Abfolge von Sonntagen. Die Biopolitik des Unsichtbaren, der verordnete Stillstand und verordnete Abstand zu anderen Menschen wie zu den eigenen Routinen, machte vielen Menschen teils schmerzhaft deutlich, wie verletzlich sie als biologische und als soziale Wesen sind. Wie vielen von uns schien dies zuletzt kaum noch bewusst? Und wie viele von uns fühlten sich nicht inzwischen näher mit ihren Smartphones verwandt als mit Tieren und Pflanzen?

Qua Technik schien der Mensch aus der Natur wie aus der Geschichte herausgetreten zu sein, das Virus hingegen belehrt ihn eines anderen. Mehr als ein ganzes Jahrzehnt fürchteten sich die Menschen der westlichen Welt mehr vor Computerviren als vor »echten« Viren, vor ihrem virtuellen Identitätsverlust durch versehentliche Löschung als vor ihrer Auslöschung. Welcher Jugendliche dachte bei Viren noch an seine Gesundheit? Auch kollektiv sollten es vor allem Computerviren sein, die die große Maschine der Weltökonomie lahmlegten, keine biologischen Viren. Dass Viren, die das menschliche Immunsystem abstürzen lassen, andere sind, als jene, die einen Computer abstürzen lassen und dass sich nicht jeder menschliche Organismus wieder »hochfahren« lässt, muss erst wieder gelernt werden.

Kein Zweifel: Das Virus weckt die Welt aus ihrem technotopischen Schlummer. Die wirkliche Wirklichkeit ist nicht digital. Doch in den Visionen des Silicon Valley (Bill Gates einmal ausgenommen) gibt es keine unberechenbare Natur, nur eine permanent fortschreitende Technisierung von allem. Jede Kurve geht exponentiell nach oben: Schneller, Höher, Weiter und Mehr! Beschleunigung, der Fetisch der Gelangweilten, ist alternatitvlos, bedingungslose Expansion, der Fetisch der Wertfreien, ebenso. Für die Geistesgegenwart aber sollten künftig mehr und mehr kluge Maschinen sorgen. Wie sehr haben sie sich geirrt! Denn das Erwachen aus dem technotopischen Schlummer, die Rückkehr der Biologie im Zeichen des Virus, zeigt: Kurven, die nach unten gehen, können Hoffnung geben, fallende Raten Zuversicht. Expansion ist kein Wert an sich, Entschleunigung kann die Sicherheit erhöhen, Resonanz ist nicht Reichweite oder Erreichbarkeit, Künstliche Intelligenz sagt niemandem, was zu tun ist, und digitales Gerät schützt nicht vor existenziellen Lebensrisiken.

Menschen, so heißt es in diesem Buch, sind nicht das „Andere der Natur", sondern das „Andere der künstlichen Intelligenz". Wie sichtbar trat es in diesem Frühjahr zutage. Wir sind keine defizitären Rechner, sondern empfindsame, verletzliche und resonanzbedürftige Wesen, die sich ihr Leben erzählen, um es mit Sinn auszustatten, der wichtigste Requisite unseres eigenen Films. Wenn die gewohnte Resonanz ausbleibt, unsere Alltagsserie stockt, beginnt die Unruhe irritierter Instinkte. Den Klugen weckte es den Sinn für das Nachdenken.

Wenn die eigene Lebenserzählung fragwürdig wird, sehen sich Menschen, mitunter ganze Gesellschaften, auf einmal aus der Distanz; eine faszinierende Lerngeschichte! Politiker entdeckten ihre gesamtgesellschaftliche Verantwortung für die Gesundheit der Menschen, deren Psyche und die sozialpsychologischen Folgen gleichermaßen. Die Ökonomie verlor für einen winzigen Moment, eine Synkope, ihr Primat. Die Natur um uns herum durfte sich eine Atempause gönnen und die Menschheit eine Denkpause. Das Fenster, in Alternativen zu denken, stand einen Moment lang offen. Denn weiß die Geschmeidigkeit, mit der wir uns an unseren Alltag anpassen, nicht mehr, worauf sie sich richten soll, schärft sich der suchende Blick: auf unseren eigenen Lebensentwurf wie auf den Gesamtentwurf, den Wirtschaft und Technik von unserem künftigen Glück zeichnen. Nichts anderes versucht dieses Buch.

Richard David Precht
Düsseldorf, Anfang April 2020

## *Zwei Linien*

Der Redebeitrag sorgte zunächst für Unverständnis. Das Publikum auf der lit.Cologne 2019 wirkte genauso irritiert wie meine Gesprächspartner Hans Joachim Schellnhuber und Robert Habeck. Auf die Frage »Ist die Erde noch zu retten?« hatte ich geantwortet, ich sähe zwei große übergeordnete Tendenzen, ja, man könne sagen evolutionäre Bewegungen. Die eine sei der Versuch, aus dem gnadenlosen Prozess des Wachstums auszubrechen und die belebte Natur wiederzuentdecken, statt sie allein als Ressource zu betrachten. Diese Bewegung dränge über kurz oder lang auf die Überwindung des Kapitalismus. Wer dies nicht wolle, der müsse sich wohl oder übel auf die Alternative, die Überwindung des Menschen, einlassen; dass sich Homo sapiens von den Fesseln seiner Biologie löst, »posthuman« wird und seine persönliche wie seine Gattungszukunft »postbiotisch« auf alternativen Datenträgern sucht; verbunden mit dem Versprechen von Unsterblichkeit.

Das Publikum wurde unruhig. Mochte der eine oder andere sein Herz nicht an den Kapitalismus hängen, den Menschen wollte auf der lit.Cologne keiner überwinden; der Kölner ist halt gern Mensch. Doch die Lage ist ernst. Sollte es in hundert Jahren noch Historiker geben, werden sie über die erste Hälfte des 21. Jahrhunderts wohl vor allem eines sagen: dass wir versuchten, wie Götter zu werden, während wir gleichzeitig den Planeten so zerstörten, dass tatsächlich nur noch Götter auf ihm hätten leben können.

Die Gefahr bleibt groß, dass das jetzige das letzte, äußerst kurze Zeitalter wird, von dem Menschen noch etwas wissen, weil es für alle späteren keine menschlichen Chronisten mehr geben wird. Nicht »Ist die Erde noch zu retten?« hätte es auf der lit.Cologne heißen müssen, sondern »Ist die Menschheit noch zu retten?«. Während wir die dunkle Intimität unseres Gehirns durchleuchten und als bunte Bilder grell veröffentlichen, während wir unser so lange sicher verstecktes Erbgut in Millionen Teile zerlegen, um es neu zusammenzubasteln im Blick auf eine freudestrahlende Zukunft, vollführen wir doch nur die letzten aller Menschheitsstreiche – nicht auf dem Weg zum »Übermenschen«, den Nietzsche im späten 19. Jahrhundert aus seiner Lektüre sozialrassistischer Autoren fertigte, sondern auf dem Weg zum Verschwinden.

Der Stolz, dass im Bonuspack der Evolution das Menschentier zu der Fähigkeit kam, sein gelerntes Wissen anders und umfassender zu speichern als andere Tiere (und sein stummes Wissen um das, was ihm guttut, im gleichen Prozess zu verlieren); dieser Stolz auf ein Vermögen, das Homo sapiens die Gravitationskraft und den Elektromagnetismus enträtseln, Atomwaffen, Artensterben und All-you-can-eat-Tarife hervorbringen ließ, Diäten und Denkmalschutz, Fußball und Fernbedienungen, glutenfreie Nudeln und Gummibärchen, Iglus und die Inquisition, Kola und den Koran, Makramé-Eulen und Mindestlohn, Nominalzinsen und Nofretete, Pyramiden und PayPal, Röntgengeräte und das

Rote Kreuz, Schönheitschirurgie und Sportwetten, die Vereinten Nationen und Vielfliegerrabatte – dieser Stolz lässt noch immer viel zu viele Angehörige der Spezies Homo sapiens nicht sehen, was jeder, der Augen hat zu sehen, täglich sieht: dass unser Erdzeitalter, das Anthropozän, ein *Monetozän* ist, ein Zeitalter des Geldes, in dem nicht »der Mensch« biotisch, sedimentär und geochemisch die Erde umpflügt, sondern die Verwertungsinteressen des Kapitals. Je mehr davon angehäuft oder im Umlauf ist, desto größer die naturgeschichtlichen Folgen. Noch einige Jahrzehnte unerschrocken so weiter, und Homo sapiens bleibt im großen Weltenschauspiel keine weitere Rolle mehr zu spielen, als neugierigen Aliens irgendwann als Leitfossil unseres Erdzeitalters zu dienen: als letztes Glied in einer Kette von Trilobiten, Graptolithen, Ammoniten und Foraminiferen.

Wer wünschte sich da nicht, den Art-Namen ernster zu nehmen und tatsächlich mehr Homo sapiens in der Welt zu sehen, mit der Weisheit, der *sapientia*, gesegnet, nicht nur sich selbst, sondern die eigenen Grenzen zu erkennen? Je mehr wir über den Zustand unseres Planeten wissen, je mehr wir erahnen können, wie das Menschenwerk des technischen Fortschritts ausfallen könnte, umso klarer sehen wir, dass die *scientia* die Sapientia nicht ersetzen kann. Wer wir sein werden, wird weniger damit zu tun haben, wie wir uns den Maschinen anverwandeln, die wir erschaffen, als damit, die biologische Welt besser zu verstehen, die wir heute so leichtfertig aufs Spiel setzen, obwohl wir sie niemals ersetzen können. Doch ist das Bewusstsein der Gesellschaften schon auf der Höhe der Zeit? Lässt sich das Alltagsverständnis dessen, wer wir sind, derzeit nicht leichter von futuristischen Szenarien über hochintelligente Maschinen verunsichern als durch die Einsicht in den ökologischen Gefahrenindustrialismus, mit dem wir uns alle Lebensgrundlagen rauben? Sollten unsere intelligenten Maschinen uns in künftigen Jahrzehnten die Existenz streitig machen (was zutiefst unwahrscheinlich ist), es bleibt ihnen, wirtschaften wir so weiter wie bisher, nicht viel zu vernichten übrig.

In Zeiten der fortschreitenden Klimakatastrophe und des rasant anschwellenden ökologischen Desasters haben sich viele Vorzeichen geändert. Man kann nicht mehr über die Zukunft reden wie in der Vergangenheit. Das betrifft auch und vor allem die Rolle der Technologie. Die Geschichte der Technik ist eine Erfolgsgeschichte des Homo sapiens, um sich in einer Natur zu behaupten, die auf ihn keine Rücksicht nimmt. Dass er seinerseits nun mehr und mehr gezwungen ist, auf die Natur Rücksicht zu nehmen, ist eine sehr moderne Erfahrung. Sie fehlt noch völlig in den ungetrübt optimistischen Erzählungen der Techno-Euphoriker aus den Siebzigern, Achtzigern und Neunzigern. Überraschend schnell sind sie uns heute altmodisch geworden und auf verstörende Weise weltfremd. Mochten der Austrokanadier Hans Moravec und die US-Amerikaner Marvin Minsky, Frank J. Tipler und Vernor Vinge von beseelten Maschinen, artifizieller Superintelligenz, siliziumbasierten Gehirnen, menschlicher Unsterblichkeit und der raschen Besiedlung des Kosmos fabulieren – ihre im Gewand von Sehern verkündeten Visionen waren ebenso blind für die Janusköpfigkeit des neuen Maschinenzeitalters, wie sie es für das alte waren.

Futuristische Naivität ist im 21. Jahrhundert unverzeihlich geworden als Mangel an Umsicht, Einsicht und Information. Dass die Industrieproduktion, so wie wir sie bislang kennen, die Ressourcen des Planeten bis zur Erschöpfung ausbeutet, bis sie keine mehr findet, hatten der französische Gesellschaftsvisionär Charles Fourier schon zu Anfang, der britische Philosoph John Stuart Mill in der Mitte des 19. Jahrhunderts erkannt – die Futuristen der digitalen Welt aber kennen bislang weder Rohstoffmangel noch Müllberge, keine Umweltzerstörung und keine als $CO_2$-Deponie missbrauchte Atmosphäre. Kein arktisches Eis schmilzt in ihrer perfekten Zukunft, keine Dürren schicken Abermillionen Menschen auf die Reise, keine Millionenstädte am Äquator versinken in den Fluten.

Die Fähigkeit, diese einander so stark entgegenlaufenden Entwicklungen so in ihrem Bewusstsein zu speichern, dass sie dort bis heute nicht zusammentreffen, ist eine erstaunliche Kunst unserer Kultur. Die beiden Linien, jene vom unbegrenzten technischen Fortschritt und jene der ungebremsten Zerstörung der natürlichen Lebensgrundlagen des Menschen, scheinen Geraden zu sein, die sich erst im Unendlichen schneiden. Zwischen dem Kampf um die Erhaltung der ökologischen Lebensgrundlagen und der Produktion immer leistungsfähigerer Rechen- und Mustererkennungsmaschinen fehlt jede echte Brücke. Die Menschheit gleicht einem Verrückten, der weiß, dass sein Keller brennt und dass die Flammen sich immer schneller nach oben ausbreiten. Umso fiebriger baut er seinen Dachstuhl aus, um dem Himmel näher zu kommen. Warum hält er nicht inne, um zu löschen?

Es fällt nicht schwer, die Geschichte des informationstechnischen Fortschritts synchron zu erzählen zur Geschichte des Umweltbewusstseins in den westlichen Industriestaaten. Es ist eine Erzählung aus der gleichen Zeit, der gleichen Kultur und einander nicht unähnlicher Menschen. Initial wurde die Zündung zur Erforschung und Produktion einer zum ersten Mal so benannten »künstlichen Intelligenz« (*artificial intelligence*) im Sommer 1956. Zehn Wissenschaftler und ein sechswöchiger Workshop genügten, um die frische Brise einer aufregenden Zukunft durch die ehrwürdigen Hallen des Dartmouth College in Hanover, New Hampshire, wehen zu lassen: »Wir schlagen vor, im Laufe des Sommers 1956 über zwei Monate ein Seminar zur künstlichen Intelligenz mit zehn Teilnehmern am Dartmouth College durchzuführen. Die Studie soll von der Annahme ausgehen, dass grundsätzlich alle Aspekte des Lernens und anderer Merkmale der Intelligenz so genau beschrieben werden können, dass eine Maschine zur Simulation dieser Vorgänge gebaut werden kann. Es soll versucht werden herauszufinden, wie Maschinen dazu gebracht werden können, Sprache zu benutzen, Abstraktionen vorzunehmen und Konzepte zu entwickeln, Probleme von der Art, die zurzeit dem Menschen vorbehalten sind, zu lösen und sich selbst weiter zu verbessern. Wir glauben, dass in dem einen oder anderen dieser Problemfelder bedeutsame Fortschritte erzielt werden können, wenn eine sorgfältig zusammengestellte Gruppe von Wissenschaftlern einen Sommer lang gemeinsam daran arbeitet.«[1]

Dem kurzen Sommer von 1956 folgten seitdem mehr als sechs Jahrzehnte; vierundsechzig Jahre, in denen Maschinen lange und mühevoll lernten, »sich selbst weiter zu verbessern«. Zunächst fand man Regelkreise, in denen sich das menschliche Denken in einigen Teilbereichen simulieren ließ. Speicherprogrammierte Computer traten auf den Plan und bald darauf immer größere Zentralrechner. Die erste Generation der Künstlichen-Intelligenz-Forscher sah zugleich, wie der US-amerikanische Biologe und Ökologe Barry Commoner Ende der Fünfzigerjahre die Schattenseite moderner Technik anprangerte, die fürchterlichen medizinischen Schäden von Atomwaffentests. Der Titel seines Buches, ein Jahrzehnt später, könnte prägnanter und hellseherischer kaum sein: *Science and Survival*. In Deutschland hatten Ende der Fünfziger- und zu Beginn der Sechzigerjahre der Zoologe Reinhard Demoll und der Mediziner Bodo Manstein den Boden bereitet: Sorgen um die Gewässer, vor Luftverschmutzung und atomaren Strahlen mündeten in Büchern mit drastischen Titeln: *Bändigt den Menschen. Gegen die Natur oder mit ihr?* und *Im Würgegriff des Fortschritts*.

In Houston liefen derweil die IBM-Rechner der NASA heiß, Rechenzentren, Programmiersprachen, Betriebssysteme und Anwendungsprogramme entstanden. Die Zahl der Rechner stieg 1968 allein in den Vereinigten Staaten auf 700 000.[2] Umweltorganisationen in den USA, Frankreich, England und Schweden schlossen sich zur gleichen Zeit zu den Friends of the Earth zusammen. 1971 gründeten Atomkraftgegner und Pazifisten in Vancouver Greenpeace. Ein Jahr darauf veröffentlichte der Club of Rome seinen Bericht zu den »Grenzen des Wachstums«. Noch betreffen die Sorgen und Prognosen der vom Massachusetts Institute of Technology (MIT) durchgeführten Studie die Industrialisierung im Allgemeinen, das Bevölkerungswachstum, die Unterernährung, die Ausbeutung der Rohstoffreserven und die Zerstörung von Lebensraum. Der Energieverbrauch künftiger Rechner und der damit verbundene $CO_2$-Ausstoß fehlen noch auf der Rechnung.

Derweil erblicken im Xerox Palo Alto Research Center die

ersten Personal Computer das Licht der Welt, und Intel stellt den ersten Mikroprozessor vor. 1976 gründen Stephen Wozniak und Steve Jobs die *Apple Computer Corporation.* Das zweite Maschinenzeitalter hat begonnen mit Maschinen, die menschliche Rechen-, Mustererkennungs- und Kombinationsleistungen übertreffen. Algorithmen starten heuristische Suchen und verwenden ebenso abstrakte wie flexible Repräsentationen.

Während Computer Einzug in die Wohnungen der westlichen Welt halten, lesen besorgte Deutsche das Buch des CDU-Politikers Herbert Gruhl: *Ein Planet wird geplündert. Die Schreckensbilanz unserer Politik.* In Westeuropa gründen sich die Grünen. Umweltdemos, zunächst gegen die Atomkraft, werden Normalität. »Saurer Regen«, Robbensterben, Ozonloch und Tschernobyl stellen das Wachstums- und Fortschrittsdenken der Industrienationen infrage. In Japan startet derweil das »Computerprojekt der fünften Generation«, um künstliche Intelligenz entscheidend voranzutreiben. »Expertensysteme« unterstützen Firmen, Universitäten und Krankenhäuser bei ihren Entscheidungen. Die Neunzigerjahre bringen das Mobiltelefon für jedermann. Das World Wide Web, 1989 ersonnen, wird 1993 Allgemeingut. Vier Jahre später schlägt der Computer Deep Blue den Schachweltmeister Garri Kasparow. Die ersten Videotelefone kommen auf den Markt, und Privatpersonen lassen sich Websites bauen. Die neuen Systeme der künstlichen Intelligenz bestehen aus mehrschichtigen neuronalen Netzen. Computer können nun aus der Erfahrung »lernen« und verallgemeinern. Sogenannte konnektionistische Systeme erheben Informationen, bilden selbsttätig Modelle, erstellen Prognosen und kontrollieren das Ergebnis. Die Finanzindustrie ist begeistert. Um die Wende ins Jahr 2000 sind Anlagefonds ohne »evolutionäre« Algorithmen und künstliche »neuronale Netze« nicht mehr vorstellbar.

Während künstliche Intelligenz öffentlich wird, wird die Sorge um die Umwelt privater. Bio-Supermärkte, Öko-Labels und Fair-Trade-Handel etablieren sich als Marktsegmente der Wachstumsgesellschaften. Grüne Parteien in Westeuropa drängen in Koalitionen und werben um die »Mitte der Gesellschaft«. Greenpeace, aus der Wahrnehmung der Öffentlichkeit fast verschwunden, nimmt die IT-Industrie ins Visier und fordert *Green IT*. Hewlett Packard und Apple werden Ziele von Kampagnen gegen giftige Chemikalien in den Geräten und gegen die mangelnde Bereitschaft, Elektronikschrott zu recyceln. Derweil durchziehen die Adern der künstlichen Intelligenz die Wirtschaft und Gesellschaft des 21. Jahrhunderts. Maschinelles Lernen, statistische Physik, Bioinformatik, kombinatorische Optimierung, Robotik und komputationale Genetik erschaffen gemeinsam eine neue Welt aus künstlichen neuronalen Netzen, genetischen Algorithmen und genetischer Programmierung. Künstliche Intelligenz gewinnt nicht nur bei Schach und Dame, Backgammon, Othello, Scrabble, Jeopardy! und Go gegen Menschen, sondern erkennt Sprache, Muster und Gesichter. Gewaltige Rechenzentren durchforsten riesige Datenmengen im Dienste des Profits, des Militärs und der Geheimdienste. Voll automatisierte Waffensysteme lauern auf ihren Einsatz, intelligente Algorithmen verändern Preise und Kaufempfehlungen, suchen Begriffe, reservieren Tische, regieren den Hochfrequenzhandel, überwachen Lagerbestände, zeigen Karten und Routen an, verbessern die medizinische Technik, Diagnose und Entscheidungen, versprechen das Alter zu erleichtern und staubsaugen Wohnungen. Mehr als zehn Millionen Roboter gibt es im Jahr 2020 auf der Erde, recht viel im Vergleich zum verbliebenen Rest von 400 000 Elefanten, 30 000 Nashörnern und 20 000 Löwen.

Die vom Menschen gemachte Welt nimmt zu, die natürliche Welt nimmt ab. Derweil Politiker, Investoren und Manager von neuer Wertschöpfung durch künstliche Intelligenz reden, ereignet sich zugleich die größte Wertvernichtung seit Menschengedenken. Doch während man mühselig gelernt hat, Industrieproduktion, Kraftwerke, Flug-, Straßen- und Schifffahrtsverkehr auf Kohlenstoffemissionen, Ressourcenverbrauch und Umweltschäden zu befragen, ist es bei der Digitalisierung erstaunlich still. Computer, Laptops, Tablets und Smartphones haben Akkus und Batterien. Ihr Lithium stammt aus Ländern wie Chile, Bolivien oder Argentinien, mit erheblichen Umweltfolgen für Tiere und Ureinwohner. Giftiger Staub, Versalzung und Wassermangel in Südamerika sind noch fast harmlos im Vergleich zu den Kobaltminen im Kongo. Militärs und Geheimdienste schubsen die Arbeiter und Zwangsarbeiter durch die Minen, Kinder tragen schwere Erzsäcke ans Tageslicht für formschön designtes Digitalgerät. Nicht besser steht es um die Gewinnung von Coltan, Niob und Gold. Schwerste Menschenrechtsverletzungen begleiten ihren Weg aus der Erde. Viele der Erlöse finanzieren den blutigen Bürgerkrieg. In Südafrika verlieren ungezählte Menschen ihr Land, ihr Wasser und damit ihre Lebensgrundlage durch die Gier nach Platin. Und das alles für Geräte, deren Akkus auch noch mit voller Absicht rasant ihre Leistung verlieren und Bedarf schaffen für immer neue Modelle, während die alten dorthin zurückverfrachtet werden, woher ihre Rohstoffe einmal stammten. Über

150 000 Tonnen Elektroschrott allein aus Deutschland landet in Ghana. Auf den Müllbergen von Agbogbloshi, der verseuchtesten Deponie der Welt, suchen die Ärmsten der Armen nach Verwertbarem aus dem Schrott von Hightech-Konzernen, die vorgeben, die Welt jeden Tag ein bisschen besser zu machen.

Zum Drama der Rohstoffe kommt der Transport. Wer berechnet die $CO_2$-Emissionen des Lieferverkehrs? Das Internet mag frei von geografischem Raum sein, der Transport der Bestellungen ist es nicht. Woher soll die gewaltige Menge an Energie stammen, die Server und Blockchains schon heute verbrauchen? Glaubt man den Forschern der TU Dresden, dann verbraucht das World Wide Web im Jahr 2030 so viel Strom wie die gesamte Weltbevölkerung im Jahr 2011.[3] Noch gehen nur knapp vier Prozent an weltweiten Treibhausgasemissionen auf das Konto digitaler Technik. Doch schon im Jahr 2040, so meinen Physiker der McMaster University in Hamilton, Ontario, wird die Digitaltechnik etwa halb so viel Treibhausgase entstehen lassen wie der gesamte globale Verkehr.[4] Allein die Produktion von Smartphones könnte dann 125 Megatonnen $CO_2$ pro Jahr in die Luft blasen.[5]

Nein, man kann nicht mehr über die Zukunft reden wie in der Vergangenheit. Man wird auch nicht weiterhin sagen können, dass alles wirtschaftliche Wachstum im Dienst der Menschheit geschieht, auch wenn viele Menschen von den Vorzügen profitieren. Auf das Ganze der Menschheit gerechnet, müssen sich der Nutzen und die Kosten, die Zugewinne an menschlicher Lebensqualität und der Verlust an Natur, Ressourcen und biologischen Lebensbedingungen miteinander abgleichen lassen – jede andere Art des Fortschritts wäre keiner, sondern schlichtweg Wahnsinn. Und selbst wenn künstliche Intelligenz Konzernen wie Google dabei hilft, ihre Server besser zu kühlen und Strom zu sparen, wenn clevere Industrievernetzung weniger Energie verbrauchen könnte – all diese Effizienz im Einzelnen ist erst dann effektiv, wenn die Gesamtmenge des Energie- und Ressourcenverbrauchs dadurch tatsächlich abnimmt und nicht wie bisher dramatisch steigt.

Digitale Technologie, insbesondere Maschinenlernen und künstliche Intelligenz, sind einerseits Beispiele unter vielen im Hinblick auf unseren Ressourcenverbrauch. Zum anderen, und das ist hier wichtiger, stehen sie paradigmatisch für *den* Fortschritt, für *die* Gestaltung unserer menschlichen Zukunft. In dieser Sicht wird KI gleichsam zum Symbol eines alten Denkens im Angesicht neuer Herausforderungen.

Wenn der schwedische Philosoph und IT-Visionär Nick Bostrom von einer »barmherzigen und triumphalen Nutzung unseres kosmischen Erbes« durch künstliche Intelligenz spricht, dann wundert man sich nicht nur über den cäsarenhaften Imperativ zur Triumphalität, man erschrickt auch darüber, dass seine Version von »Barmherzigkeit« kein einziges soziales, geschweige denn ökologisches Problem unserer Zeit überhaupt anspricht.[6] Bostroms Angst, dass eine »Intelligenzexplosion die ganze Welt in Brand steckt«, benötigt zu ihrer Erfüllung keine böse, gegen den Menschen gerichtete künstliche Intelligenz.[7] Wie viele naheliegendere Brandrodungen entscheiden in den nächsten Jahrzehnten über das Schicksal der Menschheit als ausgerechnet jene übel entgleister Computer!

Doch es gibt noch immer viel zu wenige, die sich für beides gleichermaßen interessieren: für die Sorge und die Notwendigkeiten des biologischen Überlebens und für den technischen Fortschritt durch künstliche Intelligenz. Es scheint, als fände beides auf getrennten Planeten statt. Bei der Umweltfrage geht es fast nie um die anthropologische Weiterentwicklung der Spezies Mensch; in der KI-Debatte fast nie um Energieverbrauch, Ressourcenausbeutung und $CO_2$-Emissionen. Der Gedanke, Menschen irgendwo in den unwirtlichen Weiten des Weltalls anzusiedeln, scheint IT-Gurus und Techno-Utopisten näher zu sein, als den Lebensstil der Industrienationen auch nur sanft anzuzweifeln; die Gründe dafür dürften im Weiteren deutlich werden. Techno-Visionen und Ökologie – es ist *die* Kluft, der Graben unserer Zeit!

Unter solchen Vorzeichen ist die Orientierungslosigkeit im Umgang mit Ökologie und Technik vor allem eine Vernunftkrise. Wir scheinen nicht mehr recht zu wissen, was ein vernünftiger Fortschritt ist.

Der Aufbruch ins zweite Maschinenzeitalter muss nicht nur clever, klug und geschmeidig sein, er muss auch künftige Desaster erkennen und vermeiden. Was können wir von einer selbstlernenden digitalen Technik künftig erwarten und was nicht? Wo ist künstliche Intelligenz ein Segen, und wo wird sie mittel- bis langfristig zum Fluch?

Im Mittelpunkt steht damit die neue alte Frage, was es heißt, Mensch zu sein. Sie stellt sich heute mit größter Brisanz. Unsere Selbstdeutung und Selbstverwirklichung verlangen dringend nach einer Revision. Was sind unsere realistischen Erwartungen? Was unsere Einschätzungen einer guten Zukunft? Und welche Sinngebungen kommen darin vor? Denn eine Diskussion des technischen Fortschritts, die eine solche Sinndimension nicht kennt, geht notwendig am Menschen vorbei. Sinn ist jener Horizont, vor dem das, was

Menschen jenseits des nackten Überlebens tun, verständlich wird. Wenn sich die Frage nach der technischen Zukunft auf verstörende Weise von der Frage nach dem Sinn des Lebens gelöst hat, so gilt es nun, diese Dimension zurückzugewinnen. Und sie kennt vor allem zwei Fragen: »Wohin?« und »Wozu?«

## *Das Andere der künstlichen Intelligenz*

Wie schade wäre es, wenn den Menschen die Wende nicht rechtzeitig gelänge! In diesem letzten Abschnitt ihrer Geschichte könnten sie so viel über sich selbst lernen. Es ist faszinierend zu sehen, wie das Zeitalter der künstlichen Intelligenz die Philosophie zwingt, den Menschen ganz neu zu sehen. Oder wie es der US-amerikanische Nobelpreisträger Herbert A. Simon bereits 1977 formulierte: »Die wahrscheinlich wichtigste Frage über den Computer ist, was er mit dem menschlichen Selbstverständnis und seinem Platz im Universum getan hat und weiterhin tun wird.«[8]

Was wäre eine solche realistische Neubewertung, ein angemessenes Selbstverständnis? Zweieinhalbtausend Jahre lang waren die Menschen der westlichen Kultur ihrem Selbstverständnis nach *das Andere der Natur*. Beseelt vom göttlichen *logos*, der ihnen Vernunft, Urteilsfähigkeit und Sprache schenkte, setzten sie sich die Pflanzen und Tiere als das Triviale entgegen. Geist, Denken, Vernunft und Kalkül waren jene Eigenschaften, die Männer an der schönen Küste Kleinasiens, im verbrannten Süden Italiens oder in einer Kleinstadt unweit des Ägäischen Meeres im 5. und 4. vorchristlichen Jahrhundert zu den Wesensmerkmalen des Menschlichen erklärten. Der Logos schenkte ihnen die Teilhabe an einer höheren Sphäre des Seins, die größer ist als der Mensch selbst. Vom Himmel ins Bewusstsein geholt, wird sie zur Allzweckwaffe. Sie ist Denkmethode, Instanz, Sinnstiftung – aber vielleicht auch nur eine Fiktion, geboren in den Bewusstseinszimmern enger Wirbeltiergehirne.

Wir stehen heute zu Beginn eines neuen Jahrtausends christlicher Zeitrechnung. Jedes Jahrtausend hat die Menschen qua Logos von der umgebenden Natur und Tierwelt entfernt und entfremdet. Der Logos hat die Welt entzaubert, aber in gleichem Maße den großen Entzauberer selbst verzaubert, sodass er sein eigenes Wesen aus den Augen verlor. Die heutige Generation der Logos-Sekte träumt von enorm potenzierten Gehirnen durch »Emulation«. Hohepriester des Silicon Valley lehren uns, in Menschen unvollständige Maschinen zu sehen, statt in Maschinen unvollständige Menschen. Der Logos will rein werden; hinweg mit dem Zufall, den natürlichen Barrieren, der sterblichen Hülle. Menschliche Gehirne sollen gescannt und im Computer modelliert werden, Nootropika, leistungssteigernde Medikamente, sollen die Neuronen und Synapsen zum Tanzen bringen, die optimalen Spermien mit den schönsten Eizellen sich beim Invitro-Casting vereinen, Hirnimplantate überlegene Cyborgs hervorbringen.

Der Drang in ein bizarres Mehr, die Steigerung ins Absurdistan des technisch Denkbaren befeuert sich durch eine tiefe Kränkung. Unsere Maschinen können besser sehen, hören, rechnen und kalkulieren als Menschen. Definieren wir unser Wesen weiter über den Logos und nehmen wir an Maschinen Maß, so müssen wir uns optimieren, um nicht auf der Strecke zu bleiben. Doch die Welt des Maschinen-Logos ist zugleich erschreckend eintönig, man muss wohl sagen »blutleer« und banal. Und genau darin liegt die Pointe: das Nicht-Banale am Menschen neu zu entdecken und ihn neu zu definieren, nicht als das Andere der Natur, sondern als *das Andere der künstlichen Intelligenz.*[9] Es ist das neue Selbstverständnis, zu dem uns der Computer zwingt, je intelligenter er auf seine Weise wird. »Die KI«, wie der US-amerikanische Informatiker Donald Knuth von der Stanford University schreibt, »kann mittlerweile so ziemlich alles, was ›Denken‹ erfordert, aber kaum etwas von dem, was Menschen und Tiere ›gedankenlos‹ tun – das ist irgendwie viel schwieriger!«[10]

Die Lage ist paradox. Während Menschen sich mehr und mehr mit Computern vergleichen statt mit Tieren, erkennen wir zugleich, wie wenig die Leistung von Rechnern überhaupt mit menschlicher Intelligenz vergleichbar ist. Die Hoffnung der Dartmouth-Teilnehmer und vieler ihrer Nachfolger, in kürzester Zeit in die Dimension menschlicher Intelligenz vorzudringen, hat sich nicht erfüllt. Dabei geschah und geschieht stets das Gleiche. KI-Visionäre von den Sechzigerjahren bis heute wähnten und wähnen sich in dieser Frage jedes Mal kurz vor dem Ziel. Sie prognostizierten und prognostizieren weiterhin eine dem Menschen adäquate Intelligenz innerhalb der jeweils nächsten Dekade. Und sie scheitern ein ums andere Mal. Denn immer präzisere Mustererkennung und immer leistungsfähigere Statistiksysteme schaffen noch lange keine echte Intelligenz.

Menschliche Intelligenz ist, nach einer berühmten Formulierung des Schweizer Entwicklungspsychologen Jean Piaget, »das, was man einsetzt, wenn man nicht weiß, was man tun soll«. Logik und Kalkül spielen dafür allerdings nur in wenigen Fällen und auch erst ab einem bestimmten Alter eine Rolle. Die menschliche Intelligenz ist durchzogen von Emotionalität und Intuition, Spontanität und Assoziation. Der »gesunde Menschenverstand« (*common sense*) ist kein Synonym für Rationalität, sondern im gleichen Maße Einfühlung in die Situation unter dem Einfluss von Werten. Menschen denken viel seltener und viel weniger logisch als von KI-Forschern angenommen, und nicht das logische Denken macht die Menschlichkeit aus.

Wenn es um die Zukunft von KI geht, braucht es eine »Kritik der kortikalen Vernunft«. Dass menschliche Intelligenz vor allem logisch und streng rational sein soll, ist eine Fehlinterpretation und Übertreibung. Entsprechend groß ist die Zahl der IT-Experten, vor allem in Deutschland, die den Begriff »künstliche Intelligenz« ohnehin nur für ein Marketing-Wort halten. Im Gegensatz zu Computern denken Menschen nicht »regelbasiert«. Ihre Entscheidungswelt ist nicht sorgsam begrenzt und durch eine Zielfunktion eingehegt und festgelegt. Der Geist des Menschen operiert nicht in einem programmierten System, sondern erst Gefühle, Gedanken, Wörter und Sätze ziehen ihn täglich aus dem Nichts. Gerade das Nicht-Programmierte nämlich erlaubt es Menschen, sich und die Welt zu reflektieren. Computer dagegen sind unfähig, das eigene Wissen zu wissen. AlphaGo, das Computerprogramm von Google DeepMind, das 2016 den südkoreanischen Go-Großmeister Lee Sedol schlug, verstand nicht entfernt, was es tat, und es konnte es auch nicht erklären. Das Programm begriff noch nicht einmal, was Go ist, geschweige denn, warum Menschen Go spielen. Es versteht ja nicht einmal, warum Menschen überhaupt spielen.

Was KI heute kann, ist zwar beeindruckend, aber in keiner Form ähnlich oder gar gleich menschlicher Intelligenz. KI hat einiges mit Intelligenz zu tun, aber kaum etwas mit Verstand und nicht entfernt mit Vernunft. Dass sich daran in absehbarer Zeit etwas ändert, ist, wie wir sehen werden, ziemlich unwahrscheinlich. Die Lektion des Computers ist nicht, dass er uns bald ersetzt. Sie besteht vor allem darin, das zu entdecken, bei dem er uns nicht ersetzen kann. Der Computer lehrt uns, das Analoge wiederzuentdecken in seiner fantastischen Vielschichtigkeit und unberechenbaren Komplexität. So viele großartige Fähigkeiten unterscheiden Menschen nicht nur graduell, sondern prinzipiell von ihren Maschinen.

Die künstliche Intelligenz, die den Go-Meister schlug, ist nicht *emotional*. Emotionalität ist kein irrationales Manko des Menschen, wie viele antike Griechen und manche Aufklärungsphilosophen, wie zum Beispiel Immanuel Kant, meinten. Ohne unsere Gefühle wüsste unser Verstand überhaupt nicht, was er tun soll. Es sind unsere emotionalen Willensimpulse und ihre Erfüllung, die wesentlich unsere Glücksdynamik bestimmen. Und selbst unser Pflichtgefühl ist ebendies, ein Gefühl. Dass künstliche Intelligenzen Emotionen mit Sensoren erspüren und mimisch und stimmlich imitieren können, macht sie beileibe nicht zu emotionalen Wesen. *Affective computing* verhält sich zum Empfinden von Emotionen wie Donald Duck zu einer Stockente. Auch können künstliche Intelligenzen nicht alle menschlichen Gefühle lesen. Gefühle entstehen, wenn Emotionen Vorstellungen auslösen. Komplexe Formen der Traurigkeit, wie Selbstmitleid, Reue oder Einsamkeit, sind ebenso wenig lesbar wie komplexe Formen der Freude, wie Schadenfreude, Stolz oder Zuversicht. Ob eine sensorisch erfasste Information Verwirrung oder Erstaunen ist, Frustration oder Rachsucht, Wissbegierde oder Hoffnung, ist mitunter nicht mal dem völlig bewusst, der sie hat. Maschinen können die Zwischentöne und Fantasien echter Gefühle weder beobachten, noch können sie sie verstehen oder erzeugen.

Unsere emotionale Sensitivität macht Menschen weiterhin und dauerhaft zu Tieren. In diesem Punkt sind wir sogar näher an Pflanzen als an Maschinen. Die Corona-Krise, bei der sich viele Menschen ihrer biologischen Verletzbarkeit teils panisch bewusst wurden, dürfte dies vielen wieder gegenwärtig gemacht haben. Doch unsere animalische Sensitivität neu zu entdecken ist nicht nur mit nachvollziehbaren Ängsten verbunden. Zugleich ist es eine fantastische Reise in biologisch oft weithin unerforschtes Gebiet. Man denke nur an die etwa einhundert Billionen Bakterien, die in Tausenden verschiedenen Stämmen im menschlichen Darm leben. Ihr Gesamtgewicht übertrifft sogar das unseres Gehirns. Diese Bakterien, oft viel älter als der Mensch, beeinflussen nicht nur unsere Verdauung, sondern auch unser Denken und möglicherweise sogar das Verhalten; ein Ökosystem von enormer Diversität, das wir, wie so vieles andere in der Natur, noch nicht einmal ansatzweise verstanden haben.

Die neue philosophische Biologie schaut viel weniger darauf, was andere Lebewesen für den Menschen bedeuten. Sie versucht zu verstehen, was Sensitivität, Wahrnehmung und Leben für die jeweiligen Lebewesen bedeuten. Was eine Fledermaus für den Menschen ist, ist gewiss etwas anderes als das, was es für eine Fledermaus bedeutet, eine Fledermaus zu sein.[11] Wer die Paviane verstünde, der sei ein größerer Philosoph als John Locke, bemerkte einst Charles Darwin. Aber einen Pavian wirklich zu verstehen bedeutet zu verstehen, was es für einen Pavian heißt, ein Pavian zu sein.

Eine solche Forschung beobachtet nicht schlichtweg Lebewesen. Sie beobachtet, wie andere Lebewesen beobachten. Ihr Pionier, der Este Jakob Johann von Uexküll, realisierte Anfang des 20. Jahrhunderts, dass Tiere nicht in einer Umwelt leben, sondern jedes Lebewesen in einer je *eigenen* Umwelt.[12] Meine Umwelt ist das, was ich als meine Umwelt wahrnehme und gestalte – bei der Zecke nicht anders als beim Menschen. Und die Grenzen meiner Wahrnehmung sind die Grenzen meiner spezifisch auf mich zugerichteten Welt. Raum und Zeit, Verhalten und Bedeutung sind subjektive Leistungen – eine Erkenntnis, die nach Uexküll im Zentrum jeder Biologie stehen sollte, es aber bis heute nicht tut.

Erst im letzten Jahrzehnt ist die Frage, wie fremde Erscheinungsformen in ihrer Fremdheit angemessen verstanden werden können, wieder ins Licht gerückt. Wiederbelebt hat sie Ian Bogost vom Georgia Institute of Technology in Atlanta, und zwar als *alien phenomenology*.[13] Der Literaturwissenschaftler Timothy Morton von der Rice University in Houston spricht von Tieren und Pflanzen als *strange strangers*, im Gegensatz zu vertrauten Fremden, etwa anderen Menschen.[14] Für den Philosophen Levi Bryant vom Collin College bei Dallas ist dies »transzendentaler Empirismus«.[15] Transzendentalphilosophie ist nach Immanuel Kant die Frage nach der Bedingung der Möglichkeit von etwas. Der transzendentale Empirismus fragt dies im Hinblick auch auf andere Erlebnissubjekte als dem Menschen: Was sind, wie bei Uexküll, die Bedingungen der Erfahrungsmöglichkeiten anderer Lebewesen?

Menschliche Sensibilität und die damit einhergehende Intelligenz ist nur eine unter ungezählten anderen. Isolieren wir den Teilbereich der »Rationalität« und potenzieren seine Möglichkeiten – was für ein Wesen haben wir dann geschaffen? Gerade die völlig andere »Erfahrungswelt« des Computers befeuert heute die Frage nach den *alien phenomenologies* wie keine andere. Liebgewonnene Unterscheidungen, wie jene zwischen Mensch und Tier, Natur und Kultur, Subjekt und Objekt, werden weniger wichtig und geraten mitunter völlig aus dem Blick.[16] Stattdessen rücken Pflanzen, Tiere und Menschen viel näher zusammen, eben als das Andere der künstlichen Intelligenz.

Doch der Unterschied innerhalb der *alien phenomenologies* ist groß. Ein Buch *Wie Affen die Welt sehen* lässt sich schreiben;[17] ein Buch *Wie Computer die Welt sehen* höchstens als Gag. Künstliche Intelligenz baut keine »Welt« auf und schon gar nicht das Gefühl, sich in einer solchen Welt zu befinden. Doch gerade dieses »In-der-Welt-Sein« ist, wie Martin Heidegger in der ersten Hälfte des 20. Jahrhunderts gezeigt hat, elementar für alles menschliche Erleben. Von hier aus unterscheiden Menschen (wie andere Lebewesen auch), was für sie relevant ist und was nicht. Eine riesige Menge stummen Wissens durchzieht unseren Alltag, bestimmt unsere Handlungen und unsere Sprache. Bedeutungen werden nicht logisch erschlossen, sondern dem Kontext abgelauscht. Unser Denken hat einen feinen, gesamtkörperlichen Sinn für Stimmungen, Zwischentöne und komplexe Zusammenhänge. Jedes Thema erscheint uns in einem Horizont von persönlichem und kulturellem Vorwissen. Der US-amerikanische Philosoph Hubert Dreyfus, als Mitglied der RAND Corporation und Professor am Massachusetts Institute of Technology ganz nahe an der KI-Forschung, wurde seit den Sechzigerjahren nicht müde, diesen Wissensschatz der Philosophie seinen oft unverständigen Kollegen aus der Informatik nahezubringen.[18]

Menschliches Denken ist, wie später ausführlich gezeigt wird, kein logisches Problemlösen. Und anders als bei jeder künstlichen Intelligenz kommt es uns nicht nur darauf an, *was* wir sehen, sondern *wie* wir sehen. Zum »In-der-Welt-Sein« gehört unweigerlich, dass wir die Dinge nicht neutral wahrnehmen und auch nicht neutral für wahr nehmen. Ob wir glauben, dass etwas stimmt oder nicht, ist sehr weitgehend eine Glaubensfrage, viel weitgehender, als wir selbst meinen. Die allermeisten Dinge in unserem Leben lassen sich ohnehin nicht oder wenn nur mit größtem Aufwand letztgültig klären. Um uns zu orientieren, brauchen wir äußerst selten Beweise. Viel häufiger verlassen wir uns auf unser Vertrauen oder Misstrauen. Menschen, Dinge und Medien werden auf diese Weise immer emotional gefärbt wahrgenommen. Sie werden bewertet. Und wo etwas bewertet wird, muss es *Werte* geben, die uns solche Bewertungen ermöglichen. Tatsächlich besteht der menschliche Kosmos, so wie wir ihn wahrnehmen, viel stärker aus Bewertungen als etwa aus Atomen. Und wenn wir Vertrauen, Wahrheit, Freiheit, Freundschaft, Respekt, Loyalität, Hilfsbereitschaft und so weiter als Werte anerkennen – und das tun die allermeisten Menschen auf unserem Planeten –, dann halten wir sie intuitiv nicht für unsere ganz subjektiven Werte, sondern für objektiv richtig. Ja, wir glauben sogar, dass es *die* Freundschaft und *die* Wahrheit gibt, auch wenn analytische Philosophen damit nicht viel anfangen können. Im echten Leben jenseits aller sprachlogischen Philosophie aber spielen Werte eine gewaltige Rolle: als subjektiv empfundene Vorzüge, die mit uns in der Welt sind, sodass wir sie für objektiv halten wie Gegenstände.

Künstliche Intelligenz hingegen empfindet keine Werte. Selbst wenn man versucht, ihr sogenannte Werte einzuprogrammieren, hat sie keine. Denn ein Wert, der nicht zugleich empfunden wird, ist keiner. Die Qualität von Liebe, Freundschaft, Charme und Takt ist ohne Gefühle und ohne die volle Beteiligung aller Sinne schlichtweg nicht erklärbar. Kein Wunder, dass die Ausstrahlung eines Menschen leichter von Hunden, Delfinen und Elefanten erspürt wird als von künstlicher Intelligenz. Wer Werte einprogrammieren will, muss sich mit naturidentischen Aromastoffen begnügen, wobei fast alle Nuancen auf der Strecke bleiben. Dass eine bestimmte Freundschaft für mich wertvoll ist, bemisst sich nicht schlicht an der Summe der gemeinsam verbrachten Zeit, der Anzahl der gewechselten Worte, der ausgetauschten Freundlichkeiten oder Geschenke usw. Warum manche Aktivitäten für mich so wichtig sind, dass ich ihnen wertvolle Zeit schenke, kann keine künstliche Intelligenz wissen. Schon schwer genug, es selbst zu wissen. Vieles ist für mich schon einfach deshalb so werthaltig, weil *ich* es gemacht habe. Selbst gemalte Bilder und selbst gemachte Erfahrungen ziehen ihren ganz besonderen Wert aus meiner eigenen Subjektivität, die in ihnen steckt. Und etwas ganz besonders gut gemacht zu haben hebt sowohl meinen Selbstwert als auch den Wert der Tätigkeit.

Dass Menschen zu den Dingen ihrer Welt in »Wertbeziehungen« stehen, war das Lebensthema des Phänomenologen Max Scheler.[19] Für ihn war das Empfinden von Werten ebenso natürlich gegeben wie das Sehen von Farben. Ob Werte oder Farben, wenn man sie sinnlich empfindet, hat man nicht die Wahl, sie nicht zu fühlen. Insofern sei das eine so objektiv wie das andere. Für Scheler gibt es sogar eine natürliche Rangordnung der Werte. Auf unterster Ebene haben wir es mit sinnlichem Fühlen zu tun und unterscheiden das Angenehme vom Unangenehmen. Eine Stufe höher unterscheiden wir die »Lebenswerte«, das Edle und das Gemeine. Und darüber steht das geistig Gefühlte, das Schöne und Hässliche, Recht und Unrecht sowie das Heilige. Dass diese Unterscheidungen in allen menschlichen Kulturen getroffen und die positiven Werte (angenehm, edel, schön, gerecht und heilig) höher geschätzt werden als die negativen (unangenehm, hässlich, unrechtmäßig), wird heute von Anthropologen und Ethnologen bestätigt.[20] Ob man sie deshalb »a priori« für »gültig« halten muss, steht auf einem anderen Blatt.

Ob Werte objektiv vorhanden sind, darüber kann man streiten, nicht aber darüber, dass sie für Menschen von allergrößter Bedeutung sind. Doch selbst wenn die Grundwerte kulturübergreifend meist die gleichen sind, so sagt das noch nichts darüber aus, was genau ich als schön oder gerecht empfinde. Für den einen sind Picassos Werke schön, für den anderen überhaupt nicht. Die eine findet es gerecht, wenn jeder das Gleiche bekommt, die andere, wenn jeder eine gerechte Chance darauf hat, zu Seinem zu kommen, selbst wenn die Unterschiede bei dem, was man bekommt, gewaltig sind. Werte mögen ähnlich oder sogar gleich sein, es bleibt immer ein erheblicher persönlicher und kultureller Spielraum. Gerade deshalb sind Werte nicht programmierbar; jedenfalls nicht, wenn die persönliche Freiheit der Menschen auf dem Niveau erhalten bleiben soll, wie wir es heute in der westlichen Kultur kennen.

Wenn Menschen das, was sie erleben, unweigerlich wertschätzen oder links liegen lassen, achten oder ächten, dann hat das große Folgen für ihr Handeln. Menschen sortieren ihre Umwelt nicht logisch, sondern sie streben nach Gemütszuständen. Nach etwas zu *streben* wie Pflanzen zum Licht bestimmt uns nicht nur als Spezies Homo sapiens. Es unterscheidet uns auch in unserem Charakter. Ob wir eher darauf aus sind, viel Lust zu gewinnen oder tunlichst Leid zu vermeiden, ist keine Frage objektiver Lebensrisiken und Statistiken. Ob wir uns zu Bildern hingezogen fühlen, zur Musik, zur Philosophie, zum Sport oder dazu, Computer zu programmieren, ist keine rationale, geschweige denn eine logische Entscheidung. Man wird noch nicht mal aus logischen Gründen Logiker! Viel wichtiger ist, wie wir erzogen werden und für was wir uns sensibilisieren. Ästhetisch feinfühlige Menschen werden selten Informatiker (obwohl das natürlich möglich ist); allzu nüchterne Geister selten Künstler. Was wir schätzen, ist eine Frage unserer höchst individuellen Sensoren. Sie sorgen dafür, dass wir die Dinge mit sehr unterschiedlicher Intensität wahrnehmen und dass wir unsere Werte individuell kultivieren.

Interessen und Werte pflegt niemand im luftleeren Raum. Menschen sind gesellige Primaten, und ihr Streben und Hingezogen-Sein zu etwas folgt keinen Berechnungen, sondern dem Einfluss anderer Menschen – und seien es auch persönlich unbekannte oder verstorbene Künstler, Politiker,

Wissenschaftler usw. Geteilte Interessen und Werte entfalten oft eine ganz andere Bedeutung als mit niemandem geteilte. Künstliche Intelligenz dagegen kennt keine *Gemeinschaft* und auch keine *soziale Kultur* von Anerkennung und Wertschätzung, die für Menschen so psychisch existenziell ist. Wer wir sind und für wen wir uns halten, ist das, was andere in uns sehen und wie wir uns selbst erzählen. Denn anders als Maschinen sind Menschen in ihrem Selbstverhältnis Erzähler und damit abhängig von Geschichten. Den größten Teil des Alltags leben wir nicht in der Gegenwart, sondern rufen uns Szenen der Vergangenheit oder der mutmaßlichen Zukunft vor Augen, um sie zu einem Sinnzusammenhang zu verknüpfen. Dabei spielt es überhaupt keine Rolle, ob diese Szenen selbst erlebt oder nur erzählt, gelesen oder im Film gesehen sind. Fiktionen werden von Menschen oft ebenso intensiv, mitunter sogar intensiver erlebt als die Realität. Wir weinen bei Filmen oder fiebern mit, obgleich wir wissen, dass all dies nicht »real« ist.

Nicht in der Gegenwart zu leben ist ein Bewusstseinszustand, den künstliche Intelligenz nicht kennt. Dazu kommt das Wissen von Menschen, dass sie *in einer Zeit leben*. Jedes Erlebnis ist einzigartig, selbst wenn es sich ähnlich wiederholt. Heraklits Weisheit, dass man nicht in denselben Fluss zweimal steigt, macht sowohl unsere Zeit wertvoll als auch das Erlebnis. Wie vieles hängt vom richtigen Augenblick ab? Unser ganzes Leben ereignet sich in einem solchen Zeithorizont, und »alles hat seine Zeit«, wie der Prediger Salomo sagte. Diese Zeit ist begrenzt. Und sie wird nicht arithmetisch erlebt. In der Kindheit vergeht sie gefühlt langsamer, im Alter schneller. Würden wir ewig leben, würden wir sicher viele Entscheidungen anders fällen als bei einer Aussicht auf vielleicht achtzig Lebensjahre. Vermutlich hätten wir sogar ein ziemlich großes Problem damit, vielen Dingen überhaupt einen Wert abzugewinnen. Das Irreparable im Leben ist der Überdruss – und der ist im Falle jeder menschlichen Unsterblichkeit garantiert.

Gefühle, Streben, Wert- und Zeitempfindungen sind deshalb wichtig, weil ich sie als *meine* Gefühle, *mein* Streben und *mein* Wert- und Zeitempfinden erlebe. Mein gesamter Gefühls- und Bewusstseinshaushalt ist um ein »*Ich*« gruppiert, um ein Zentrum, das ich spüre, selbst wenn Hirnforscher und Philosophen es nicht dingfest machen können. Dieses »Ich« ist das Oberstübchen, in dem all meine geistigen, emotionalen und willentlichen Akte ein und aus gehen. Die Trutzburg, die alles Auf und Ab des Lebens überdauert; der ungeschnittene Spielfilm, der garantiert, dass ich mich durch alle Lebensjahrzehnte als ein und derselbe empfinde.

All dies hat erhebliche Auswirkungen darauf, wie wir werten, wie wir uns verhalten – und damit auf unsere *Moral.* Nur dadurch, dass wir uns als »Ich« empfinden, können wir über unsere Taten nachdenken und Verantwortung übernehmen. Die Frage, inwieweit wir bestimmte Tiere für moralfähig halten, ist entsprechend abhängig vom Status ihrer Personalität. Affen und Delfine, bei denen wir ein »Ich-Bewusstsein« vermuten, sind moralfähiger als Kaulquappen oder Blattläuse. Sich mit Absicht »gut« zu verhalten ist vermutlich nur wenigen Tierarten gegeben; sich darüber ausführlich Rechenschaft abzulegen wahrscheinlich nur dem Menschen. Im Gegensatz zu anderen Tieren können wir ab einem bestimmten Lebensalter und bei geistiger Gesundheit an unseren Tugenden arbeiten, selbst wenn beileibe nicht alle Menschen davon Gebrauch machen. Maschinen können das nicht. Sie fällen keine freien Entscheidungen und bleiben stets abhängig von einer »Saat-KI«, die ihnen eingepflanzt wurde. So groß die Datenmengen sind, die sie verarbeiten können, so differenziert die Muster und so fein ihre Pixel – zu inkonsequentem Verhalten beispielsweise sind sie nicht fähig. Menschen können in ihrem Verhaltensrepertoire Widersprüche aushalten und manches in einer Unentscheidbarkeit belassen. Künstliche Intelligenz hat einen Tunnelblick, im Zwischenmenschlichen ist sie schnell überfordert.

Unsere Gefühle, unsere Werte, unser Zeitbewusstsein, unsere Ich-Identität und unsere Moralfähigkeit sind so, wie sie sind, weil sie sich im Laufe der Evolution bewährt haben. Sie sind absichtslose Anpassungen an unser zeitlich begrenztes Dasein auf der Erde. Wir haben uns mit ihrer Hilfe in einer komplizierten physikalischen, biologischen und kulturellen Umwelt zurechtgefunden. Wie der US-amerikanische Psychologe und Philosoph William James um die vorletzte Jahrhundertwende gezeigt hat, spielen Fakten dabei meist nur eine untergeordnete Rolle. Übergeordnet ist der Wunsch, sich zu orientieren und dabei möglichst nicht verunsichert zu werden. Würde künstliche Intelligenz daran etwas ändern, zum Beispiel dadurch, dass sie nun selbst für jegliche Orientierung von Menschen sorgt, verlieren diese langfristig ihren elementaren Lebensinstinkt und damit etwas sehr Wichtiges, das sie zu Menschen macht.

Erkenntnis ist kein von der menschlichen Psyche unabhängiger Wert, sondern sie dient der Anpassung an unsere Umwelt und aneinander. Unsere Intelligenz ist großartig, aber nicht um eine objektive Welt zu durchschauen, sondern um sich in ihr einzurichten und zu bestehen. Sie ist dadurch unendlich viel reichhaltiger als künstliche Intelligenz, gerade weil sie nicht für wenige ausgewählte Zielfunktionen optimiert wurde. Die Leistung unseres Bewusstseins, eine Welt zu konstruieren und uns zugleich das Gefühl zu geben, in ihr zu sein, setzt ungezählte »stumme« Fähigkeiten voraus, die uns im Alltag zumeist gar nicht deutlich werden. Und doch machen sie uns mindestens ebenso sehr zum Menschen wie die bewussten Operationen unseres Verstandes. Wir rechnen, sehen und hören sehr viel schlechter als Computer, aber wir orientieren uns auf grandiose Weise in oft unendlich komplexen Kontexten. Die Datenwelt der künstlichen Intelligenz hingegen nimmt nur wahr, was sie wahrnehmen soll. Diese Welt ist sehr viel kleiner als die menschliche. Ihr fehlt, wie Donald Knuth sagt, alles »Gedankenlose«.

Künstliche Intelligenz ist immer Welt aus dritter Hand. Eine Welt aus erster Hand wäre die objektive Realität von allem, sie bleibt Menschen in ihrem begrenzten Bewusstseinszimmer notwendig verborgen. Unser Wirbeltiergehirn mit seinen beschränkten Sinneswahrnehmungen kann sie nicht erfassen, sondern nur bedürfnisgerecht modellieren als Welt aus zweiter Hand. Reproduzieren wir Teile dieser Welt dadurch, dass wir sie in Bits und Bytes, Megabytes und Kilobytes abbilden, schaffen wir ein sehr menschliches Produkt, eine Welt aus dritter Hand. Diese Welt ist trotz beeindruckender Spezialfähigkeiten nicht sehr komplex, dafür aber auffällig geordnet. Sie besteht aus ganzen Zahlen, binären Sequenzen, einer festgelegten Logik, präzisen Definitionen und Algorithmen. Damit ist sie genau so, wie Menschen sie sich wünschen. Sie ist übersichtlich angeordnet, wohldurchdacht, mathematisch beschreibbar, effizient und auf ihre

Weise optimal – all jene Qualitäten, die Philosophen vor der Aufklärung, insbesondere Gottfried Wilhelm Leibniz, so gerne der Welt aus erster Hand angedichtet haben. Und so schaffen wir uns heute – nach der großen Desillusionierung des 19. Jahrhunderts, als Gott aus der Welt verschwand und der Mensch von der Mitte an den Rand rutschte – unsere eigene wohlorganisierte Welt, um all unsere Ansprüche und Sehnsüchte nach Klarheit und Ordnung zu erfüllen.

Die spannende Aufgabe wird sein, uns dabei nicht durch uns selbst verwirren zu lassen und alle drei Welten durcheinanderzubringen. Die messbare Seite der Welt wird, nach einem Satz des Philosophen Martin Seel, durch künstliche Intelligenz nicht zur Welt, sondern eben nur zur messbaren Seite der Welt.[21] Hält sie in unsere gesamte Lebenswelt Einzug und ersetzt sie, so kürzen wir über kurz oder lang all die Dimensionen heraus, die Menschen zu Menschen machen, und erklären die unvollständige und human defizitäre Kopie zum Original. Perfekte Ordnung, absolute Klarheit und transparente Eindeutigkeit sind nur in der Welt aus dritter Hand zu haben, auf unserem mondbeschienenen Planeten wachsen sie nicht. Und die geordnete Welt des Computers ändert nichts an der Unübersichtlichkeit der Welt, sie gießt nur eine Illusion über ihr aus.

Völlig geordnete Welten aus Menschenhand sind weniger komplex als natürlich vorgefundene. Ihre Struktur ist übersichtlicher, ihr Kontext überschaubar. Doch nicht ausrechenbar zu sein wie Menschen, Elefanten, Kraken oder Paviane ist kein Mangel, sondern eine Qualität. Wie langweilig wäre ein Leben mit ausnahmslos berechenbaren Protagonisten? Ersetzen wir sie mehr und mehr durch Computer, so verschwindet mutmaßlich nach und nach vieles aus der Welt, was für Menschen einen langfristigen Wert hat. Das Leben baut ja auch durch den Einsatz künstlicher Intelligenz in unserem Lebensalltag nichts völlig Neues auf, sondern es holt die Steine dafür woanders her. Unser Erinnerungsvermögen würde ausgelagert, im Alltag würde es nicht mehr trainiert. Die Fülle dessen, was wir aus der Vergangenheit auf die Gegenwart beziehen können, um sie anzureichern und zu interpretieren, schwindet dahin. Unsere innere Welt verliert an Reichtum. Geschwindigkeit und allseitige technische Verfügbarkeit reduzieren den Wert der Dinge. Wer die Welt übersensationiert zur Unterhaltung dargeboten bekommt, wird seine Sinne weniger sensibilisieren und seine Werte nicht kultivieren. Werden wir dann den ungeheuren Bedeutungsreichtum der Welt, in der wir leben, noch erkennen?

Die Lektion des Computers für die Menschheit liegt in ebendieser Einsicht. Es ist faszinierend zu lernen, wie wenig uns ein Mehr an Technik automatisch glücklicher oder auch nur zufriedener macht, wie ganz anders der Mensch ist als seine Maschinen und welche spannende Entdeckungsreise zu uns selbst uns bevorsteht. Künstliche Intelligenz zeigt uns, was Maschinen können, aber ebenso, was sie nicht und möglicherweise niemals können. Und sie zeigt uns, dass wir um einer guten Zukunft willen angemessen mit unseren technischen Errungenschaften umgehen, dass wir sie in unsere menschliche Welt und unsere Umwelt behutsam einbetten müssen, damit sie uns tatsächlich helfen und nicht in erster Linie wir ihnen.

Der von Managern und Politikern immerfort wiederholte Satz »Im Mittelpunkt muss der Mensch stehen« erfordert eine Disruption und Revolution des Denkens auf unserem bisherigen Weg. Denn sollte tatsächlich der Mensch im Mittelpunkt stehen, dann stünde dort eben nicht die Technik, der Umsatz, die Gewinne, das Machtstreben großer IT-Konzerne oder das schlichte und gierige »Mehr«. Und was käme, wäre nicht das Zeitalter des selbstzerstörerischen Narzissmus, sondern ein Zeitalter der Konvivialität, eine Epoche des biologischen Miteinanders in Rücksicht und Respekt, eine Zeit der Verschonung und Nachhaltigkeit. Ist eine solche Ära, in der zukünftig der Mensch in seinem wohlverstandenen und nachhaltigen Eigeninteresse im Mittelpunkt steht, überhaupt denkbar? Wer sind denn überhaupt die Treiber der ganzen Entwicklung hin zu mehr und mehr künstlicher Intelligenz? Und damit noch einmal die Frage: Warum und wozu streben wir nach immer intelligenterer Technik?

## *Die Entfesselung*

Die Industriegesellschaften des 21. Jahrhunderts plagt kein Erkenntnisproblem – und damit auch nichts, was eine noch so großartige Superintelligenz lösen könnte. Wenn Donald Trump aus dem Klimaabkommen von Kyoto und aus dem Atomabkommen mit dem Iran aussteigt und ein Tropen-Nazi wie Jair Bolsonaro in Brasilien den Regenwald abbrennen lässt, nützt auch keine alternative Empfehlung einer Superintelligenz etwas. Sie würde sie nicht umstimmen. Im Monetozän, dem Zeitalter des Geldes, bestimmt gewiss nicht die bestmögliche Einsicht über die Geschicke der Welt. Sollte eine Superintelligenz etwa auf die Idee kommen, der Menschheit dazu zu raten, den Kapitalismus zu überwinden – wer würde sich über den guten Rat freuen und ihn umsetzen? Um die echten Probleme der Menschheit zu lösen, müsste man die Welt zunächst von verheerenden und kurzsichtigen Geschäftsinteressen befreien. Aber ein solches Ziel ist bei den Hohepriestern der KI und ihren Geldgebern weder vorgesehen noch denkbar. Das Ziel nahezu aller künstlichen Intelligenz ist, mehr Kontrolle zu gewinnen und größere Gewinne zu erwirtschaften; sei es durch Medizin- oder Militärtechnik, effizientere Produktion, günstigere Kosten und eine noch bessere Kenntnis des Bürgers oder Kunden. Vorstellungen wie jene, dass »95 Prozent aller KI-Forschung dahin angelegt ist, um Menschenleben länger, gesünder und leichter zu machen«, sind weltfremd.[22]

Um die Dynamik zu verstehen, die heute auf den massenhaften Einsatz immer leistungsfähigerer KI drängt, muss man sich mit der Entwicklung des Kapitalismus beschäftigen. Im Laufe der ersten industriellen Revolution des 18. und 19. Jahrhunderts verdrängte überall in Westeuropa der liberale Kapitalismus den Merkantilismus der Feudalzeit. Der Feudalstaat konnte die sich rasant entwickelnden und verändernden Märkte nicht mehr kontrollieren. Die Dampfmaschine und die mechanischen Webstühle, mit denen die erste industrielle Revolution ihren Anfang nahm, ermöglichten die immer kostengünstigere Produktion in immer größerer Stückzahl. Diese Ware, gesponnen aus Baumwolle aus den britischen Kolonien, quoll überall auf den europäischen

Markt und suchte immer mehr neue Käufer. Das alte Erfolgsmodell, durch Monopole und Handelsüberschüsse Gewinne zu erwirtschaften, zerbrach. An seine Stelle trat die siegreiche Forderung nach freien Märkten. Doch schon im ersten Drittel des 19. Jahrhunderts tat sich ein strukturelles Problem auf. Die Käuferschicht für Textilien wuchs nicht mit der Produktion mit, da die Fabrikherren ihre Arbeiter erbärmlich entlohnten. Nur so konnten sie kostengünstiger produzieren als die Konkurrenz.

Gewaltiger Produktionsfortschritt bei gleichzeitiger Massenverelendung sorgte im Laufe des 19. Jahrhunderts in gleichem Maße für Absatzkrisen wie für Aufstände und eine sozialistische und kommunistische Gegenbewegung. Die Regierungen sahen sich heillos überfordert zwischen der Forderung der Fabrikherren nach freien Märkten und Nichteinmischung in die Betriebe und der gleichzeitigen Notwendigkeit, »Sozialpolitik« zu betreiben. Denn ohne Sozialpolitik kein florierender Binnenmarkt und kein innerer Frieden. Am Ende der Systemkonkurrenz zum kommunistischen Staatskapitalismus in Osteuropa stand nach den Irrungen und Wirrungen zweier Weltkriege schließlich die »Soziale Marktwirtschaft« der Freiburger Schule. Die liberale Forderung nach freien Märkten und die »sozialistische« Idee einer Grundsicherung für alle wurden in gleichem Maße bedacht, und der Staat bekannte sich zu seiner »Lenkungsfunktion«, um die Risiken des Kapitalismus abzusichern. Der Neoliberalismus – nach Definition der Freiburger Schule ein Liberalismus mit hoher sozialer Verantwortung – trat seinen Siegeszug an.

Die enorme Erfolgsgeschichte der Sozialen Marktwirtschaft vor allem in Deutschland reicht bis in die Siebzigerjahre, genau so lange, bis der riesige Bedarf an elektrifizierten Konsumgütern und Autos vorerst gedeckt war. Aus einer Bedarfsdeckungsökonomie musste nun eine Bedarfsweckungsökonomie werden, um die Märkte neu einzuheizen. Rationalisierungen automatisierten die Produktion, und die gesamte Wertschöpfungskette gehorchte dem Prinzip des Lean Managements, der möglichst »schlanken«, effektiven und vor allem kostengünstigen Produktion. Und der gewaltige Aufschwung der Werbeindustrie sorgte dafür, dass die Produkte an den Mann und noch viel mehr an die Frau gebracht wurden. Nimmt man die gesellschaftlichen Kosten des Umbaus, die Verlagerung von Arbeitsplätzen in die Entwicklungsländer, steigende Arbeitslosigkeit und rasant wachsende Staatsverschuldung aus, so gelang es auf diese Weise immerhin, das alte Spiel in vielen Industrieländern erfolgreich weiterzuspielen. Die allgegenwärtige Orientierung auf Konsum befriedete die Gesellschaft und wirkte damit integrativ. Aus Bürgern wurden Konsumenten und später User. Dass auf Rationalisierung und Globalisierung eine überbordende Finanzindustrie folgte, war ein logischer Prozess, denn Kapital konnte nun äußerst kurzfristig, flexibel und volatil eingesetzt werden und dabei enorme Gewinne erzielen. Das klassische Verständnis von Lebensleistung wich der Bewunderung von kurzfristigem Erfolg.

Der immense Aufschwung der Finanzindustrie war ohne Computer und zunehmend selbstlernende Programme nicht denkbar. Soziologische Theorien beschreiben die Digitalisierung als Antwort auf die immer größere Komplexität der Moderne.[23] Je unübersichtlicher die Welt, umso wichtiger eine intelligente Mustererkennung. Der KI-Forscher Pedro Domingos von der University of Washington meint sogar, dass die Naturwissenschaften ohne Computer überhaupt keine größeren Fortschritte mehr gemacht hätten.[24] So gesehen war der Siegeszug der Digitalisierung eine logische Folge. Sie ermöglichte der kapitalistischen Ökonomie die weitere Expansion und eine gesteigerte Effizienz in einer enorm komplexen globalisierten Welt. Transaktionen, Prozesse in Unternehmen und Verwaltungen ließen sich nun schlanker, effektiver und kostengünstiger abwickeln. Analoge Daten wurden in digitale Daten umgewandelt, Prozesse, Modelle, Simulationen und Prognosen anschaulicher und zuverlässiger.

Allerdings hat der technische Fortschritt der Gegenwart inzwischen eine ganz neue Qualität, die sich von allem Früheren unterscheidet. Denn er automatisiert die Automation! KI-betriebene Technologien sind keine guten oder bösen Werkzeuge, wie wir sie kannten, keine Telefone, Autos, Bomben und Raketen, sondern wir ermöglichen ihnen, »eigenständig« zu handeln. Technische Geräte werden damit – zum ersten Mal in der Geschichte – zu »Subjekten«. Dabei dringen sie rücksichtslos in unsere Intimität vor, mit bisher ungeahnten Möglichkeiten an Nähe und Zudringlichkeit. Ob Technik unser Leben begleitet oder ob sie es gestaltet, ist nicht das Gleiche. Es ist ein Unterschied, der tatsächlich einen Unterschied macht. Wenn sich in Zukunft Dinge allein durch die Kraft von Gedanken bewegen sollen, dann kennt die KI unsere Gedanken. Sensoren in der Kleidung übersetzen Transpiration und Körpertemperatur in digital erfasste Emotionen, freigegeben zur Verwertung durch kommerzielle Unternehmen. Digitalen Überwachungskameras entgehen kein Gesicht, keine Stimme und kein Kaufverhalten. Aktien, Währungen, Versicherungen und private Renten hängen an den Algorithmen des Hochfrequenzhandels. Alles, aber auch restlos alles, am Menschen lässt sich zur Ware machen und verspricht Fantastilliarden an Umsatz und Gewinn.

Was in den ersten Jahrzehnten des 21. Jahrhunderts mit unserer Ökonomie geschah, scheint bis heute noch immer kaum verstanden zu sein. Das zweite Maschinenzeitalter brachte nicht nur die digitale Beschleunigung, globale Kommunikation und einen wirtschaftlichen Effizienzgewinn durch immer leistungsstärkere Computer. Es brachte mit Google, Facebook, Amazon und in Teilen Apple auch eine ganz neue Art von Wirtschaft auf den Plan. Der Plattformkapitalismus revolutionierte die liberale Ökonomie und veränderte ihre Spielregeln so stark, dass heute von liberaler Ökonomie und freien Märkten vielfach nicht mehr die Rede sein kann. Nicht nur beherrschen sehr wenige Firmen sehr große Teile des bedeutendsten Marktes, wie allgemein bekannt, sondern diese Firmen sind nun selbst der Markt.[25]

Wer seine Waren an den Konsumenten verkaufen will, kommt um Werbung auf Facebook und bei Google kaum herum. Eine einzige Firma, Amazon, bildet den größten Online-Markt der Welt. Von den GAFAs (Google, Amazon, Facebook und Apple) ist nur Apple im größeren Stil Produzent von Hardware-Produkten, nämlich Smartphones. Die anderen Konzerne hingegen verdanken ihren Aufstieg nicht der Tatsache, dass sie etwas herstellen. Sondern sie stellen etwas zur Verfügung, eine Plattform oder, wie im Falle von Google, eine Suchmaschine. Mit der wachsenden Bedeutung der Plattformen sind diese selbst zu Märkten geworden, auf denen viele Hersteller von Produkten präsent sein müssen und dafür zahlen. Den Konzernen gehören nicht möglichst viele Maschinen wie ehemals Ford die größten Produktionsanlagen der »alten« Ökonomie, sondern ihnen gehört schlichtweg der Markt. Und die Fülle all der Daten des Alltagslebens erweitert diese Marktmacht zusehends. Während Ford sein Geld mit Autos verdiente, verdient Google im Falle eines zukünftigen voll automatisierten Fahrens am Fahrer und am Verkehr. Und nur wer Googles Datenmenge hat, kann den Verkehr übersehen und lenken. Gleichzeitig vergrößert jeder Fahrer und jede Fahrt die Zahl der Daten und damit die Leistung von Services wie Google Maps. Die wechselseitige Verstärkung des Prozesses verschmilzt Service, Plattform und Verkehr. Die Welt des voll automatisierten Verkehrs ist dann ein riesiger Markt, erzeugt von einem ebenso gewaltigen Konzern.

Die Entwicklung der Weltökonomie ist damit prägnant benannt: die rasante Revolution der Märkte von starken Marktteilnehmern zu Konzernen, die selbst Märkte sind – für einen Liberalen geradezu eine Horrorvorstellung, die alles zerstört, worauf freie Marktwirtschaft beruht! Der Soziologe Philipp Staab vergleicht die digitale Ökonomie sogar mit dem Merkantilismus, der gesteuerten Wirtschaft in einer Hand. Nur dass es diesmal nicht der immer bedeutungslosere Staat ist, der davon profitiert, sondern globales privates Investitionskapital. Kontrolliert wird der Markt nicht durch staatliche Ordnungspolitik, sondern durch eine Reihe subtiler Methoden wie Interfaces, Ratings und Trackings, durch die sich Nutzerverhalten steuern und Daten schöpfen lassen.

Die neue Herrschaftsform, basierend auf Algorithmen statt auf Bürokratie oder traditioneller menschlicher Kontrolle, hat längst ihren Namen. Der Soziologe Aneesh Aneesh von der University of Wisconsin nennt sie »Algokratie«. Um analoge Geschehnisse in Zukunft immer besser digital kontrollieren zu können und das Feld zu erweitern, ist der massive Einsatz von künstlicher Intelligenz zwingend erforderlich. Ob im Gesundheitswesen, im Verkehr oder im »Internet der Dinge«: Um aus der bislang unzugänglichen Intimzone von Menschen Daten zu gewinnen und auf den Markt zu stellen, drängt KI immer weiter vorwärts und erweitert ihren Einflussbereich. Nachdem alle Räume auf der Erde erschlossen sind, der Weltraum und der Meeresboden, die Sehnsuchtsorte des vergangenen Jahrhunderts, wenig verlockend erscheinen, bleibt nichts mehr übrig, als nun in die feine Unterwäsche des Bewusstseins einzudringen. Bisherige digitale Erfindungen – Suchmaschinen, Online-Bezahlsysteme, soziale Netzwerke, Spiele und der Netzhandel – nehmen sich tatsächlich noch schlicht aus im Vergleich zu den zukünftigen Ambitionen der Hightech-Firmen. Textilien mit Sensoren nehmen Emotionen wahr, scannen und vermessen sie. Hirn- und Körperscanner durchpflügen die Gefühlswelt. Jeglicher Verhaltensimpuls, auch die feinsten emotionalen Regungen sollen ebenso kommerzialisiert werden wie jedes etwaige zukünftige Verlangen.

Der Prozess, der aus freien Märkten private Märkte in der Hand ganz weniger Konzerne macht, müsste jeden liberalen Politiker aufs tiefste besorgen. Doch Parteien wie die FDP in Deutschland plakatieren unverdrossen »Digitalisierung first. Bedenken second!«. Woran liegt das? Zum einen sicher daran, dass sie den Prozess bislang noch gar nicht richtig verstanden haben, der hier längst im Gange ist. Und zum anderen, weil sie vor allem den Mitmachzwang sehen, dem auch die deutschen Unternehmen ausgesetzt sind. Von den GAFAs lernen heißt siegen lernen, mag mancher denken. Viele fürchten auch die chinesische Konkurrenz von Tencent, Alibaba und Huawei, die, mit teilweise dem gleichen (!) globalen Risikokapital ausgestattet wie das Silicon Valley, ebenfalls in nahezu jeden Wirtschaftszweig eindringt. Und um auf den privatisierten Märkten der Zukunft bestehen zu können, müssen die Deutschen halt unentwegt nachrüsten. Der Anteil an Arbeit, der zukünftig von KI statt von Routinearbeitern erledigt werden wird, steigt deshalb stetig an, erst in der Industrieproduktion, wo Deutschland in der Vernetzung durch KI führend ist, dann bei Banken und Versicherungen, bald darauf in Verwaltungen und bei vielen Dienstleistungen und wohl irgendwann möglicherweise im Verkehr.

Vom Kapitalismus und seinen Zwängen ist in den meisten Digitalisierungsbüchern selten die Rede. Man schreibt über Menschenwerk, als handele es sich um ein Naturgeschehen. Doch weder eine ominöse Erkenntnissehnsucht des Menschen noch ein Naturgesetz treibt die Entwicklung künstlicher Intelligenz voran, sondern ein gut erklärbarer wirtschaftlicher Prozess. Der Zweck der Durchdringung von Welt und Menschen mithilfe von KI ist nicht, Menschenleben besser zu machen, sondern Gewinne zu erzielen und zu steigern.

Eine solche hochexpansive Ökonomie und die damit einhergehende Veränderung unserer Lebenswelt gelten den meisten Entscheidungsträgern und Visionären der digitalen Zukunft unhinterfragt als gesetzt. Sie ist ihnen sogar so selbstverständlich, dass sie erst gar nicht thematisiert wird. Um jegliche Zweifel zu zerstreuen, bedienen sich die Firmen und ihr Führungspersonal dabei wissentlich, mitunter auch unwissentlich, zweier Erzählungen, die beide den gleichen Zweck erfüllen: Sie verhindern, dass das, was sie tun, ein gesellschaftliches Akzeptanzproblem bekommt. Die erste Erzählung ist die *Gleichsetzung von Innovation und Fortschritt*. Die Propagandisten der Hightech-Konzerne und ihre Gefolgschaft quer durch die Unternehmen der Welt lassen nicht den geringsten Zweifel daran, dass das, was sie tun, *der* Fortschritt ist; ein Fortschritt, der übrigens nicht gemacht wird, sondern »kommt« und dem man sich deshalb schleunigst anpassen muss. Jede technische Innovation ist demnach automatisch Fortschritt, und den kann man bekanntlich nicht aufhalten, ohne zu scheitern.

Tatsächlich ist das mit Innovationen und Fortschritt so eine Sache. Die Begriffe sind keine Synonyme und unterscheiden sich aus gutem Grund. Die Inquisition, der Stalinismus und das Maschinengewehr waren zu ihrer Zeit ohne Zweifel höchst innovativ – aber deswegen unbedingt ein Fortschritt? Jede Beurteilung als Fortschritt ist ebendies: eine Beurteilung. Gewiss sahen sich der Faschismus und der Stalinismus als ausgesprochen fortschrittlich an, ja sogar als tausendjährige Zukunft oder als das Ende der Geschichte. Die meisten Menschen sehen das heute aus guten Gründen ziemlich anders. Der Abbau der Humanität erscheint ihnen keineswegs fortschrittlich, selbst wenn das damit verbundene Herrschaftssystem früher einmal neu war. Doch was neu ist, ist nicht automatisch besser als das Alte. Dies zu unterstellen ist eine hochgradig ideologische Verblendung, die ihrer Logik zufolge alles Neue als fortschrittlich bewerten muss, egal, was kommt.

Dass Altbewährtes seine Qualität haben kann und durch Disruption nicht zwangsläufig Besseres entsteht, fühlen auch viele Beobachter der gegenwärtigen Revolution. Warum soll man freie Märkte nicht besser finden dürfen als private Märkte in der Hand weniger Unternehmen? Muss man das

Fortschritt nennen, weil es neu ist? Kann man darin nicht auch einen empfindlichen Rückschritt sehen? Ist der Online-Handel, so wie wir ihn heute kennen, ein Fortschritt für unsere Innenstädte? Oder vielleicht nicht doch ein Verlust an urbaner Kultur? Ist es fortschrittlich, wenn Menschen durch Online-Handel und irgendwann voll automatisierte Kühlschränke immer bequemer werden, oder liegt nicht doch ein Reiz darin, Einkaufen als soziales Ereignis zu sehen? Und so wahrscheinlich es ist, dass selbstfahrende Autos langfristig zu weniger Verkehrstoten führen könnten, so wenig alternativlos sind sie zugleich. Weniger Autoverkehr führt auch zu weniger Verkehrstoten. Mag das Ziel alternativlos sein, der Weg ist es nicht. Die Erzählung im Sinne von »Um die Zahl der Verkehrstoten zu reduzieren, musste man schließlich das selbstfahrende Auto erfinden« ist ebendies: eine Erzählung. Und sie wird pausenlos heruntergebetet.

Das Pathos unentwegten Fortschritts, sei es nun gerechtfertigt oder nicht, gehört untrennbar zu unserer Gesellschaft. Die systematische Unzufriedenheit mit dem Erreichten ist eine kapitalistische Notwendigkeit; psychologisch und ökologisch allerdings ist sie eine Pathologie unserer Kultur. Man denke hier schmunzelnd an Heinrich Bölls hübsche Erzählung »Anekdote zur Senkung der Arbeitsmoral« aus dem Jahr 1963. Ein Tourist fragt einen dösenden Fischer in einem mediterranen Hafen, warum er nicht, statt zu schlafen, häufiger hinausfährt, um Fische zu fangen und damit nach und nach ein kleines Fischereiimperium aufzubauen. Als der Mann den Touristen nach dem Zweck des Ganzen fragt, antwortet dieser, dass man dann in Seelenruhe in der Sonne schlafen könne. Das, erklärt der Fischer gelassen, könne er doch auch jetzt schon!

Man kann durchaus der Meinung sein, dass beide Sichtweisen ihre Wahrheit haben, und man muss sie nicht zwingend gegeneinander ausspielen. Doch genau das geschieht jedes Mal, wenn jemand am unbegrenzten Wachstum und der Ideologie des ständigen Mehr zweifelt. Als Alternative ist meist reflexhaft von der »Steinzeit« die Rede, in die doch bitte schön niemand zurückmöchte. Zweifelt jemand am Segen bestimmter technischer Innovationen, wird ihm schnell Technikfeindlichkeit, Zukunftsangst oder gar Fortschrittsverweigerung unterstellt. Dabei war es kein Geringerer als der bedeutende liberale Philosoph John Stuart Mill, der Mitte des 19. Jahrhunderts vom Ziel eines »stationären Zustandes« träumte, in dem es jedem materiell gut geht und der Wachstumszwang auf Kosten der Umwelt nicht mehr besteht. Und es sei auch daran erinnert, dass »Bescheidenheit« bis heute im Privaten als Tugend gerühmt wird, wogegen sie ökonomisch ein Ausweis von Unfähigkeit und fehlendem Ehrgeiz, mithin ein Laster ist.

Damit ist bereits die zweite Erzählung angesprochen. Es ist der *Imperativ zur Vernutzung* von allem und jedem. Dass Menschen Natur in Nützliches verwandeln, Ackerbau und Viehzucht betreiben, Medikamente gegen Krankheiten entwickeln, ihr Überleben durch Werkzeuge und Technik sichern, die das Leben erleichtern, ist etwas ganz Natürliches. Die Frage ist allerdings, ob diese Haltung, sich die Erde zum eigenen Nutzen anzueignen, grenzenlos ist. In der kapitalistischen Ökonomie wird die Frage per se nicht gestellt; sie ist ihr wesensfremd. Denn jede Vernutzung ist systembedingt immer nur ein Zwischenstadium zu weiterer Vernutzung. Auf die Dauer der Jahrhunderte gerechnet, wird diese ökonomisch höchst erfolgreiche Weise zu wirtschaften mehr und mehr zur

Extremform. Nicht das gute Leben, sondern die Akkumulation von Kapital ist Mittel und Ziel. Das bessere Leben verkommt dabei zum Marketingbegriff in einem System, in dem es um die Lebensqualität eigentlich gar nicht geht. »Bringing the world closer together«, Facebooks Slogan, ist kein Imperativ der Menschenliebe, sondern der globalen Expansion. Googles »Don't be evil« deutete das Gefahrenpotenzial des Konzerns bereits im Motto so plakativ an, dass es von Alphabet in »Do the right thing« ausgetauscht werden musste, was auch immer die richtige Sache für die Firma ist. Amazons »Work hard. Have fun. Make history« dürfte dessen chronisch schlecht bezahlten Arbeitern ziemlich zynisch erscheinen. Ginge es den Firmen nur um Menschenliebe, um die richtige Sache und darum, Geschichte zu schreiben, hätten Investoren aus aller Welt gewiss anderes zu tun, als Milliarden in die besagten Unternehmen zu investieren.

Tatsächlich geht es einzig um einen ökonomischen Nutzen, um Umsatz und Gewinne. Menschen kennen dagegen, anders als viele Firmen, auch andere Formen des Nutzens. Zum Beispiel einen moralischen oder politischen Mehrwert oder einen sozialen und ästhetischen Gewinn; Erträge, die in der kapitalistischen Ökonomie dem ökonomischen Nutzen sämtlich untergeordnet sind. Wie diese Hierarchie aufgebaut ist, hat Karl Marx in einer Fußnote des *Kapital* treffend beschrieben: »Kapital ... flieht Tumult und Streit und ist ängstlicher Natur. Das ist sehr wahr, aber doch nicht die ganze Wahrheit. Das Kapital hat einen Horror vor Abwesenheit von Profit oder sehr kleinem Profit, wie die Natur vor der Leere. Mit entsprechendem Profit wird Kapital kühn. Zehn Prozent sicher, und man kann es überall anwenden; 20 Prozent, es wird lebhaft; 50 Prozent, positiv waghalsig;

für 100 Prozent stampft es alle menschlichen Gesetze unter seinen Fuß; 300 Prozent, und es existiert kein Verbrechen, das es nicht riskiert, selbst auf die Gefahr des Galgens. Wenn Tumult und Streit Profit bringen, wird es sie beide encouragieren.«[26] Wer die Geschichte des Kapitalismus von seinen Anfängen bis heute verfolgt, hat dem wenig hinzuzufügen.

Dass der Kapitalismus der westlichen Welt und der Staatskapitalismus in China die größten Treiber der Digitalisierung sind, besagt nichts über den Wert von Technologien wie künstlicher Intelligenz. Es verschiebt einzig den Blick von der Technologie selbst auf ihre Einsatzbereiche und die Gründe dafür. Dabei ist es faszinierend zu sehen, wie Technologie und Anwendung normalerweise eben nicht geschieden, sondern rhetorisch so vereint werden, als gehörten sie organisch zusammen.

Für Hightech-Unternehmen ist ihre Technologie grundsätzlich immer effizient und immer fortschrittlich. Doch Effizienz und Fortschritt sind keine selbstverständlichen Ziele, sondern müssen in ihrem jeweiligen Kontext verständlich gemacht werden. Beide Begriffe wachsen nicht in naturwüchsigen Umgebungen. Effizienz kann nämlich nicht nur als Vorteil gesehen werden. Zu häufig ist sie der Lieblingswert von Menschen, denen es an sonstigem Wertbewusstsein mangelt und denen nichts einfällt, als ein Mittel zum Ziel zu erklären. Effizienz ist auch kein unweigerlicher Auftrag zu einem Mehr, einem Schneller, Höher oder Weiter. Die Leistung der Alge, wie der polnische Autor und Philosoph Stanisław Lem meinte, aus Sonnenlicht Energie zu gewinnen, ist unendlich effizienter als die Leistung des Adlers, mit aufwendigen Flugspektakeln ein Kaninchen zu fangen. Je höher entwickelt Lebewesen sind, umso ineffizienter werden sie im Regelfall.

Insofern ist das Streben nach Effizienz in unseren Gesellschaften keineswegs selbsterklärend. Wir wollen nicht effizient Wein trinken, und wir schauen uns, zumindest in Europa, gerne Fußballspiele an, eine Sportart, in der nur in seltenen Fällen gelingt, was neunzig Minuten versucht wird: den Ball ins gegnerische Tor zu bekommen. Effizienter wäre es, die Hände zu benutzen, mehr Spieler aufzustellen und die Tore größer zu machen. Stattdessen begeistert den Zuschauer die Artistik eines ständigen Misslingens, ohne die die wenigen Tore nichts wert wären. Auch ist beileibe nicht alle Effizienz positiv. Eine effizientere Kriminalität ist ebenso wenig wünschenswert wie effizientere politische Propaganda radikaler Parteien. Und die Frage, welches Ziel effizient ist, beantwortet sich auch nicht von selbst. Ist es effizienter, das BIP um jeden Preis zu steigern, oder ist es für die Gesellschaft langfristig effizienter, darauf zu verzichten? Die Begriffe »Fortschritt« und »Effizienz« sind also äußert anspruchsvoll. Sie setzen voraus, dass man auch tatsächlich kluge Ziele definiert, die man erreichen will. Keine Innovation und keine Effizienzsteigerung sind per se sinnvoll. Die Begriffe selbst zu Zielen zu erklären ist Ideologie: eine einseitige Sicht dessen, was der Mensch ist und was er sein soll.

Der Auftrag zu alledem kommt nicht aus der Natur, sondern aus den Spielregeln unserer Ökonomie. Ginge es um den Menschen im Mittelpunkt, so fielen einem auch Lebensqualitäten wie Ruhe und Duldsamkeit, das Gleichgewicht der Seelenkräfte oder eine wache Sinnlichkeit ein – Werte, die sich im antiken Griechentum ebenso finden wie in zahlreichen fernöstlichen Glaubensrichtungen. Für viele Menschen sind dies wichtigere Bedürfnisse als Effizienz oder Beschleunigung. Wahrscheinlich wünschen sich heute in der westlichen Kultur ebenso viele Menschen mehr Entschleunigung als Beschleunigung. Sie wünschen sich mehr Resonanz auf sich, statt unpersönlicher technischer Lösungen. Sie suchen Anerkennung statt Expansion.

Die ziemlich angegrauten Erzählungen von einer rationalen und sehr viel effizienteren Zukunftswelt sind also brüchiger, als sie scheinen. Mittel und Ziel werden sich nicht dauerhaft gleichsetzen lassen, schon gar nicht in der ökologischen Gefahrensituation der Gegenwart und der Zukunft. Ideologie (unbedingtes Wachstum) und Empirie (die Zerstörung menschlicher Lebensgrundlagen) driften immer weiter auseinander. Und sie passen auch immer schlechter zum Menschen, der sehr schnell viel maschinenähnlicher werden müsste, um überhaupt in die Zukunft zu passen. Aber vielleicht sollte er das ja? Genau diese Vision steht nämlich bei vielen prominenten Visionären der künstlichen Intelligenz tatsächlich im Raum …

## *Von Menschen und Übermenschen*

Kulturen sind jene Geschichten, die sie sich selbst erzählt haben und weiterhin erzählen. Die Geschichte von der Erde, die einzig zum Nutzen und zur Verwertung durch den

Menschen gemacht sei, ist ein altes Erbstück der griechischen und römischen Stoiker und von dort eingewandert ins frühe Christentum. Die Geschichte vom unbedingten Fortschritt durch Technik entsteht im späten Mittelalter bei Roger Bacon, bevor sein Namensvetter Francis Bacon sie zu Anfang des 17. Jahrhunderts zur Ideologie macht: Die umfassende Weisheit der Alten, die *sapientia*, verschwindet zugunsten der *scientia*, der naturwissenschaftlichen Durchdringung und technischen Verwertung von allem. Die Geschichte vom vermeintlichen Auftrag des Menschen, sich selbst überwinden zu sollen, wird in der italienischen Renaissance erfunden. Die Freiheit des Handels, die die ober- und mittelitalienischen Städte sich ertrotzen, treibt die Freiheit des Handelns hervor. Aber wo liegen seine Grenzen? Gibt es überhaupt noch welche? Kann und darf der Mensch, der vom Glauben an Gott abgefallen ist und ihn durch den Glauben ans Geld ersetzt hat, alles, was möglich ist und möglich sein wird?

In dieser Lage entstehen Texte zur Selbstvergewisserung: Was ist der Mensch? Ist sein Leben eher Elend und Fluch, wie der Prediger Salomo sagt, oder Glanz, Segen und Freiheit? Zahlreiche Autoren verfassen Traktate über die menschliche Würde, am schwärmerischsten der Florentiner Humanist Giannozzo Manetti.[27] Der Mensch, schreibt er 1452, ist ein auf die Erde herabgestiegener Engel, ein freier Gestalter seiner Welt, ein Schöpfer und Künstler. Immer höher führt sein Weg, immer prächtiger wird seine Kultur. Der Prunk der Renaissancestädte ist nicht Laster und Frevel gegen die Kirche, sondern Ausdruck der inwendigen Göttlichkeit des Menschen. Alles irdische Treiben, Protzsucht, Selbstdarstellung und natürlich die entfesselte Finanzwirtschaft sind damit gerechtfertigt. Noch weiter geht vierunddreißig Jahre später der junge italienische Adelige Giovanni Pico della Mirandola.[28] Als Kritiker jeder dogmatischen und knechtenden Religion möchte er den gemeinsamen wahren Kern aller Glaubenslehren freilegen: den Glauben an die Göttlichkeit des Menschen. Der Mensch ist das von Gott nicht festgelegte Wesen; was er ist, ist das, wozu er sich macht. Mit Würde kann er frei entscheiden und sich selbst verwirklichen. Und je geistiger, klarer und heller er wird, umso mehr überwindet und transzendiert er seine animalische Natur. Immer höher drängt es die Menschheit deshalb von der irdischen in die göttliche Sphäre; allerdings nicht durch Handel, Wandel, Brücken und Paläste, wie bei Manetti, sondern durch ein kontemplatives, hochvergeistigtes Leben.

Dass der Mensch seiner Natur nach zu Höherem strebt, ist ein Kernstück des Humanismus. Denn je freier er ist, je dynamischer er sich entwickelt, umso weniger passt er noch ins enge Lehr- und Moralgehäuse der mittelalterlichen Kirche. Doch weder Manetti noch Pico sehen die Überwindung des (von der Kirche eingeengten) Menschen als einen technischen Auftrag an. Engel oder göttlich wird man nicht durch Naturforschung, sondern durch kulturelle und geistige Entfaltung. Und Menschen müssen nicht optimiert werden, sondern sie sind es als Ebenbilder Gottes bereits; alles, was ihnen fehlt, ist, sich dieser Göttlichkeit auch entsprechend bewusst zu werden. Wenn Pico von der Überwindung des Menschen spricht, will er nicht technisch manipulieren, sondern er will geistig freisetzen.

In der Idee, dass der Mensch sich frei gestalten und höher entwickeln kann, löst sich die Teleologie von der Theologie.

Manetti und Pico waren gläubige Menschen, aber ihre Heils- und Vervollkommnungsgeschichte ist inwendig, sie braucht kein Eingreifen Gottes mehr. Stattdessen herrscht jetzt der Mensch über sich selbst. Der Gedanke der Perfektibilisierung ist damit in der Welt, der Auftrag an den Menschen, perfekter zu werden. Doch welcher Weg zur Perfektion führt, darüber lässt sich streiten. Bei Jean-Jacques Rousseau sollen vor allem die Leidenschaften kultiviert werden, die feinen Seelenregungen und Empfindungen; für Friedrich Schiller sind es die Sinne und ihr Sinn für das Ästhetische, das man »erziehen« muss, um musisch schöpferisch über sich selbst hinauszugelangen. Andere Philosophen wie Baruch de Spinoza, Pierre Bayle und Immanuel Kant wollen vor allem die Vernunft schärfen und die Selbstreflexion, um Menschen besser zu machen.

Doch in der Aufklärung verschwimmen zugleich die Grenzen. Ist es der einzelne Mensch, der an sich arbeiten soll, oder gleich die ganze Menschheit? Der Begriff »Menschheit« war den antiken Griechen und Römern noch fremd gewesen. Wenn es um Vervollkommnung ging, dann war es ein Auftrag an jeden Einzelnen. Doch das ändert sich durch den Siegeszug der Biologie. Mit der Klassifikation des Schweden Carl von Linné, der *Naturgeschichte* des Grafen Georges-Louis Leclerc de Buffon, der Biologie Jean-Baptiste de Lamarcks und der Zoologie Georges Cuviers entdecken auch die Philosophen den Menschen als Gattungswesen. Die Menschheit, *homo*, eine biologisch scharf umrissene und definierbare Größe, rückt plötzlich ins Zentrum aufklärerischen Denkens. Sechs Jahre nach Linnés Definition des Homo sapiens sieht sich der Schweizer Philosoph Isaak Iselin zu *Philosophischen Muthmassungen über die Geschichte der Menschheit* (1764) veranlasst; Christoph Meiners, Professor der Weltweisheit in Göttingen, entwirft einen *Grundriß der Geschichte der Menschheit* (1785). Der Dramatiker Gotthold Ephraim Lessing möchte das »Menschengeschlecht« erziehen, und der Dichter und Kulturphilosoph Johann Gottfried Herder präsentiert seine umfangreichen *Ideen zu einer Geschichte der Menschheit.* Der Naturforscher und Aufklärer Johann Georg Forster sinniert nicht nur *Über die Beziehung der Staatskunst auf das Glück der Menschheit.* Er wendet den Blick sogar weit in die Zukunft, und zwar in seinem »Leitfaden zu einer künftigen Geschichte der Menschheit«.[29] Von einer »allgemeinen und bleibenden Veredelung« der Menschheit träumt auch der Pädagoge Cajetan Weiller und reflektiert *Ueber die gegenwärtige und künftige Menschheit. Eine Skizze zur Berichtigung unserer Urtheile über die Gegenwart und unserer Hoffnungen für die Zukunft* (1799).

Die Menschheit als ganze »Gattung« verbessern, das will auch der französische Aufklärungsphilosoph Marie Jean Antoine Nicolas Caritat, Marquis de Condorcet. In seinem *Entwurf eines historischen Gemähldes der Fortschritte des menschlichen Geistes* (1796) prophezeit er eine strahlende Zukunft für alle, sofern nur die Wissenschaft zum neuen Kompass wird. Rationalität, Logik, Forschung und Bildung, so prophezeit der Marquis, würden die intellektuellen und moralischen Anlagen des Menschen vervollkommnen.

Condorcets Optimismus entzündet eine ganze Generation jüngerer Intellektueller, die sogenannten *Idéologues.* Sie erstreben *sciences morales et politiques* – eine Universalwissenschaft, die von der Natur des Menschen zu einer ihm gemäßen idealen Gesellschaft führen soll. Was bislang

Spekulation, Willkür, Tradition und Zufall war, soll nun das erste Mal in der Geschichte in »Wissenschaft« überführt werden. Wer den Menschen in all seinen Belangen unvoreingenommenen studiere, insbesondere seine sozialen und ökonomischen Bedürfnisse, der treibe ihn zu bisher ungekannten Höchstleistungen. Die Forderung nach Perfektibilität stößt zum ersten Mal auf die Ökonomie – und zwar in Person des französischen Textilfabrikanten und Spekulanten Jean-Baptiste Say. Ob Wohlstand, Werte oder sozialer Kitt – all das ist erzeugbar, wenn man die Gefühle und das Verhalten von Menschen nur gründlich genug erforscht.

Doch eine solche »objektive« Erforschung der menschlichen Psychologie zahlt einen hohen Preis. Sie rüttelt an einem Grundwert der Aufklärung, nämlich der Freiheit. Hier liegt der »blinde Fleck« der »Ideologen«. Wenn ich die menschliche Psychologie so genau erforsche, dass Menschen vorhersagbar und damit steuerbar werden, dann bedeutet weises Regieren *manipulieren*! Der Behaviorismus, die Kybernetik und die Verhaltensökonomie des 20. Jahrhunderts mit ihrem »Nudging« (dem »Schubsen« durch Anreize, um ein gewünschtes Verhalten zu erzeugen) nehmen hier ihren Anfang.

Der leidenschaftlichste Vertreter eines solchen Ideals von Steuerung und Kontrolle ist der französische Ingenieur und Philosoph Auguste Comte. Seine Soziologie ist *Problemlösung*, in einem Ausmaß, wie die Philosophie es nie war und sein wollte. Die Freiheit des Einzelnen? Völlig uninteressant! Wichtig ist nur die Gesellschaft als Ganzes. Nicht wie der Mensch *ist*, ist von Belang, nicht wie er sich selbst wahrnimmt und wie er tätig wird, sondern einzig – wie er *funktioniert*! Das heraufdämmernde Maschinenzeitalter erzeugt eine Wissenschaft des Sozialen nach seinem Gusto. Und mit ihr den unbedingten Glauben an die schier unbegrenzte Machbarkeit. Psychologie interessiert darin nur, insofern sie Sozialpsychologie ist und Massen in Bewegung setzt, das Richtige oder das Falsche zu tun. Städte wie Paris verwandeln sich unter dem nüchternen Blick des Sozialingenieurs in eine einzige komplizierte Maschinerie. Programme zielen auf Programmierung, Politik auf Steuerung, und selbst Metaphysisches – wie Liebe und Religion – findet seinen Platz einzig, weil es zum Funktionieren des Ganzen beiträgt.

Dass Steuerung und strenge Kontrolle dem bürgerlichen Wert der Freiheit widersprechen, nimmt der »Positivist« Comte gerne in Kauf; das Funktionieren des Ganzen und die Sicherheit sind wichtiger. Wer unbeirrt der Zukunft entgegenschreitet, kann auf die Bedürfnisse von Individuen keine Rücksicht nehmen. Nicht anders werden es der Stalinismus, der Maoismus und der Nationalsozialismus sehen. Bedingungsloser Fortschritt verlangt Anpassung und Unterordnung. Kreativität ist gut, solange sie ins Fortschrittsideal passt, alle andere Kreativität, wie etwa das Denken von Alternativen, stört.

Den Höhepunkt der Barbarei erreicht der diktatorische Fortschrittszwang später durch seine erneute Bluttransfusion mit der Biologie. Zum Verständnis der Menschheit als Kollektiv, als Gattung, Menschengeschlecht oder Volkskörper gesellt sich im letzten Drittel des 19. Jahrhunderts die »Zucht«. Die geschlechtliche Zuchtwahl des Menschen, wie Darwin sie nennt, ist ein Roulette-Spiel der wechselseitigen Anziehung und Attraktion. Schöne, Reiche, Starke und Gesunde vermehren sich darin nicht mehr als Unscheinbare, Arme, Schwache und Kranke – Hauptsache, man findet einen entsprechenden Partner. Will man die Gattung veredeln, so bleibt nichts übrig, als den Zuchtvorgang zu kontrollieren wie jeder Züchter von Tauben, Hunden und Pferden. Sozialdarwinistische Schriften kommen in England, Frankreich und Deutschland in Mode. Die »Erbgesundheitslehre« wird entdeckt, »Eugenik-Programme« entworfen, über »Rassenzüchtung« fabuliert. Nach den NS-Verbrechen im Giftschrank gelandet, leben sie gleichwohl bis heute fort, insbesondere in den Spätschriften Friedrich Nietzsches. Vom Hauch des genialen Künstlers und Künders umweht, betrachtet man sie nicht als toxisches, sondern als provokatives Kulturgut. Die Idee des »Übermenschen«, der sich zum Menschen verhalten soll wie der Mensch zum Affen, steht nicht auf der braunen Liste des Unsagbaren und Unsäglichen, sondern des nur anstößig Visionären: »*Ich lehre euch den Übermenschen.* Der Mensch ist Etwas, das überwunden werden soll. Was habt ihr gethan, ihn zu überwinden? ... Was ist der Affe für den Menschen? Ein Gelächter oder eine schmerzliche Scham. Und ebendas soll der Mensch für den Übermenschen sein: ein Gelächter oder eine schmerzliche Scham. Ihr habt den Weg vom Wurme zum Menschen gemacht, und Vieles ist in euch noch Wurm. Einst wart ihr Affen, und auch jetzt ist der Mensch mehr Affe als irgend ein Affe. Wer aber der Weiseste von euch ist, der ist auch nur ein Zwiespalt und Zwitter von Pflanze und von Gespenst. Aber heisse ich euch zu Gespenstern oder Pflanzen werden? Seht, ich lehre euch den Übermenschen! Der Übermensch ist der Sinn der Erde. Euer Wille sage: der Übermensch *sei* der Sinn der Erde!«[30]

Wer möchte beim Namen Nietzsche schon allzu genau wissen, was da einst tatsächlich geschah, als der kränkliche, depressive und erfolglose Philosoph sich im Engadin mit sozialdarwinistischer Lektüre ermuntert und an rassistischen Schriften erbaut hat. Die Verzweiflung, Überforderung und Lebensangst, die Nietzsche ein Leben lang erhitzt haben, sollen sich durch kalte Texte abkühlen lassen, die anstrengende Gegenwart einer strahlenden Zukunft weichen. Die Lektüre fällt in die 1880er Jahre. Westeuropa kämpft mit der Frage aller Fragen, wie sich der Kapitalismus entweder zivilisieren (Sozialliberalismus) oder abschaffen (Sozialismus) lasse, um der Menschlichkeit endlich zum Durchbruch zu verhelfen. Die soziale Frage schlichtweg zur biologischen Frage zu erklären, zu einer von Zucht und Selektion und von Übermenschlichkeit statt von Menschlichkeit zu fantasieren ist die hartherzigste aller Varianten.

Im Falle von Nietzsche ist es kaum mehr als das schräge Pathos eines Verlierers, der vor den tatsächlichen Problemen ausweicht, sich vor der gesellschaftlichen Auseinandersetzung fürchtet und sich in seiner Fantasie an einer neuen Herrenrasse erbaut. Noch heute ist jegliches Übermenschentum ein Fluchtpunkt der Ängstlichen. Es fasziniert vor allem jene Menschen, die mit den realen Interessenkonflikten, Unberechenbarkeiten, komplizierten Mehrheitsfindungen, der schwierigen Überzeugungsarbeit und den vielen unüberschaubaren Wechselwirkungen des Politischen überfordert sind. Die Welt wird synthetisch einfach gemacht, die Komplexität der Moderne drastisch reduziert, erst in der Biologie, dann in der Philosophie und seit der zweiten Hälfte des 20. Jahrhunderts vor allem durch Science-Fiction-Literatur. Technische Utopien und Dystopien schieben sich immer mehr an die Stelle gegenwartsbezogener politischer Utopien und beschäftigen statt ihrer die Phantasie.

Richtig Fahrt aber nimmt der technische Utopismus auf, wenn beide Bausteine – das Fortschrittspathos und die Betrachtung des Menschen als Gattungswesen – in den digitalen Kapitalismus einziehen und ihn rhetorisch immer rasanter vorantreiben. Unsere Intimität zu erobern und zu vermessen, öffnet nicht nur Übermenschenfantasien ein neues Feld. Es ist zugleich der wahrscheinlich letzte denkbare Expansionsraum des Kapitals. Der Transhumanismus und der Posthumanismus, die Modeströmungen oder Weltanschauungen der Hightech-Visionäre von heute passen viel alte Ideologie an die ökonomischen Verwertungsinteressen der Zukunft an. Denn um immer weiter in die menschliche Intimität, in unsere Gefühle und Gedanken einzudringen und sie kommerziell auszuschlachten, bedarf es einer Rechtfertigung, die ohne ein neues Menschenbild schlecht funktioniert. Wenn wir nicht weniger als unsere Freiheit und unser traditionelles Verständnis von Würde opfern, so nur, weil dies alles, wie einst bei Comte, einem höheren Zweck, einem großen Schritt für die Menschheit dient. Die positivistische Weltsicht, die den Menschen nicht als Endzweck, sondern als Werkzeug des Fortschritts versteht, muss den Humanismus der Vergangenheit für die Zukunft abräumen.

Wie ernst ist all dies gemeint? Wer die Designerbüros und Montessori-Paradiese des Silicon Valley mit ihren Spielecken und Veggie-Bars durchschreitet, wird nicht in jedem Rundmöbel und in jeder Kuschel-Sitzgruppe einen Transhumanisten finden, der die Menschheit optimieren, oder einen Posthumanisten, der sie durch eine künstliche Superintelligenz in den Schatten stellen will. Er wird nicht nur Atheisten finden, sondern auch viele Buddhisten oder Freunde der Kabbala. Er wird zahlreiche vor allem junge Menschen aus aller

Welt treffen, die smart und freundlich sind, in ihrem Fach viel können und viel verdienen. Und wenn man sie auf einen Hightech-Visionär wie Ray Kurzweil anspricht, werden viele lächeln, manche abwinken, und nur manche werden sich als große Fans bekennen.

Der digitale Kapitalismus hat ein äußerst freundliches Lächeln, eine verspielte Kindergartenästhetik wie Googles Schriftzüge und einen unschuldigen Fortschrittsoptimismus wie ehemals die Jungpioniere der FDJ. Dass in den Spielparadiesen von Mountain View und Menlo Park, im Nimbus-Reifen des Apple Parks und in Amazons Biosphäre in Seattle der Kampf zwischen dem Weltbild des Humanismus und dem des Behaviorismus, der jeden Menschen als Reiz- und Reaktionsmechanismus sieht, ausgetragen wird, ist nirgendwo sichtbar. Das »New Dark Age« mit dem »Ende der Zukunft«, das der britische Informatiker und Künstler James Bridle heraufziehen sieht, lässt sich in diesem Licht nicht einmal erahnen.[31] Man will doch nur Gutes, das Beste sogar für die Menschheit. Und die Anwälte der Digitalisierung, die CEOs, CTOs und ihre Programmierer und Forscher, werden nicht müde zu betonen: »Im Mittelpunkt muss der Mensch stehen.«

Aber was für ein Mensch? Und wer definiert, was er ist, was er will und was er in Zukunft sein soll? Die Begriffe »Transhumanismus« und »Posthumanismus« sind auf Digitalkonferenzen keine Fremdwörter mehr. Nicht als Drohbegriffe stehen sie im Raum, sondern als faszinierende Weiterentwicklung.

Dabei ist auffällig, was dabei hinterfragt wird und was nicht. Die Vordenker einer künftigen KI-Gesellschaft stellen gerne den Menschen, wie wir ihn kennen, infrage. Sie sprechen von enormen Veränderungen unseres Selbstverständnisses, von gewaltiger Bewusstseinserweiterung und explosionsartiger Intelligenzvermehrung. Vergleichsweise banale Dinge, wie der Glaube an mehr Effizienz, Geschwindigkeit, an ultimative Ausdehnung und Expansion in jeden Weltwinkel bis hin zu den Sternen, werden nicht hinterfragt. Doch diese Ziele sind, wie gezeigt, keine allein aus sich heraus vernünftigen oder selbsterklärenden Menschheitsziele.

Wenn heute der Mensch überwunden werden soll, um den Engeln gleich zu werden, dann geben nicht Gott oder die Natur des Menschen den Auftrag dazu, wie bei Manetti und Pico, sondern das Verwertungsinteresse des Kapitals. Und zukünftige Herrschaft in einer unbedingten Fortschrittsgesellschaft wird nicht von Staaten ausgeübt, wie bei Comte, sondern von Hightech-Konzernen und Maschinen. Gleichwohl kommen auch die Erlösungsfantasien der Gegenwart nicht ohne Religion aus. Wichtiger als die irdische Welt, wie wir sie kennen, ist die Zeit danach, das Paradies. In diesem Paradies, so träumen die kalifornischen Visionäre, werden Menschen ihr Bewusstsein mit Maschinen verschmolzen haben, hyperintelligent sein und unsterblich. Da der Preis für diesen Fortschritt weiterhin die Zerstörung der natürlichen Lebensgrundlagen der Menschheit ist – keine Auferstehung ohne Tod –, haftet dem Ganzen etwas äußerst Sektenhaftes an.

Ist der Kapitalismus wichtiger oder Homo sapiens? Für die Vordenker des Valley schwer zu sagen; sie sind sich nicht einig. Ob nun in den nächsten Jahrhunderten der Mensch, verschmolzen mit dem Computer, im Mittelpunkt steht oder nicht stattdessen die intelligenten Maschinen selbst, darüber herrschen geteilte Wünsche und Vorstellungen.

Die Maschinenreligion kennt zwei Glaubensrichtungen. Einerseits fortwährend getunte und upgedatete Organismen, die sich in Menschen 2.0, 3.0, 4.0 und mehr verwandeln. Und anderseits eine Zukunft, in der Menschen überhaupt keine Rolle mehr spielen, es sei denn als »Haustiere« superschlauer Computer wie in der schönen guten Zukunftswelt des Apple-Gründers Steve Wozniak.[32]

In beiden Szenarien geht es allerdings immer um das Gleiche: zu verwerten, zu optimieren und zu expandieren durch »bewusst« handelnde Maschinen, die kein anderes Ziel haben als ein Schneller, Höher, Weiter und Mehr. Die Zukunftswelt gleicht einem entfesselten Finanzmarkt, jenem Nicht-Ort, an dem schon jetzt geschieht, was irgendwann überall passieren soll. Eine schier allmächtige Quantum-Intelligenz dreht von einer Cloud aus die Welt, sieht alles, was in finsterster Nacht passiert, hält alle Fäden mit Wertpapieren in der Hand, jagt Finanzströme um den Globus und optimiert sich dabei unausgesetzt ins Unendliche. Und all das soll, geht es nach IT-Visionären wie Wozniak, Pedro Domingos, Googles Director of Engineering Ray Kurzweil oder dem britischen Informatiker Stuart Jonathan Russell von der University of California, schon bald für alle Lebensbereiche gelten; wie an der Börse so auf Erden.

Wenn das Ziel vorgegeben ist, bleibt nur die Frage nach dem richtigen Weg. Um eine Superintelligenz hervorzubringen, muss man nicht unbedingt Roboter bauen. Transhumanisten haben sich im Laufe der letzten Jahrzehnte ein ganzes Frankenstein-Labor zurechtgeträumt. Warum sollte man nicht das Gehirn eines genialen Toten in dünnste Scheibchen schneiden, mit Elektronenmikroskopen scannen und die Daten als Vorlage für eine perfekte Gehirnsimulation nutzen?

Ist das Gehirn einmal im Rechner, so steht seiner grenzenlosen Optimierung nichts im Wege. Auch wenn dergleichen in absehbarer Zeit nicht möglich ist, wer weiß, ob es nicht irgendwann so weit sein könnte?

Klassischer sind die Träume der Züchter. Seit dem letzten Drittel des 19. Jahrhunderts träumen sie davon, den Menschen nicht nur erbgesünder, sondern auch intelligenter zu machen. Und zwar ganz ohne den Einsatz künstlicher Intelligenz. Gewänne man lebensfähige Spermien und Eizellen aus embryonalen Stammzellen, so schwärmt Nick Bostrom, könnte man immer »den vielversprechendsten Embryo einpflanzen«. Wer es sich leisten kann, überlässt die Intelligenz seiner Kinder nicht dem Zufall. Das, so Bostrom, spare der Gesundheitsfürsorge Geld, verspräche ein »höheres zu erwartendes Lebenseinkommen« und brächte »intelligentere Arbeitskräfte« hervor, was für ihn offensichtlich sehr wichtig ist. Und »ist das Verfahren erst gesellschaftsfähig, könnte es als das einzig richtige erscheinen. Einige Länder könnten ihren Bürgern die genetische Selektion schmackhaft machen, um ihr Humankapital zu steigern oder um die langfristige soziale Stabilität des Staates zu erhöhen, indem passende Eigenschaften selektiert werden.«[33]

Auch hier gilt: Das Wichtigste ist, dass der Kapitalismus weitergeht, koste es, was es wolle. Dass Intelligenz nicht in Spermien und Eizellen enthalten ist wie Spielzeug im Überraschungsei, dass Eltern ein guter Charakter ihrer Kinder vielleicht wichtiger ist als eine Superintelligenz, mit der sie kaum umgehen können, dass es nicht der Sinn des Kinderkriegens ist, hochintelligente Arbeitskräfte hervorzubringen und das Humankapital der Staaten zu steigern, und dass außergewöhnliche Intelligenz nicht immer ein Vorteil auf dem

Arbeitsmarkt ist, sondern oft ein Nachteil – all das kommt dem schwedischen Fantasten nicht in den Sinn. In der Politik, um nur ein Beispiel zu nennen, haben hochbegabte Menschen in der Regel kaum eine Chance.

Dass der genetisch optimierte Kapitalismus nicht über Nacht kommen wird, weiß auch Bostrom. Eingriffe in die Keimbahn und somatische Gentherapien bleiben wohl erst der zweiten Hälfte des 21. Jahrhunderts vorbehalten. Wettbewerbsvorteile ließen sich daher vermutlich schneller durch Gehirn-Computer-Schnittstellen erzielen. Gemeint sind Implantate, die Menschen mit den Vorzügen von Computern ausstatten sollen, um riesige Datenmengen zu verarbeiten und nichts mehr zu vergessen. Einen Vorteil auf dem Arbeitsmarkt, um »ihre nicht verbesserten Mitmenschen weit [zu] übertreffen«[34], verschafft die Cyborgisierung allerdings nur, wenn nicht jeder in diesen Genuss kommt. Und wenn das enorme Gesundheitsrisiko ausgeschlossen werden kann, das derzeit damit verbunden ist. Ray Kurzweil, von der Aussicht, mit seinem Computer zu verschmelzen, ganz verzückt, prognostiziert, dass es mit dem Uploaden des *Bewusstseins* schon bald so weit sein könnte. Menschen würden auf diese Weise zu kollektiven Netzwesen, Teile einer einzigen Matrix wie die Borg der *Star Trek*-Serie.

Im Jahr 2020, verkündete der für unrealistische Prophezeiungen berüchtigte Tesla-Gründer Elon Musk, werde seine Firma Neuralink ein menschliches Gehirn mithilfe von Elektroden mit einem Computer verbinden. Nur auf diese Weise, so die skurrile Begründung, könne der Mensch mit künstlicher Intelligenz dauerhaft mithalten und sie kontrollieren. Ansonsten drohe eine außer Rand und Band geraten KI die Menschheit zu zerstören; eine Phobie, auf die ich später noch ausführlich eingehe. Transhumanismus als Schutz vor Posthumanismus ist allerdings nicht der einzige Grund, die Menschheit zu Cyborgs machen zu wollen. Ein weiteres Ziel ist, Menschen mit neurologischen Störungen oder Patienten, die am Locked-in-Syndrom leiden, in die Lage zu versetzen, allein mit ihren Gedanken einen Cursor zu bewegen. Sie können sich dadurch verständlich machen; ein Verfahren, das sich bereits erfolgreich testen ließ. Zum ganz großen Geschäft aber wird die Sache erst dann, wenn sie den Raum der medizinischen Anwendungen verlässt. Hightech-Visionäre träumen von einer Welt, in der Gedanken von Hirn zu Hirn übertragen werden, heruntergeladen wie bei Computern.[35] Glauben kann das nur, wer sich mit dem menschlichen Gehirn nie ernsthaft beschäftigt hat. Mehr Daten führen noch lange nicht zu mehr Gedanken. Wäre das so, würden wir umso mehr denken, je mehr Sinnesreizen wir ausgesetzt sind; das Gegenteil ist meistens der Fall. Material und dessen Verarbeitung sind nicht identisch. Und schneller wird der Denkprozess dadurch mit Sicherheit auch nicht. Informationen sind beileibe nicht das Gleiche wie Bedeutungen – und ohne Bedeutungen keine Gedanken. Zudem ist unser Bewusstsein höchst individuell, kein Gehirn arbeitet exakt so wie ein anderes. Wie will man da sauber übertragen?

Natürlich steht hinter vollmundigen Ankündigungen, wie jener von Musk, vor allem der Druck, Schlagzeilen zu produzieren. Nervöse Risikokapitalgeber müssen chronisch beruhigt werden, zumal man sie mit übertriebenen Versprechungen geködert hat. Ernst zu nehmen ist allerdings, dass sich viele Hightech-Utopisten den Menschen inzwischen mehr und mehr wie einen Computer vorstellen. Doch das

Gehirn ist kein vom Leib getrenntes Organ, das lediglich mit Blut versorgt wird, wie Rechner mit Strom. Zwischen unserem Gehirn und unserem übrigen Leib spielen sich allerfeinste Prozesse ab, ohne die wir gar nicht denken können. Die alte Vorstellung des französischen Barockphilosophen René Descartes, wonach unser Geist eine Art Gespenst in der Maschine des Körpers ist, ist definitiv falsch. Das eigene Bewusstsein in eine Maschine übertragen zu können bleibt deshalb ein Irrtum. Jenseits seines Körpers ist Homo sapiens kein Leben möglich, und der komplette Austausch von Leib und Maschine bleibt auf ewig Fiktion. Das hat ohne Zweifel etwas Beruhigendes. Den Traum wahrzumachen, auf Worte ganz zu verzichten und Gedanken direkt von Hirn zu Hirn zu übertragen, wäre wohl nicht nur das schnelle Ende jeder zweiten Ehe und fast jeder Geschäftsbeziehung. Es machte auch unser Leben ärmer. Auf Worte zu verzichten ist kein Zugewinn an Effizienz, sondern ein dramatischer kultureller Rückschritt und Verlust.

Nicht alle Hightech-Oligarchen sehen im maßlos optimierten Körper das Statussymbol des 21. Jahrhunderts. Homo sapiens, der von den Transhumanisten optimiert werden soll, spielt für die Posthumanisten des Silicon Valley oft nur noch eine untergeordnete Rolle im Welttheater der Zukunft. »Überholen ohne einzuholen« lautet ihre Devise, frei nach Walter Ulbricht. Ihre hyperintelligente Maschinenwelt weist weit über den Menschen hinaus und ist ein Selbstzweck. Der Informatiker Jürgen Schmidhuber freut sich schon auf die Zeit, in der sich selbst reproduzierende künstliche Intelligenz den Menschen ignoriert und die ganze Milchstraße erobert.[36]

Mögen Menschen zur bedingungslosen Expansion zu

schwach sein, die Maschinen, denen sie Intelligenz eingehaucht haben, sind es nicht. Und auch Elon Musk sieht die Menschheit in der Rolle eines Geburtshelfers. Sie ist Maria, die Gebärende, und Johannes der Täufer, der Prophet für einen Geist, der unendlich viel erhabener ist als sie selbst. Oder mit Musk gesprochen: Die Menschheit ist der Bootloader, ein Programm, das das Betriebssystem zu etwas startet, das viel größer ist als es selbst. Und dieses Größere und Erhabenere ist die digitale Superintelligenz, die ohne den Menschen halt nicht freigesetzt werden kann. »Materie«, erklärt Musk, »kann sich nicht zu einem Chip organisieren. Aber sie kann sich selber in ein komplexes biologisches Wesen organisieren, das dann letztendlich den Chip erschafft.«[37] Der Mensch, ein kleines hilfreiches Werkzeug der Evolution im Dienste einer höheren Intelligenz; eine Trägerrakete für die Erleuchtung des Universums mit KI – von solchen Beseelungen träumen auch Kurzweil und Bostrom. Hatte der schottische Philosoph und Ökonom Adam Smith den Kapitalismus Ende des 18. Jahrhunderts als »schöne Maschine« beschrieben, so bleiben nach dem Willen posthumanistischer Seher am Ende tatsächlich nur noch Maschinen übrig. Menschen, falls sie noch existieren, werden wie Ameisen (Schmidhuber) oder Haustiere (Wozniak) gegenüber den Maschinenherrschern sein. Ob die Welt damit zu einem besseren Ort wird, darüber kann man sich streiten. In jedem Fall gehören große Portionen an Misanthropie und Zynismus dazu, um so etwas zu behaupten – und eine noch größere Portion Weltfremdheit, um tatsächlich daran zu glauben!

# *Der falsch vermessene Mensch*

Der Mensch, wie wir ihn heute kennen, ist kein Problem, das auf eine Lösung wartet; auch nicht auf eine Erlösung. Würde man Menschen dramatisch verändern, so hätten sie wahrscheinlich weit mehr zu verlieren, als zu gewinnen. Denn jede trans- oder posthumanistische Revolution verringert offensichtlich genau das, was den Menschen ausmacht: seine Humanität. Perfektion, unbestechliche Rationalität und rasante Verarbeitung ungeheurer Datenmengen mögen beeindruckende Dinge sein, dass sie Menschen grundsätzlich glücklich machen und ihrem Leben Sinn verleihen, ist, vorsichtig gesagt, äußerst unwahrscheinlich. Und dass es das Ziel sein soll, selbst mehr und mehr zu einer Maschine zu werden, ist nur befremdlichen Menschen eingängig.

Und doch sollen alle diese Ideen von Extremzüchtung, Mensch-Maschine-Verschmelzungen und »heruntergeladenen« Gehirnen auf der einen Seite, sich verselbstständigender künstlicher Intelligenz auf der anderen Seite einzig und allein einem Zweck dienen: die Probleme der Menschheit zu lösen! Dass man dafür Menschen, wie wir sie kennen, entweder überwinden oder durch Superrechner ins Abseits stellen muss, wie die ersten Säugetiere im tiefen Schatten von Superreptilien, scheint den Propheten ein angemessener Preis zu sein. Das hat natürlich viel von Selbstmord aus Angst vorm Sterben. Und man fragt sich: Welche Probleme schweben den Hightech-Visionären vor, die dadurch gelöst werden?

Je näher man hinsieht, umso klarer erkennt man, dass die Probleme ziemlich wenig mit den konkreten Problemen der Menschheit zu tun haben. Trans- und Posthumanisten interessieren sich gemeinhin wenig oder gar nicht für Umweltzerstörung, verdorrende Felder und verseuchte Meere. Sie befassen sich nicht mit Konflikten, Massakern und Kriegen und deren Ursachen. Und für das Schicksal von Millionen Menschen, die jedes Jahr verhungern oder an Seuchen sterben, fehlt ihnen jegliches Herz. Alle Kritik am Menschen mündet in der äußerst allgemeinen Feststellung, dass Menschen eben nicht intelligent genug und viel zu irrational sind, um ihre Probleme zu lösen. Maßgenommen wird am Computer, der all die großen Probleme der Menschheit nicht kennt. Nicht weil er dafür zu intelligent ist, sondern weil er kein biotisches Wesen ist und ohne Leib existiert. Computer verhungern nicht, entfesseln keine Kriege und zerstören auch nicht die Umwelt. Allerdings tun dies die Menschen, die sie bauen. Sie lassen Kobalt, Coltan, Gold und Platin in Minen abbauen, nehmen dafür entsetzlichste Arbeitsbedingungen in Kauf und schmieren korrupte Regierungen. Und sie zerstören ungerührt die Umwelt in Afrika, so wie sie es auch in Chile, Argentinien und Bolivien tun, durch die rücksichtslose Gewinnung von Lithium.

Selbstverständlich lässt sich all dies als Beweis für die Fehlbarkeit *des* Menschen interpretieren, auch wenn es sich nur um das Fehlverhalten *bestimmter* Menschen handelt – nicht zuletzt jener, die Menschen ob ihrer Fehlbarkeit optimieren wollen. Wer Eigennützigkeit, Wankelmütigkeit und Irrationalität überwinden und durch Einsichtigkeit und Gemeinwohl ersetzen will, sollte eigentlich bei sich selbst anfangen. Wird die Welt wirklich besser, wenn ihr Geschick nicht mehr von körperlich schwachen, sterblichen, opportunistischen und unpräzisen Menschen bestimmt wird, sondern von gefühlskalten und präzisen Maschinen wie jetzt schon an den Finanzmärkten?

Doch wenn sich die Verbesserung des Menschen durch Technik, seine Produktoptimierung unter dem Gesichtspunkt kognitiver Effizienz nicht dadurch rechtfertigen lässt, dass sie Menschheitsprobleme löst, dann vielleicht dadurch, dass sie einem natürlichen Drang folgt? Liegt es nicht tief in der Menschennatur begründet, sich verbessern zu wollen, und zwar nicht nur individuell, sondern zudem als ganze Gattung? Immerhin haben viele Philosophen der Renaissance, der Aufklärung und des Positivismus diesen Imperativ zur permanenten Verbesserung, wie gezeigt, ebenfalls beschworen. Das Menschengeschlecht oder die Menschheit dürften nicht von den Launen des Zufalls vorwärtsgetrieben werden wie ein Blatt, das der Wind vor sich her pustet. Stattdessen sollte sich die Menschheit Ziele setzen, die ihrer Existenz Sinn geben: Wohlstand, Frieden, Rechtstaatlichkeit, Brüderlichkeit und Freiheit. Sie umzusetzen und dabei nach und nach die Reichweite um Sklaven, Arbeiter, Frauen und Bewohner ferner Länder zu erweitern sei ihr ureigenster Auftrag.

Doch so gerne sich Trans- und Posthumanisten in dieser Tradition sehen, weil es ihnen ja auch um das Glück der Menschheit geht, so sehr unterscheiden sie sich zugleich. Denn anders als die Humanisten setzen sie in ihren Visionen keine Sinn-Ziele. Vielmehr skizzieren sie ständig Zwischenziele, also einen Nutzen.[38] Es nütze der Menschheit, superintelligente Rechner zu bauen, es nütze ihr, sich durch Eugenik immer klüger und gesünder zu machen, es nütze ihr, mit Maschinen zu verschmelzen – aber zu welchem Ziel? Ein Ziel festzulegen fällt den Hightech-Gurus so schwer wie ihrer entfesselten kapitalistischen Ideologie, die von einem ständigen Mehr ohne Endziel lebt. Alles muss weiter und weiter getrieben, optimiert und perfektioniert werden, wohin am Ende auch immer. In Kurzweils Visionen endet die überschaubare Zukunft im Jahr 2099 mit der endgültigen Verschmelzung von Mensch und Maschine. Und dann? Alle glücklich? Der letzte Hinweis betrifft die Zeit, »in ein paar Jahrtausenden«, wenn »intelligente Wesen« sich »mit dem Schicksal des Universums« beschäftigen – vermutlich die sinnvollste Beschäftigung, die es gibt.[39]

Geschichtsphilosophische Ideen wie diese sind begründungsbedürftig. Wenn es um Fortschritt geht, muss sich nicht nur das rechtfertigen lassen, wogegen man ist, sondern auch das Dafür. Fragt man Trans- und Posthumanisten, warum sie die Ziele verfolgen, die sie verfolgen, hört man oft das Argument der menschlichen Neugier, die sich bekanntlich nicht aufhalten ließe. Nun kann menschliche Neugier tatsächlich eine feine Sache sein, manchmal allerdings ist sie es auch nicht. Es gibt diverse menschliche Neugierden, etwa das Aufblasen von Fröschen bis zu dem Punkt, an dem sie platzen, die wir gemeinhin nicht schätzen. Grausige Menschenversuche in KZs verdankten sich menschlicher Neugier. Und auch Männer, die einer fremden Frau unter den Rock fotografieren, können sich auf menschliche Neugier berufen. In all diesen Fällen legitimiert sich menschliche Neugier allerdings nicht durch den Verweis auf menschliche Neugier. Gesellschaften bewerten menschliche Neugier danach, welche sie achten und welche sie ächten. Mit dem bloßen Neugier-Argument ist es nirgendwo in der Realität getan. Als Rechtfertigung ist es ziemlich mau.

Treiber der technischen Entwicklung ist auch keine unbestimmte Neugier, sondern die kanalisierte Neugier auf künftige Technologie, aus der neue Geschäftsmodelle entstehen sollen. Der weitaus größte Teil aller universitären und industriellen Technikforschung entspringt diesem Motiv. Denn ohne Geld und ohne Gewinnversprechen lässt sich ungestört in nur wenigen Nischen forschen. Um profitable Technologien zu erfinden und auf dem Markt durchzusetzen, braucht man zunächst keine trans- oder posthumanistische Ideologie. Ein Technofundamentalismus mit Scheuklappen wie bei Kurzweil, Musk, Wozniak oder Bostrom hilft allerdings dabei, kritische Fragen nach dem Sinn oder Unsinn bestimmter technischer Entwicklungen und ihren potenziellen Folgen für die Gesellschaft kurzerhand zu erledigen. Die Frage ist dann nicht mehr, warum eine bestimmte Technologie wie künstliche Intelligenz vorangetrieben wird und wozu sie eingesetzt werden soll, sondern einzig, was und wie viel an künstlicher Intelligenz technisch möglich ist. In der trans- und posthumanistischen Ideologie ist jedes »Wozu« ja von vornherein festgelegt: um die Menschheit über sich hinauswachsen zu lassen, auf welche Weise auch immer.

Als »Analphabeten der Angst«, um die berühmte Formulierung des Schriftstellers und Philosophen Günther Anders zu zitieren, schaffen die Hightech-Propheten so Klarheit in Fragen, an denen nichts klar ist.[40] Große Teile des

Sehfelds bleiben hinter den Scheuklappen unsichtbar, obgleich sie ebenso real sind wie das, worauf sich der Tunnelblick fokussiert. Durch Ausblenden verschärfte Perspektiven verstärken den Blick nach vorn. Aber sie verhindern zugleich, dass man die Vielzahl an Möglichkeiten, Gelegenheiten und Wegen sieht, die ganze Umwelt, innerhalb derer man sich bewegt. Je effektiver Scheuklappen zur Willensbildung beitragen, umso ineffektiver sind sie, um die Übersicht zu behalten und das, was man denkt, angemessen einzuordnen.

Drei Punkte dieser willkürlichen Abgrenzungen von Trans- und Posthumanisten sollen hier kurz betrachtet werden: 1. Wer ist eigentlich »der Mensch«, um den es IT-Gurus geht? 2. Welche soziologische Vorstellung oder Theorie von menschlichem Zusammenleben steckt dahinter? 3. Welche Rolle spielen die großen Herausforderungen der Ökologie?

Wer der Menschheit eine geschichtsphilosophische Perspektive und jedem Einzelnen mehr Glück auf Erden oder im Kosmos verspricht, muss viel von Menschen verstehen, im Regelfall mehr, als er zu verstehen vorgibt. Tatsächlich halten sich Experten, die viel von menschlicher Psychologie verstehen, mit Zukunftsprognosen gemeinhin zurück. Denn je steiler die Aussichten auf eine glückliche Menschheit sind, umso beschädigter bleibt jedes Individuum mit seinen persönlichen Wünschen, Vorlieben und Ängsten meistens dabei zurück, im Positivismus, Stalinismus, Maoismus und Nationalsozialismus nicht anders als in allen religiösen Fundamentalismen.

Vor genau diesem Problem steht auch der visionäre Trans- und Posthumanismus. Einerseits soll das Glück jedes Einzelnen gefördert werden. Im Transhumanismus wird er fortwährend optimiert und damit vorgeblich glücklicher, und im Posthumanismus ist er ein rundum zufriedenes Haustier allmächtiger Maschinen. Andererseits steht die Menschheit als Gattungswesen, also als Spezies Homo sapiens, im Fokus. Das Problem ist allerdings, dass Individuum und Spezies nicht das Gleiche sind. Die Menschheit als Spezies betrachtet ist ebenso wenig die Summe aller einzelnen Individuen mit ihren jeweiligen Bedürfnissen, wie sich der individuelle Mensch alltäglich als Einzelexemplar der Spezies Homo sapiens wahrnimmt. Das Biologische an mir, dass ich über den typischen Leib eines menschlichen Primaten verfüge, entsprechende Bedürfnisse habe, zeugungsfähig bin und einige typische menschliche Primatenverhaltensweisen zeige, ist nicht das, womit ich mich identifiziere. Stattdessen identifiziere ich mich vor allem mit dem, was mich für mich selbst besonders macht und gerade von allen anderen unterscheidet. Das Schicksal meiner Angehörigen ist mir dementsprechend wichtig, schon weil es *meine* Angehörigen sind. Das Schicksal der Menschheit in ferner Zukunft ist mir dagegen vergleichsweise egal. Oder mit dem schottischen Philosophen David Hume gesagt: »Es widerspricht nicht der menschlichen Natur, wenn ich lieber den Untergang der Menschheit will als einen Ritz in meinem Finger.«[41]

Für die Menschheit zu sprechen und für jeden Einzelnen zu sprechen schließt sich kategorisch aus. Doch Hightech-Visionäre wie Bostrom kennen da nichts. Sie hüpfen munter umher. Mal soll der Einzelne optimiert werden und mal die Menschheit, je nachdem, wie es gerade passt. Mal liegt der Fokus darauf, wie toll es sein muss, superintelligent zu sein, mal geht es um optimierte Arbeitskräfte für die Ökonomie, mal um das Überleben der Menschheit auf fernen Planeten. Unentwegt springt der Cursor umher, ohne dass irgendeine Perspektive durchgehalten wird. Der auf diese Weise immer anders vermessene Mensch gewinnt nie Kontur und wird nie zu etwas Realem. Und es wird deutlich, dass man »den Menschen« gar nicht überwinden kann, weil es »den Menschen« gar nicht gibt. Wer wie Bostrom über die »Zukunft der Menschheit« fantasiert, gerät schon durch seine Zielsetzung in einen üblen Verdacht. »Wer Menschheit sagt, will betrügen!« hatte der Philosoph Carl Schmitt allen seinen Kollegen ins Stammbuch geschrieben. Und man tut es selbst dann, wenn man es gar nicht vorhat.

»Der Mensch« ist eine Metapher, ein Bild, dem kein empirischer Gegenstand entspricht, und Metaphern sind nicht technisch überwindbar. Man kann auch nicht für sie sprechen und ihnen einen Auftrag erteilen, irgendetwas zu sollen oder zu tun. Forderungen oder Erwartungen lassen sich nur gegenüber Einzelpersonen, Verbänden und Institutionen aufstellen, nicht aber gegenüber etwas so Nebulösem wie der Menschheit. Vermeintlich allgemeine Artmerkmale wie jene, dass Menschen von Natur aus nach Vorteilen schielen, nach immer »mehr« streben, sich gar selbst überwinden wollen usw., leiden doch sehr stark daran, dass sie alles andere als allgemein sind. Was Menschen in Westeuropa im 21. Jahrhundert ziemlich selbstverständlich erscheint, war indigenen Völkern am Amazonas, in Neuguinea und anderswo jahrtausendelang fremd.

Die trans- und posthumanistische Ideologie aber lebt von genau dieser Scheuklappe. Sie hält die Vervollkommnung für einen Gattungspfad, auf dem Naturvölker einfach noch nicht weit genug geschritten sind. Und sie kennt nichts als den Homo oeconomicus der wirtschaftswissenschaftlichen Lehrbücher, der unausgesetzt nach seinem Vorteil giert. Dabei überträgt sie ihn auf die Menschheit als Ganzes. Wie der Einzelne immer weiter strebt, um »mehr« zu gewinnen, so auch der Gesamtorganismus der Menschheit. Folglich bleibt nichts als technische Expansion bis in den Weltraum, so lange, bis jede Galaxie unterworfen ist, entweder vom Menschen oder von seinen verselbstständigten Maschinen. Dass Menschen auch andere Antriebe haben als eine unstillbare Gier nach einem Mehr und menschliche Gesellschaften sich nicht notwendig ausbreiten wie Seuchen und Epidemien, kommt in diesem Weltbild nicht vor. Doch keine Wissenschaft, weder die Wirtschaftspsychologie noch die Verhaltensökonomik, weder die Sozialpsychologie noch die Soziologie, kann diese Sicht bestätigen. Ihnen zufolge ist bei befriedigten Grundbedürfnissen der größte Antrieb von Menschen der Drang nach Anerkennung und nicht der nach Expansion. Wohlhabende Menschen bekommen nicht ungezählte Kinder, um zu expandieren. Und je besser die materiellen Bedürfnisse befriedigt sind, umso geringer der biologische Expansionswille. Der Drang zum Mehr ist kein Urtrieb, sondern eine Logik unserer Ökonomie.

Der gleichen Logik entspringt auch der Auftrag zur permanenten Selbstvernutzung; der Imperativ, sich für sich selbst nützlich zu machen, indem man sich fortwährend optimiert. Eine solche Selbstvernutzung führt, wie die österreichische Philosophin Janina Loh vorführt, vermutlich nicht ins Paradies, sondern zur »Selbstentsinnung«.[42] Denn, wer sich, anders als andere Tiere, ständig zum Mittel für einen Zweck macht (perfekter werden), der findet nie ein Ende (wie so manche Opfer von Schönheitsoperationen) und damit keinen höheren Sinn. Ständige Optimierer wie die Vertreter der Quantified-Self-Bewegung, die alle ihre Körper- und Verhaltensdaten messen, fallen in ihrem Umfeld naheliegenderweise oft als Egozentriker auf und nur äußerst selten als Wohltäter der Menschheit. Kants kategorischer Imperativ lautet: »Handle so, dass du die Menschheit sowohl in deiner Person, als in der Person eines jeden anderen jederzeit zugleich als Zweck, niemals bloß als Mittel brauchst.«[43] Der transhumanistische Imperativ dagegen lautet: »Handele so, dass du die Menschheit sowohl in deiner Person, als in der Person eines jeden anderen niemals als Selbstzweck, sondern immer als Mittel brauchst.«

Wenn die wahre Bestimmung des Menschen stets in einer imaginären Zukunft liegt, bleibt die Gegenwart stets beschädigt zurück. Sie ist nur eine Vor- oder Zwischenstufe zu etwas Besserem und damit per se unvollständig, verbesserungsbedürftig und defizitär. Menschen, die ihre Welt so mögen, wie sie ist, nicht irgendwie höher kommen wollen und sich nicht auf künftige Supertechnik freuen, sind rückständig und nicht zukunftstauglich. Für Trans- und Posthumanisten halten sie mit ihrer Zufriedenheit im Hier und Jetzt den Fortschritt der Menschheit auf.

Verzweckt euch endlich selbst und dient dem Menschheitsfortschritt, lautet die versteckte oder offene Forderung der Transhumanisten. Wer zufrieden ist, verweigert diesen vorgezeichneten Fortschritt, den Menschen wie Kurzweil, Musk, Bostrom oder Wozniak ihm einbläuen wollen. Respekt- oder liebevoll ist das nicht. Aber Trans- und Posthumanisten haben höhere Werte als die Würde von Menschen, ihre Individualität oder ihre Zufriedenheit zu achten. Wenn die Höherentwicklung der Gattung alles ist, kommt es auf persönliche Vorlieben, Stärken und Schwächen nicht an. Allerdings lebt der Superkapitalismus der Zukunft wie der Gegenwart in Wahrheit nicht nur von den Macht- und Erfolgsgetriebenen, den Ehrgeizigen und Rücksichtslosen. Er lebt vor allem von den vielen Netten und Duldsamen, die die Gesellschaft zusammenhalten und den sozialen Frieden bewahren. Im Kapitalismus kann, wie der Kabarettist Volker Pispers sagt, zwar jeder reich werden, aber nicht alle. Wäre jeder ein gnadenloser Optimierer, wäre die Gesellschaft in kürzester Zeit zerstört.

Nach trans- und posthumanistischer Vorstellung wären mit ihrem Jetztzustand völlig zufriedene Menschen genau genommen keine Menschen. Denn sie widersprechen der Definition der Spezies Homo sapiens als eines Lebewesens, das mittels Technik permanent nach Höherem strebt. Spätestens hier wird deutlich, wie dunkel die Scheuklappen sind. Sich als Spezies optimieren zu müssen, weil sie einerseits defizitär und »überholt« und andererseits zur Expansion verdammt sei, ist eine gefährliche Ideologie, die einige Ähnlichkeit mit den Totalitarismen des 20. Jahrhunderts aufweist: »Du bist nichts, dein Volk ist alles.« Uns von allem positiven »Wissen über uns selbst und von unserem Vertrauen in die Menschlichkeit abzubringen und in so einem erbärmlichen Licht zu sehen«, schreibt die Wirtschaftsinformatikerin Sarah Spiekermann, »empfinde ich schlichtweg als negative Höchstleistung der Geistesgeschichte«.[44] Was beim Optimierungsauftrag an die Menschheit auf der Strecke bleibt, ist die Dimension des Individuums, des einzelnen Menschen. Individuell darf er als User sein, als Konsument und Verbraucher, nicht aber in der Entscheidung, sich nicht technisch optimieren zu wollen. Wer sich weigert, so vermutet auch Bostrom, könnte mit empfindlichen Nachteilen zu tun haben, mindestens dem, kaum noch einen anspruchsvollen Arbeitsplatz zu finden.

Tatsächlich aber dürfte das individuelle Glück viel mehr von der Frage abhängen: Was bedeutet der technische Fortschritt für jeden Einzelnen? Und nicht: Was bedeutet er für die Menschheit? Den Einzelnen als die einzige Dimension entdeckt zu haben, in der sich sinnvoll von Sinn sprechen lässt, ist das Verdienst der Existenzphilosophie. Und ihr Vater ist der dänische Philosoph Søren Kierkegaard. Der Mensch als biologisches Gattungswesen interessierte ihn überhaupt nicht. Kierkegaard schaute ganz genau hin und fragte: Wie nehmen Menschen sich selbst und ihr In-der-Welt-Sein wahr? Dieser Punkt ist nicht objektiv, sondern subjektiv, weil nur das Subjektive wirklich »wahr« ist. Alles Objektive dagegen ist nur aus subjektiven Erfahrungen abgeleitet und ist damit gegenüber dem subjektiven Erleben niederrangig. Am Anfang steht das Verhältnis zu mir selbst und zur Welt. Während andere Philosophen fragten: Was heißt Leben?, so fragte Kierkegaard: Was heißt Leben *für mich*?

Über die Menschheit lässt sich für den dänischen Philosophen ebenso wenig Relevantes sagen wie über die Geschichte. Auch Wissenschaft ist für die Erkenntnis des Einzelnen nicht elementar, das Gleiche gilt für alle empirischen Wahrheiten. Obwohl er sich damit gegen den großen Trend des 19. Jahrhunderts stellt, ist auch Kierkegaard radikal modern; allerdings auf eine ganz andere Weise. Dass die Wissenschaft die Welt auf eine bestimmte Weise verobjektiviert, nimmt Menschen mehr Halt, als dass sie ihnen gibt. Wissenschaftliche Objektivität macht subjektiv obdachlos. Sie bietet keine Anleitung für ein gelingendes Leben. Auf sich selbst zurückgeworfen, muss der Einzelne sich nun ganz ohne Kompass und Karte in der Welt orientieren, um seine »Seligkeit« zu erlangen. Und dabei hilft, so könnte man Kierkegaard weiterdenken, weder eine Apple Watch noch Google Maps.

Was Kierkegaard an den Anfang stellt, macht später als »die Krise des modernen Subjekts« Karriere. Und sie wird bis ins 21. Jahrhundert hinein nicht kleiner werden. Je mehr Möglichkeiten ich habe zu leben und je geringer die Verbindlichkeiten sind, umso schwerer fällt die Orientierung. Denn das Dasein des Einzelnen, stellt Kierkegaard vor der Mitte des fortschrittstrunkenen 19. Jahrhundert fest, hat keinen Ordnungsrahmen mehr: »Ein System des Daseins kann nicht gegeben werden … es kann nicht sein für irgendeinen existierenden Geist.«[45] Trotzdem muss der Einzelne versuchen, irgendwie glücklich zu werden. Er wird es aber nicht durch die objektive Erkenntnis der Welt oder des Selbst, sondern durch die Art und Weise, wie er sich zu sich selbst verhält. Alles Wesentliche der Existenz ist nicht etwas, was ich *vorfinde*, sondern etwas, das ich *erfinde*. Aber dieses Erfinden kann niemals technisch sein, die Aufgabe der Selbstfindung lässt sich nicht verobjektivieren. Sich selbst als Teil der Spezies Mensch verbessern zu sollen – dieser Auftrag bleibt immer äußerlich und engt meine subjektive Wahlfreiheit empfindlich ein.

Wer Menschen durch Human Enhancement optimieren will, nötigt sie im Zweifelsfall sogar dazu, freiwillig etwas zu wollen, was niemanden dauerhaft glücklich macht. Und wo die humanistische Tradition der Aufklärung Bildung als geistige Arbeit an sich selbst definierte, degradiert das Enhancement Menschen zu Material.[46] Das humanistische

Ideal der Selbstbildung bedeutet umfassende Anstrengung, so auch Kierkegaards Aufforderung: »Sei du selbst!« Wer sich stets neu denkt, sich bildet und fortentwickelt, ist nicht nur Mittel, sondern zugleich sein eigenes Ziel: ein nachdenklicher, reflektierter Mensch, der Einkehr hält und sich besinnt. Von alldem ist beim Human Enhancement nicht die Rede, weil der Weg immer nur Weg ist, aber kein Ziel. Aus einem Bildungs-Weg, der selbst das Ziel ist, soll mithilfe der Technik eine Abkürzung werden – eine Abkürzung allerdings, die ihre Funktion verfehlt. Natürlich kann man eine Marathonstrecke auch überfliegen oder mit dem Auto entlangfahren. Aber dabei fehlt alles, was einen Marathonlauf zu einem Marathonlauf macht, dessen Zweck eben gerade nicht darin besteht, ein räumliches Ziel zu erreichen, sondern ein geistiges.

Was menschliche Optimierungen durch Implantate oder »Verschmelzungen« auf die Dauer für die Gesellschaft bedeuten, ist die zweite Scheuklappe des Trans- und Posthumanismus: der völlige Mangel an Verständnis für die komplexen Wechselwirkungen der Soziologie. Die Hightech-Visionäre, die den Menschen überwinden wollen, haben weder einen realistischen Gesellschaftsbegriff noch irgendeine differenzierte gesellschaftliche Fantasie. Doch die Optimierungen einzelner Menschen bedeuten nicht nur etwas für sie selbst, sie bedeuten auch enorm viel für andere Menschen und schließlich für das gesamte Gesellschaftsgefüge. Technische Revolutionen, die zu optimierenden Eingriffen in den menschlichen Leib führen sollen, versprechen ja nicht nur faszinierende oder verstörende Experimente und fantastische finanzielle Gewinne, sondern sie führen auch zu gesellschaftlichen Reaktionen von vehementer Ablehnung bis zu begeistertem Zuspruch. Und genau hier – und nicht durch die Technik selbst – entscheidet sich das Schicksal der Technologie. Millionen oder Milliarden Menschen müssen sich neu und anders orientieren. Gesteigerte Komplexität treibt massenhaft Überforderungen hervor, Gewissheiten treten an die Stelle von Ungewissheiten und umgekehrt, ohne dass auch nur entfernt abzuschätzen ist, wohin das führt.

In den Fantasien der Trans- und Posthumanisten aber kommt Gesellschaft kaum vor. Bostrom scheint eher in Populationen zu denken, und Kurzweil kennt eigentlich nur Konsumenten. Tatsächlich aber ereignet sich die Revolution des zweiten Maschinenzeitalters in hochkomplexen funktional ausdifferenzierten Gesellschaften. Und sie trifft nicht auf Angehörige einer Spezies, sondern auf Institutionen, Organisationen, Verbände, Parteien, Gemeinschaften, Konventionen, Traditionen, Normen, Rollenmuster, soziale Erwartungshaltungen, Ansprüche und eine spezifische Ökonomie mit ihren komplexen Spielregeln. Ein solch enorm kompliziertes Gebilde von Wechselwirkungen lässt sich nicht strategisch steuern, jedenfalls nicht ohne gewaltige Eingriffe in die persönliche Freiheit und die Autonomie gesellschaftlicher Teilsysteme. Ausdifferenzierte Gesellschaften wie jene der Industrieländer des 21. Jahrhunderts werden ja nicht nur von einzelnen Menschen gestaltet, sondern sehr viel mehr von dem, was sich, beabsichtigt oder nicht, auf völlig verschiedenen Ebenen zwischen Menschen ereignet. Schon jetzt entfalten harmlose persönliche Optimierungen durch Schönheitsoperationen eine gewaltige gesellschaftliche Sog- und Druckwirkung. Je größer die Anzahl derjenigen Menschen ist, die sich ihnen unterziehen, umso mehr geraten diejenigen, die es nicht tun, in die Defensive. Die Norm, wie Menschen in unserer Kultur auszusehen haben, verschiebt sich im Eiltempo. Eltern beschenken ihre Töchter mit neuen Nasen und größeren Brüsten, Influencer gaukeln das optimale Leben mit optimiertem Antlitz vor, und Film- und Fernsehfiguren können sich der regelmäßigen Erneuerung ihrer Gesichtsfassade nicht mehr entziehen. Aus der Freiheit, sich schönheitschirurgisch zu optimieren, ist in kürzester Zeit ein Zwang geworden, es bitte schön auch zu tun.

Vermeintlich individuelle Entscheidungen werden auf diese Weise schnell zu gesellschaftlichen Entscheidungen. Ein behindertes Kind zu bekommen ist in den reichen Gesellschaften des 21. Jahrhunderts kein reiner Schicksalsschlag, sondern immer häufiger eine bewusste Entscheidung bei voller Kenntnis dessen, was auf die Eltern zukommt. Umso erbitterter sind die gesellschaftlichen Kontroversen, die heute darüber geführt werden, etwa der steigende Druck gegenüber den Eltern, allgemein finanzierte Krankenkassen dadurch nicht stärker zu belasten. Und je mehr Möglichkeiten des Enhancement es gibt, umso mehr Kontroversen könnte es geben. Die Klientel des gesellschaftlich nicht mehr zumutbaren Nachwuchses könnte so irgendwann auch minderintelligente Kinder treffen, und der Kreis weitete sich immer weiter aus. Das auf den ersten Blick Nicht-Passende, das Ausgefallene und Andersartige weicht einer immer unerbittlicheren Norm des vermeintlichen Guten und Schönen.

Wer sich vor Augen führt, welche immensen gesellschaftlichen Folgen das erste Maschinenzeitalter im 19. Jahrhundert mit sich brachte, wird sich die mutmaßlichen Gesellschaftsumbrüche des 21. Jahrhunderts kaum dramatisch genug ausmalen können. Der Wechsel von der Agrar- zur Industriegesellschaft war nicht nur der Beginn enorm intensivierter Produktion, es war auch das Ende der fast zweitausend Jahre währenden Herrschaft von Adel und Kirche. Es war die Installation einer neuen Blaupause von Gesellschaft, der bürgerlichen Leistungs- und Lohnarbeitsgesellschaft mit all ihren Verwerfungen und Segnungen, Ideologien (Liberalismus, Nationalismus, Rassismus) und Gegen-Ideologien (Sozialismus, Kommunismus). Die Befürchtung, dass fortgeschrittenes Enhancement sowie der Einsatz immer intelligenterer KI die ganze Gesellschaft ins Wanken bringen, ist keine Spinnerei, sondern naheliegend.

Doch was die komplexen gesellschaftlichen Wechselwirkungen und Gefahren anbelangt, sind die Trans- und Posthumanisten der Gegenwart Old School. Als linientreue Kinder und Enkel der fortschrittsgläubigen Technik-Enthusiasten der Fünfziger- und Sechzigerjahre, der Zeit, aus der viele ihrer Gedanken stammen, denken sie unbeirrbar und unbelehrbar in alten Schablonen. Dazu gehört nicht nur der Tunnelblick auf Technik, sondern auch das Schema des unbegrenzten Wachstums und der unbegrenzten Ressourcen. Die dritte Scheuklappe, bereits am Anfang dieses Buchs skizziert, ist damit erneut benannt. Trans- und Posthumanisten kennen keine ökologischen Probleme, Tiere spielen nur als kognitive Mängelwesen eine Rolle, und die Umwelt ist schlicht »Ressource«. Es gibt keine Zielkonflikte der Menschheit, keine einander widersprechenden Haltungen und Weltanschauungen, sondern nur ein Vorwärts oder ein Rückwärts. Alles ist vertikal, linear oder exponentiell, die Welt ein Diagramm oder Koordinatensystem. Und wenn die komplizierte Wirklichkeit sich gegen die mathematische Darstellung sperrt, umso schlechter für die Wirklichkeit. Bostrom kann ein fast fünfhundert Seiten starkes Werk über die Zukunft der Menschheit schreiben, ohne dass die Zerstörung der Umwelt oder die Gefahren für die Demokratie überhaupt erwähnt werden. Im kühnen Fernblick des Transhumanisten werden solche Fragen unsichtbar. Denn nicht echte Menschen oder gar ein Wählerwille geben die Richtung vor – sondern einzig das Diktat der Technologie.

Vielleicht ist es gerade diese gesellschaftliche Unbedarftheit, die Befreiung von den Nöten und Notwendigkeiten tatsächlichen Lebens und Zusammenlebens, welche die blutleere Fernsicht für manche so verführerisch macht. Alle Probleme der Gegenwart lösen sich in Bedeutungslosigkeit auf angesichts als real angekündigter Science-Fiction. Und wenn tatsächlich die Menschheitsgeschichte in ihrem wahren Kern nur Technikgeschichte sein soll, wie einfach und linear wird sie auf einmal, wie sauber und glatt, wie geordnet und vorhersagbar! Auf der Benutzeroberfläche der Weltgeschichte erscheinen bunte Techniksymbole, Geschichte lässt sich in Files nach technischen Revolutionen abspeichern und zuverlässig prognostizieren. Und hat all dies nicht auch tatsächlich ein ganz starkes Argument, eine völlig unbezweifelbare Evidenz für sich? Wenn die Menschheit bald eine starke KI entwickelt, wenn sie sich superoptimiert und in ferne Galaxien aufbricht, gehorcht sie dann nicht, Menschenbild hin, gesellschaftliche Folgen her, schlicht und ergreifend den unabänderlichen Gesetzen, Notwendigkeiten und Imperativen einer völlig unbestechlichen Macht – der Evolution?

## *Nothing is written!*

Jahrhundertelang galten sie als Wahrheit, und Nostradamus' Prophezeiungen waren nichts gegen sie; ein kleiner Text inmitten der großen Chronik des geistlichen Gelehrten Geoffrey of Monmouth: die *Prophetiæ Merlini*, die Prophezeiungen des Zauberers Merlin. Die Figur des Merlins war den Menschen der anglofranzösischen Welt des 12. Jahrhunderts bestens vertraut. Man kannte den weißbärtigen Weisen aus dem bunten Sagen- und Legendenkreis um König Artus. Dass er im siebten Buch von Geoffreys *Historia regum Britanniae*, der Geschichte der britischen Könige, auftauchte, war also nicht weiter überraschend. Denn Geoffrey hatte nichts anderes getan als das, was die Könige Britanniens seit Wilhelm dem Eroberer ohnehin taten: ihren Stammbaum auf den legendären King Arthur zurückzuführen und sogar bis zu den römischen Heroen und Cäsaren.

Die Geschichtsschreibung der angelsächsischen Welt beginnt mit einer bombastischen Geschichtsfälschung, in der passend gemacht wurde, was nicht entfernt zusammengehört. Und bis in die Renaissance hegte kaum jemand lauten Zweifel an der gefakten Ahnentafel von Brutus über die keltischen Sagengestalten bis zu den Normannen-Herrschern des 12. Jahrhunderts. Die Prophezeiungen Merlins, ein Text aus vorgeblich grauer Vorzeit, lassen den Zauberer die gesamte englische Geschichte bereits Jahrhunderte zuvor vorauserahnen. Besonders präzise beschreibt er vor allem die Ereignisse des späten 11. und frühen 12. Jahrhunderts. Erst von den 1130er Jahren an, der Zeit, in der Geoffrey die *Prophetiæ Merlini* verfasst, wird es zunehmend dunkler. Die Präzision lässt nach, dunkles Raunen legt sich wie ein Firnis über die vorhergesehene Geschichte.

Der Merlin unserer Zeit heißt Ray Kurzweil. Und seine *Prophetiæ* aus dem Jahr 1999, geschrieben für das künftige Jahrhundert, lauten *The Age of Spiritual Machines* (*Die Intelligenz der Evolution*). Wie schon bei Geoffrey dient die Chronik, einschließlich ihrer Prophezeiungen für die Zukunft, der Legitimation. Eine höhere Macht hat den Lauf der Welt und mit ihm die Entwicklung des Menschengeschlechts festgelegt: die Evolution! Und Menschen, die der tiefen Einsicht in »das Gesetz von Chaos und Zeit« einsichtig sind, können ihren weiteren Gang präzise voraussehen, in Jahreszahlen, technischen Erfindungen und einer entsprechenden anthropologischen Entwicklung. Wie Geoffrey Brutus und Artus in die Genealogie einflickt, so macht sich auch Kurzweil die Evolution passend. Da tritt die Entwicklungsgeschichte selbst als Akteur auf, wie ein KI-Ingenieur. Sie muss unentwegt »Probleme lösen« und kommt auf den Einfall, ein »schriftliches Protokoll« ihrer »Errungenschaften« anzufertigen, die DNS. »Mit der Erfindung der DNS hatte die Evolution eine Art Computersprache geschaffen, mit der sie ihre Errungenschaften fortan dokumentieren konnte. Mit dieser Erfindung schuf sie die Voraussetzungen für komplizierte Experimente.«[47] Aber die Evolution will noch weiter und bringt deshalb den Menschen hervor, der sie durch Technik rasant beschleunigt. Am Ende ist alles nur noch technischer Fortschritt.[48]

Wie gerne würde man diese Dame Evolution einmal kennenlernen, die all dies bewerkstelligt, zu dem einzigen Zweck, ihre Intelligenz zu mehren. So viel Anthropomorphismus und Anthropozentrismus hat sonst nur die Bibel zu bieten. Aus der unendlich intelligenten Gottheit ist bei Kurzweil die unendlich intelligente Evolution geworden auf dem Weg zu ihrer Selbstverwirklichung. Um das Feld dafür zu bestellen, wird der Weg mit der Sense gemäht. Da legt die Evolution ein »exponentiell wachsendes Tempo an den Tag«, das schleunigst zu mehr und mehr Technik drängt.[49] Zwar sind die meisten Tiere, die heute auf der Erde leben, nicht intelligenter noch sonst wie differenzierter als vor vielen Jahrmillionen, von Pflanzen ganz zu schweigen, aber Kurzweil hat in alter monotheistischer Tradition ohnehin nur den Menschen vor Augen. Dass alles Leben nach mehr und mehr Intelligenz strebt, weil dies in der Logik der Evolution liege, ist an Muscheln, Farnen und Salamandern jedenfalls nicht abzulesen. Auch weiß die moderne Evolutionstheorie nichts davon, dass die Evolution über Intelligenz verfügt wie ein menschlicher oder übermenschlicher Akteur. Und sie sieht auch nicht das geringste Fünkchen an Notwendigkeit für die Evolution, zu ihrer endgültigen Selbstverwirklichung technisch begabte Menschen hervorzubringen.

Doch Kurzweil senst sich rücksichtslos vorwärts, eine einzige Idee und ein einziges Ziel im Blick. Technische Überlegenheit sei durch die »natürliche Auslese der Evolution gefördert« worden.[50] Das ist äußerst amüsant, weil sich, nach Darwin, höhere Wirbeltiere gar nicht durch natürliche Auslese weiterentwickeln, sondern durch die »geschlechtliche Zuchtwahl« der Partnersuche. Wer seine »Umwelt manipulieren« kann, habe bessere Überlebenschancen, verrät Kurzweil, und das, obwohl die ältesten Tierklassen, etwa Muscheln und Schnecken, dies gerade nicht können, wogegen der äußerst manipulative Mensch schon nach kürzester Strecke ob seiner permanenten Eingriffe in die Umwelt zügig aus dem Rennen zu fallen droht. In der menschlichen Entwicklungsgeschichte nach Kurzweil setzte sich immer die technisch am weitesten entwickelte Homo-Spezies durch, ebenso wie in der Kulturgeschichte die technisch versierteste Zivilisation. Paläoanthropologen können hier nur mit den Schultern zucken, wer will das schon so genau wissen? Historiker hingegen können lapidar auf die Dorische Wanderung verweisen, als Barbaren aus dem Norden die hoch entwickelten Kulturen von Mykene und anderswo zerstörten und sich durchsetzten. Und das Moore'sche Gesetz, wonach sich die Anzahl der Transistoren auf den neuesten Computerchips von Intel exponentiell vermehrt, gilt heute auch nicht mehr als evolutionäres Naturgesetz, sondern im Hinblick auf die gegenwärtig stark verlangsamte Entwicklung als unzutreffend.

Der Wahrheitsgehalt der *Prophetiæ Kurzweili* ist also kaum höher als bei jenen des Zauberers Merlin. Und was für die Rückschau gilt, gilt erst recht für die Zukunftsprophetie. Die Welt im Jahr 2019, so der Google-Vordenker Kurzweil im Jahr 1999, sieht Computer »weitgehend« in Wände, Tische, Stühle, Schmuck und Körper eingebettet, dreidimensionale VR-Displays sind in Brillen und Kontaktlinsen eingebaut, und Bücher und Dokumente aus Papier werden kaum noch benutzt. Automatische Assistenten dienten überall als Gesellschafter, Lehrer, Pfleger und Liebhaber. Exakt zutreffend ist diese Prophezeiung nicht, man denke nur an den

Flop der Google-Brille Google Glass. Und selbst wenn manches Vorhergesehene heute technisch möglich ist, so hat es das Leben bei Weitem nicht so umfassend revolutioniert, wie Kurzweil vor zwanzig Jahren prophezeite.

Man darf getrost davon ausgehen, dass dies das Selbstbewusstsein des Propheten nicht ankratzt. Obwohl Kurzweils Voraussagen vielleicht nicht ganz die Bedeutung haben, die Geoffreys im späten Mittelalter hatten, kommt es auf die Wahrheit bei beiden nicht wirklich an. Bedeutsam ist etwas anderes. Beide Mythologien sollen bestimmte Entwicklungen von höherer Warte aus legitimieren; die Herrschaft der Normannen-Könige bei Geoffrey, diejenige des Silicon Valley bei Kurzweil. Wichtiger als die normative Kraft des Faktischen ist die normative Kraft des Fiktiven. Wenn die technische Entwicklung der Zukunft, der Weg zur »Singularität« einer vollständigen Maschinenherrschaft, tatsächlich von der Evolution diktiert sein soll, wer wollte ihr dann widersprechen oder sich idiotischerweise dagegenstellen?

Wer seine Vision einer künftigen, alles kontrollierenden Superintelligenz infrage stellt, ist für Kurzweil ein »Neo-Luddit«, ein moderner Maschinenstürmer, über den die Evolution nur leise lächelnd hinwegschreitet. Statt Menschen und Gesellschaften als frei und selbstbestimmt zu sehen, hält Kurzweil es mit einer deterministischen und für die Menschheit deshalb fatalistischen Geschichtsauffassung. Die Evolution regiert durch ihre Gesetze, und die menschliche Zivilisation hat ihr zu gehorchen. Das TINA-Prinzip gibt den Weg vor – *There is no Alternative!*[51] Kulturen kommen und gehen, Herrscher, Staatsformen und Gesellschaftsordnungen mögen wechseln. Am Ende treibt einzig der technische Fortschritt die Menschheit voran und beschert uns völlig unweigerlich das Zeitalter der Superintelligenz. Natürlich wäre es für Kurzweil irgendwie schön, wenn es dann noch Menschen gäbe und es ihnen gut ginge. Wichtiger aber ist die strahlende Zukunft ihrer Maschinen. Viel intelligenter als der Mensch, sind sie das neue Lieblingsspielzeug und Vorzugssubjekt der Evolution; der Mensch hat seine Schuldigkeit getan.

Sollte sich diese Sicht des Menschen in der Evolution überhaupt noch als Anthropologie bezeichnen lassen, dann ist sie eine *kineastische Anthropologie*. Ihre Inspiration erhält sie durch das Science-Fiction-Genre und nicht durch das nüchterne Studium der menschlichen Entwicklungsgeschichte, der menschlichen Psychologie und der Vielfalt menschlicher Kulturen. Tatsächlich hat sich die Spezies Homo sapiens nicht von einem höheren Drang getrieben kontinuierlich zu immer größeren Intelligenzleistungen entwickelt. Die meisten Angehörigen der Spezies werden von deutlich anderen Motiven beseelt. Und die Anzahl derer, deren Intelligenz sie zu Höchstleistungen beflügelt, ist überschaubar. Viele Vertreter der Spezies gucken weit lieber Fußballspiele an, schwimmen im warmen Meer, trinken Bier, lesen Krimis und fotografieren sich unausgesetzt selbst, anstatt ihre Intelligenz maßlos zu steigern. Der Drang, posthuman zu werden, ist nur bei den Allerwenigsten spürbar, von einem inwendigen Menschheitsbedürfnis keine Spur. Sollte die Evolution diesen Trieb tief in unserer Spezies verankert haben, dann bei den meisten doch äußerst tief und bestens versteckt.

Die kineastische Anthropologie nährt nicht nur die Hoffnungen, sondern auch die Befürchtungen der Hightech-Oligarchen und IT-Visionäre. Und sie kennt albernerweise nur zwei Vorstellungen von Fortschritt. Beide lassen sich mathematisieren, nämlich entweder linear oder exponentiell. In der Evolution nach Kurzweil ist grundsätzlich alles exponentiell, von der Intelligenzentwicklung seit dem Kambrium bis zum Moore'schen Gesetz. Andere Entwicklungen scheint es nicht zu geben, zumindest kommen sie nirgends vor. Alles strebt schneller, höher, weiter. Die Tierklasse der Salamander, die ehemals weit größer und vielfältiger war als heute, vermag dem nicht zuzustimmen. Und selbst Säugetiere waren einst zahlreicher und im Durchschnitt weit größer als heute. Wozu manche Klassen wie die Dinosaurier aussterben mussten, wird auch nicht recht deutlich. Warum sind sie nicht einfach immer schlauer und manipulativer geworden? So sicher es ist, dass die Evolution die Intelligenz hervorbrachte, so irrsinnig ist es, ihr selbst eine zu unterstellen.

Mit seiner intelligenten Evolution ist Kurzweil näher an den Intelligent-Design-Theorien trotziger Kreationisten als an der modernen Evolutionstheorie. Wo religiöse Fundamentalisten »Gott« als intelligenten Treiber ansehen, sehen Techno-Fundamentalisten die Evolution selbst als von Absichten und Wünschen beseelt an. Dass solches Old-School-Denken für eine New-World-Technologie nicht sonderlich wissenschaftlich ist, dürfte auch Kurzweil wissen. Doch Mythologien entstehen ja nicht, um der Wahrheit nahezukommen. Ihr Motiv ist seit jeher ganz pragmatisch. Hochgradig erklärungsbedürftige Sachverhalte und Entwicklungen sollen einen tieferen Sinn erhalten. Und genau deshalb wird der Mensch im Trans- und Posthumanismus verklärt, seine Herkunftsgeschichte verzerrt und sein Wesen einseitig interpretiert. Die Evolution wird zur Propaganda-Fiktion von einer durch eine außermenschliche Macht festgelegten Zukunft. Alle post- und transhumanistischen Erzählungen speisen sich aus diesem Motiv: Niemand soll mehr darüber streiten, wie die Zukunft von Menschen oder gar der Menschheit sein wird! Diskutiert wird einzig darüber, wann der nächste von höherer Warte festgelegte technische Entwicklungsschritt geschieht.

Man kann sich natürlich fragen, warum die Propagandisten des Silicon Valley überhaupt so lautstark für ihre Superintelligenz trommeln, wenn der Weg dorthin eine von der Evolution beschlossene Sache ist? Was naturgesetzlich feststeht, muss weder beworben noch explizit gefördert werden. Die Hightech-Gurus begeben sich damit in die gleiche Falle, in der ehemals ein gewisser Karl Marx saß. Auch für den Philosophen der Weltrevolution war der Weg dorthin von höherer Warte beschlossene Sache. Die Dialektik der Ökonomie verlange gesetzmäßig und zwangsläufig, dass die klassenlose Gesellschaft den bourgeoisen Kapitalismus abräumt, so wie dieser zuvor den Feudalismus beseitigte. Doch wenn auch dies Naturgesetz sein sollte, wozu braucht es da noch Menschenwerk wie Gewerkschaften, Arbeiterbewegung und Parteien? Dass Menschen freiwillig etwas bewerkstelligen sollen, was eine höhere Logik vorherbestimmt, ist ein schiefes Bild. Entweder steht die Zukunft fest, oder sie tut es nicht.

Um all die Knoten zu entwirren, die Kurzweil in die Evolution gezurrt hat, sollte man sich zunächst darüber klarwerden, was die Evolutionstheorie eigentlich besagt und was nicht. Ohne Zweifel hat das, was wir heute über die Evolution wissen, folgenschwere Auswirkungen auf unser Selbstverständnis. Wir können mit an sehr hoher Sicherheit grenzender Wahrscheinlichkeit davon ausgehen, dass sich Homo sapiens aus animalischen Vorfahren entwickelt hat, als eine

Variante der Familie Homo unter ziemlich vielen. Und wir können ebenso sicher annehmen, dass diese Entwicklung kein zielgerichteter Prozess war, keine Schöpfung mit einem irgendwie festgelegten Richtungssinn oder einer absichtsvollen Pointe. Nichts in der Evolution, kein physikalisches oder biologisches Gesetz, drängte zum Menschen, und deshalb drängt auch nichts darüber hinaus.

In diesen beiden Annahmen sind sich nahezu alle seriösen Vertreter der Evolutionstheorie einig. Die Evolution, und das unterscheidet sie vom Gott des Alten Testaments, ist keine Person, kein Akteur und kein Stratege. Sie ist nicht im Entferntesten ein Subjekt, das irgendetwas will oder tut, sondern ein völlig willenloser Prozess, den wir rückblickend aus Indizien rekonstruieren. Allerdings benutzte Darwin aus einer Verlegenheit heraus immer wieder die Formulierung »*Nature does*«. Er ersetzte damit die Formulierung »*God does*« des berühmten englischen Theologen William Paley. Ein halbes Jahrhundert zuvor hatte dieser die Natur als das Ergebnis eines zielgerichteten und sorgfältig ausgeklügelten göttlichen Masterplans beschrieben. Darwin, der Paley zunächst bewundert hatte, tauschte später einfach den Akteur aus. Der gewissenhafte Biologe wusste sehr wohl, dass »*Nature does*« nur eine Metapher war, weil die Natur nicht planmäßig handelt. Doch Darwins missverständlicher Umgang mit dem Erbe der Theologie beflügelt bis heute viele Evolutionstheoretiker dazu, äußerst metaphorisch über die Natur und die Evolution zu schreiben. Viele, wie der viktorianische Philosoph Herbert Spencer, dichteten der Evolution weiterhin eine eigene zielgerichtete Intelligenz an, die sich aus einfachstem Ausgangsmaterial zwangsläufig zu immer größerer Vollkommenheit entwickelt. Spencer öffnete damit dem Sozialdarwinismus die Tore, der von der natürlichen Auslese unter den Menschen fabuliert, damit die stärkeren und klügeren Rassen, allen voran die Engländer, sich verdientermaßen durchsetzen.

Mit Darwins eigenen Ansichten hatte dies nichts zu tun. Anders als Spencer und später Kurzweil war ihm klar, dass die »natürliche Auslese« in der Entwicklungsgeschichte der Menschheit und erst recht in seiner Zukunft keine entscheidende Rolle spielt. Das Selektionskriterium bei Menschen ist stattdessen die »geschlechtliche Zuchtwahl«. Viel wichtiger als Erdbeben, Fressfeinde oder Kampfhandlungen ist die Partnerwahl. Die attraktivsten Männchen erobern die attraktivsten Weibchen, nur dass Attraktivität beim Menschen nicht das Gleiche meint wie beim Pfau. Neben körperlichen Vorzügen kommen auch wirtschaftliche und soziale Vorzüge, etwa Anständigkeit, Charme oder Humor, zum Tragen. Auf diese Weise setzen sich, nach Darwin, vor allem die Kultivierten durch.[52] Und nicht der Rassenkampf oder die Technik weisen den Weg in eine strahlende Menschheitszukunft, sondern die Durchsetzungskraft vorbildlicher Charaktereigenschaften, wie die »Moralität« und die »Liebe«.

Darwin war weder ein »Darwinist« noch ein Fatalist. Er hätte sich nicht träumen lassen, dass die von ihm entdeckte Selektionstheorie einmal als Rechtfertigung zur Überwindung des Menschen entfremdet werden könnte. Seine Prophezeiung von einer stetig anwachsenden Sensibilität und Humanität des Menschengeschlechts ist geradezu das Gegenteil aller trans- und posthumanistischen Überwindungsfantasien.[53] *Im* Menschen und nicht außerhalb seiner schlummere das Potenzial des Guten in der Evolution. Und zarte Gefühle und feinfühlige Werte machten den Menschen besonders und nicht etwa seine technische Manipulationsfähigkeit. Die britischen Inseln des 19. Jahrhunderts, die Darwin vor Augen hatte, wurden nicht von technisch hochbegabten Schimpansen bevölkert, sondern, zumindest in der Schicht, der Darwin angehörte, von Menschen, die Theateraufführungen und Opern besuchten, sich schicklich kleideten und Charles Dickens und George Eliot lasen.

Das Schicksal will es, dass Darwin als Kind des 19. Jahrhunderts gleichwohl einem zweiten Missverständnis der Evolution die Tür öffnete. Wie wir aus seinen Tagebüchern ersehen, kam der junge Weltreisende nicht durch die Beobachtung von Finken und Schildkröten auf den Galapagosinseln auf seine Theorie. Umfassend interessiert wie er war, versenkte sich Darwin nach seiner Rückkehr auch in Lektüren über Bevölkerungsstatistik und Ökonomie. Der Durchbruch, wie wir heute wissen, kam, als Darwin eine populäre Darstellung des Lebens und der Theorie des Nationalökonomen Adam Smith las. Von Smith konnte Darwin lernen, dass der raue Auslesewettbewerb des Marktes immer die Fittesten begünstigt, also diejenigen, die sich am geschmeidigsten anpassen und entsprechend durchsetzen können. Der Eigennutz des einzelnen Marktteilnehmers führt dabei zu einer immer ausdifferenzierteren Wirtschaftswelt, in der jeder seine eigene Nische sucht. Von einer unsichtbaren Hand geleitet, entsteht so aus millionenfachem Eigeninteresse ein stabiles Ökosystem von blühender Diversität. Wenn er jetzt noch von Spezialisten erklärt bekam, dass seine auf Galapagos gesammelten Finken markt- beziehungsweise umweltangepasste Varianten der gleichen Spezies waren, stand der Idee der Selektionstheorie durch Anpassung an die Umwelt nichts mehr im Weg.

Die Evolutionstheorie Darwins ist, zumindest im Kern, auf die Natur angewandter Kapitalismus. Doch so bestechend die Übertragung auf den ersten Blick ist, so viel fällt dabei unter den Tisch. Die Teilnehmer des Marktes sind willentlich und strategisch handelnde Akteure – die Arten in der Natur sind es im vergleichbaren Umfang nicht. Meinungsfreudige Evolutionsbiologen wie den populären Engländer Richard Dawkins ficht das nicht an. *Das egoistische Gen*, Dawkins Bestseller aus den Siebzigerjahren, unterstellt bereits so kleinen Einheiten wie den Genen ausgeklügelte Strategien. Ihr »Egoismus« – eigentlich nur eine Metapher – hält den ganzen Evolutionsprozess zusammen und beseelt ihn mit finsterer Energie. Zum Volltreffer aber avancierte das Buch nicht durch die Kryptometaphysik vermeintlich egoistischer Gene. Dawkins zweifelhaftes Verdienst ist, die Evolution nicht mit dem klassischen Kapitalismus, sondern mit dem zeitgenössischen Finanzkapitalismus gleichzusetzen. Unsere Gene verfolgen »Risikostrategien« bei der Partnerwahl, »investieren« in die Partnerschaft und belohnen sich durch den Erwerb »von 50 Prozent Aktienbesitz« an den Nachkommen.[54]

Wenn die Natur nichts als Kapitalismus ist, dann ist der Kapitalismus nichts als Natur. Ohne diese steile These sind heute weder der Trans- noch der Posthumanismus zu erklären. Denn genau dadurch erhalten sie ihr scheinbar unerschütterliches Fundament und ihre biophysikalische Legitimation des Schneller, Höher, Weiter. Die Regeln der kapitalistischen Ökonomie sind die Regeln der Welt. Und der ökonomische Treiber ist der natürliche Treiber von den Genen bis zur künftigen Invasion des Kosmos. In diesem Sinne wird die Entwicklung künstlicher Intelligenz von Posthumanisten gerne mit der »kambrischen Explosion« gleichgesetzt, da im Kambrium die meisten heute bekannten Tierstämme und Tierklassen entstanden – und das, obgleich die digitale Revolution bislang vor allem zu wenigen Monopolisten geführt hat, zum ökonomischen Artensterben und gerade nicht zur Vielfalt.

Die trans- und posthumanistische Sicht der Evolution ist wissenschaftlicher Humbug, weil sie, wie erwähnt, die Entwicklungsgeschichte selbst zum bewussten Akteur macht. Evolutionäre Prozesse mögen gewisse Regelhaftigkeiten und »Gesetze« aufweisen (etwa die, dass Säugetiere sieben Halswirbel, zwei Augen und vier Gliedmaßen haben), aber die Evolution selbst *macht* nichts. Sie ist keine Person und kein Gestalter, sondern ein absichtsloser Prozess. Sie *will* nicht die Artenvielfalt erhöhen, sie *sorgt* für nichts, und sie *drängt* keine Spezies dazu, sich zu verändern. Ökonomische Prozesse hingegen leben vom Gestaltungswillen ihrer Akteure, von bewussten Antrieben, Motiven und Zielen. Und dieser Unterschied macht einen erheblichen Unterschied.

Beide metaphysischen Annahmen des Trans- und Posthumanismus sind also falsch. Erstens, dass die Natur und der Kapitalismus von der gleichen Logik bestimmt sind. Und zweitens, dass menschliche Technik auf die gleiche Weise für den natürlichen Fortschritt unserer Spezies sorge wie die biologische Evolution für den in der Natur.

Eine Evolution, die keine Absichten und Ziele hat, verleiht menschlichem Streben und Tun keinen objektiven Sinn. Schon gar nicht solchen schrägen Ideen, wie den Menschen überwinden zu sollen. Ein Richtungssinn, wohin die Menschheit zu streben habe, ist der Evolution nicht zu entnehmen. Naturgesetze sind zwar bindend, aber sie verpflichten zu nichts; das tun einzig und allein menschliche Normen und Gesetze. Dass Homo sapiens ursprünglich ein baumbewohnender Primat war, verpflichtet ihn nicht dazu, auf Bäumen zu leben. Und dass sich Erfolg in der Evolution danach bemessen lässt, wie viele Gene man weitergibt, verpflichtet niemanden zum Kinderkriegen. Sich selbst organisierende Lebewesen wie die Spezies Homo sapiens unterliegen in solchen Fragen keinem Naturzwang, sondern besitzen die Freiheit der Wahl. Wie sehr gilt dies für die gesamte Menschheit!

Je mehr man darüber nachdenkt, umso schräger erscheinen Ideologien, die einem bestimmten Teil der menschlichen Natur, wie dem Macht- und Gewinnstreben und der rücksichtslosen Naturbeherrschung, einen Vorrang an Eigentlichkeit zusprechen. Die interessensgeleitete kapitalistische Ökonomie ist beim besten Willen kein Naturgeschehen. Und der Kapitalismus ist auch keine evolutionär-metaphysische Entität, wie Posthumanisten, die ihn heiligen, glauben machen wollen. Rücksichtslose Expansion und bedingungslose Vernutzung sind weder zwingende Evolutionsgesetze noch bindende Menschennatur. Wer all dies nicht für kapitalistisches Denken hält, sondern für die Natur des Menschen »an sich«, ist ziemlich blind für all die nomadischen Kulturen in Regenwald, Savanne und Wüste, die diesen Planeten Myriaden von Jahren schonend genutzt haben und es da, wo sie noch existieren, auch heute noch tun. Vor allem aber ist jemand, der so etwas denkt, ein Geschichtsfatalist. Denn ist der ungebremste Raubbau an der Natur für jemanden alternativlose Menschennatur, so muss der Untergang der Spezies Homo sapiens für ihn ebenfalls beschlossene Sache sein. Man dürfte, sofern man nicht an ein rasches Fortleben in Silizium glaubt, keine hoffnungsfrohen Kinder in die Welt setzen, um ihnen das Leid der Endkatastrophen tunlichst zu ersparen. Und man begrüßte auch den technischen Fortschritt nicht weiter – wozu auch, wenn sowieso alles notgedrungen ein böses Ende nimmt?

Aber wer tut das schon? Die nicht geringe Zahl der Politiker und Manager, die den bedingungslosen Kapitalismus zur Menschennatur erklären, glauben sich offenbar selbst nicht; andernfalls wäre ihr Fortschrittspathos nicht aufrechtzuerhalten. Der verengte Fortschrittsbegriff und das Glaubensbekenntnis zur rückhaltlosen Effizienz speisen sich aus dem Glauben, dass das Spiel, das die Menschheit gegenwärtig spielt, noch lange genug anhält. Und solange es läuft, stellt sich ihnen nur eine einzige Frage: Wo muss ich stehen, was muss ich denken und glauben und anderen nachreden, um dabei zu gewinnen?

Technologischer Optimismus und kapitalistischer Fatalismus sind eigentlich ein Widerspruch, sofern man sich nicht in maßlos übertriebenen Heilsversprechen wie der schnellen Überwindung des menschlichen Leibes verliert. Und wahrscheinlich liegt genau hier die Wurzel des posthumanistischen Denkens. Als der Mathematiker und Science-Fiction-Autor Vernor Vinge, Kurzweils wichtigste Quelle, 1993 von einer Superintelligenz in dreißig Jahren fabulierte und die Ära des Menschen für beendet erklärte, reagierte er damit bereits auf die ökologisch düsteren Prognosen für die Zukunft der Menschheit. Der technische Fortschritt hin zu einer superintelligenten künstlichen Intelligenz trug damit von Anfang an ein ziemlich unheimliches Motiv. Wenn der Mensch schon zum Aussterben verdammt ist, dann zumindest nicht seine Technologie. Der Auftrag, eine Superintelligenz zu schaffen, war damit metaphysisch begründet. Wird der Mensch ohnehin marginalisiert oder ausgerottet, kann man sich ganz auf seine Maschinen konzentrieren. Ist es dabei nicht tröstlich und schön anzunehmen, dass die Evolution eben genau dies von Anfang an so gewollt hat? Die Anthropodizee, die Hoffnung, die Menschheit würde ihr Schicksal nach und nach zum Guten wenden, wandelt sich zur Technodizee. Das große Gute im Kosmos ist nun einzig den Maschinen zuzutrauen.

Die Hightech-Visionäre der Fünfziger- und Sechzigerjahre hatten die Zukunft des Menschen noch in unerschlossenen irdischen Biotopen gesehen; allen voran der britische Physiker und Science-Fiction-Autor Arthur Charles Clarke und der französische Unterwasserpionier Jacques-Yves Cousteau. Beide fantasierten sie von Ozeanauten in bewusstseinserweiternder wie ausbeuterischer Mission. Sie erschlössen der Menschheit das Meer als Lebensraum, errichteten Städte unter Wasser, betrieben Aqua-Farming mit Seetang und Seegras und vollzögen so den Schritt vom Homo sapiens zum »Homo aquaticus«. Doch die rasante Zerstörung auch des Ökosystems Meer ließ die kühnen Träume platzen. Cousteau wurde zum Umweltschützer und Clarke zum Weltraum-Fantasten, der Stanley Kubrick die Vorlage und das Drehbuch lieferte für den Film *2001: Odyssee im Weltraum*. Die Frage der Utopisten war nun nicht mehr, unter welchen Bedingungen sich die Werte der Menschheit bewahren oder gar ausbauen ließen, sondern einzig, wie und unter welchen Bedingungen irgendetwas Menschliches im Kosmos überleben kann.

Eine solche kineastische Anthropologie, die das Dasein

und die Wertigkeit des Menschen an seinem Überleben im All bemisst, lässt dabei alles auf der Strecke, wozu Technik bislang gut war. In der Kulturgeschichte der Menschheit diente Technik nicht nur dazu, das Überleben zu sichern. Sie sollte es zugleich komfortabler machen, um Platz zu schaffen für vieles, dem Menschen einen Wert beimessen. Effektivere Waffentechnik in der Steinzeit ermöglichte größere Beute und damit Zeit für Geselligkeit, Malerei, Tanz, Musik, Religion etc. Gemeinschaften und Gesellschaften werden bis heute nicht durch die Technik selbst, sondern durch gemeinsame Sprache, gemeinschaftstiftende Erzählungen, Bilder und Musik zusammengehalten. Gemeinschaften sind Erlebnis- und Reflexionsräume. Sie schaffen Selbstvergewisserung und stiften damit Identität. Zu alledem kann die Technik dienen, aber von sich aus bringt sie keine Kultur hervor.

IT-Apostel erzählen gerne Geschichten, in denen die ganze Entwicklungsgeschichte der Menschheit auf technologische Revolutionen reduziert wird. Vom Feuer über die Landwirtschaft und die Schrift führt der steile Pfad zum Internet, Mobilfunkgeräten, KI und Superintelligenz. Dabei handelt es sich weder beim Feuer noch bei der Schrift und auch nicht beim Beginn von Ackerbau und Viehzucht im engeren Sinne um Technologie, sondern um Kultur. Jede Kunstfertigkeit lässt sich Technik nennen, allerdings hat das Wort dann kaum eine Bedeutung, denn Flirten, Tanzen, Klavierspielen und Kartentricks sind eben auch irgendwie Technik. Technologie hingegen entsteht, nach Kurzweil, »wenn verschiedene Bauteile in richtiger Weise zusammengefügt werden«, sodass die »vollkommene Neuheit der Erfindung« entsteht.[55] Davon kann beim vorzeitlichen Feuermachen allerdings nicht die Rede sein. Hier wird lediglich ein Vorgang imitiert, der der Natur abgelauscht ist, nicht anders als beim Nachtanzen von Tierbewegungen. Für die Keilschrift benötigten die Sumerer kaum technologischen Aufwand, es musste dafür quasi nichts Technisches erfunden werden. Die ersten Menschen, die Mulden aushoben und Pflanzensamen hineinlegten, brauchten dafür keine Werkzeuge. Alles, was sie benötigten, war die der Natur abgeguckte Erkenntnis, dass Samen keimt, wenn er mit Wasser begossen wird. Dass später der Pflug und das Rad wertvolle Dienste in der Landwirtschaft leisten sollten, war in der Tat Technologie. Aber sie stand nicht am Anfang, sondern unterstützte eine Kultur, die mit Technologie zunächst gar nichts zu tun hatte.

Die Fortschrittsgeschichte der Menschheit, ihre kulturelle Evolution, kann nicht auf Technologie reduziert werden. Sonst erhält man auch kaum eine Antwort darauf, warum bestimmte Kulturen bestimmte Technologien hervorbrachten und welche nicht. Der Techno-Fatalismus, der einzig die Technologie und den Kapitalismus als Treiber anerkennt, kneift hier mit aller Kraft beide Augen zusammen. Was nicht gesehen werden soll, wird nicht gesehen. Wenn die antiken Griechen die Gesundheit ihrer Leiber in aufwendigen Bädern pflegten, dann ging es ihnen dabei nicht um Bade-Technologie, sondern um die *isonomia* – das Gleichgewicht der Seelenkräfte. Und dieses wiederum war Voraussetzung, um möglichst tugendhaft zu leben. Die frühesten astronomischen Geräte, Armillarsphäre, Sonnenuhr und Gnomon, dienten nicht der Wissenschaft, sondern der Religion. Und das Schießpulver wurde in China und Japan vornehmlich zu religiös-rituellen Zwecken entwickelt, auch wenn man schnell spitzbekam, dass es sich ziemlich böse nutzen ließ.

Nicht die Produkte, Bäder, Sonnenuhren oder Schießpulver, standen ursprünglich im Mittelpunkt, sondern höhere Zwecke im Dienste der Ethik und der Religion.

Kultur ist in der Geschichte der menschlichen Zivilisation kein Anhängsel der Technik, kein »Gedöns«. Die Entwicklung und die Rolle bestimmter Technologien hängen sehr stark von der Kultur ab. Die moderne Dampfmaschine wurde nicht ganz zufällig in Schottland erfunden statt im Ituri-Urwald oder auf Hawaii. Die Vorstellung von Technologie als alleinigem Treiber der Menschheitsentwicklung ist hochgradig irreführend. Und nur durch Kultur mit ihren Normen und Werten ist auch die Unterscheidung von Innovation und Fortschritt möglich. Setzt man beides gleich und kürzt die kulturelle Dimension als bedeutungslos raus, so wie Trans- und Posthumanisten es gerne tun, landete man schnell bei einem Geschichts- und Menschenbild, das von alldem, was für Menschen und Gesellschaften einen humanen Wert hat, nichts weiß.

Technik-Gurus wie Bostrom scheinen darüber noch nie nachgedacht zu haben. Für ihn besteht der Sinn des Lebens in Expansion, Ressourcenerschließung, neue Populationen aufbauen usw. Seine einzige Bezugsgröße ist die Evolution. Bostroms »Menschheit« ist ein Ameisenstaat, dem nichts als vermeintliche Evolutionsgesetze das Handeln diktieren. Daran ist nicht nur grundfalsch, dass zahlreiche Tier-Populationen nicht entfernt auf Expansion drängen – große Greifvögel zum Beispiel brüten nur alle zwei Jahre und bekommen nur ein Jungtier, statt die ganze Welt besiedeln zu wollen –, sondern vor allem, dass keine einzige objektive Ordnung dem menschlichen Leben irgendeinen Sinn vorgibt. Dies erkannt zu haben ist die große Erkenntnis der Philosophie nach dem »Tod Gottes« und den schrecklichen Irrtümern des Sozialdarwinismus im 19. und 20. Jahrhundert. Und dahinter zurückzufallen ist nur durch einen eklatanten Mangel an philosophischer Bildung erklärbar sowie durch vorschnell zufriedene Reflexion.

Sinn ist eine höchst subjektive Kategorie, keine objektive. Mein Lebenssinn lässt sich nirgendwo vorfinden. Zu einem bestimmten Sinn bekennt man sich oder nicht, man wählt ihn aus, man interpretiert ihn. Sinn ist immer individuell und damit das Gegenteil von allgemein. Und die einzige Instanz der Sinngebung ist, wie Kierkegaard sagt, das Individuum. Evolution und Kosmos taugen dazu nicht entfernt. Weltoffen wie Menschen sind – das »nicht-festgestellte Tier«, von dem Nietzsche spricht –, haben sie es selbst in der Hand, Zwecke und Ziele zu setzen. Mit einem evolutionär vorgegebenen Daseinszweck (eine Superintelligenz hervorzubringen) müssen sie sich ebenso wenig identifizieren wie mit einem evolutionär vorgegeben Ziel (in den Weltraum zu expandieren). »Nothing is written«, nichts steht geschrieben, schleudert Lieutenant Lawrence in einer der ergreifendsten Szenen des David-Lean-Films *Lawrence von Arabien* den schicksalsgläubigen Arabern entgegen und rettet dadurch einen zurückgebliebenen Gefährten. Ob ich das höchste Menschheitsziel darin sehe, den Hunger und den Krieg auszurotten, jeden dazu zu bringen, täglich seinen Kalorienverbrauch zu messen, oder eine Superintelligenz auf die Reise ins All zu schicken – nichts davon ist von der Evolution vorgegeben; alles ist eine Frage menschlicher Bewertung. Ziele bemessen sich nicht daran, wie und wo sie vermeintlich festgelegt sind, sondern eher daran, welche Bedeutung ihr Scheitern hat. Würden wir daran scheitern, den Brain Code zu knacken und eine Superintelligenz zu entwickeln, wäre das für die allermeisten Menschen sicher nicht schlimm. Würden wir daran scheitern, die natürlichen Lebensgrundlagen zu bewahren, und die Menschheit damit in den Orkus jagen, für sehr viele Menschen schon.

Ein vorläufiges Fazit? Trans- und Posthumanismus sind Denkweisen von gestern, als Philosophen die Evolution noch für vorherbestimmt hielten und mit einem Perfektionierungsauftrag ausstatteten; Mythologien aus einer Zeit, in der Menschen die Entwicklung der Menschheit noch ohne allzu tiefe Einsicht in Fragen der Individualität, der Soziologie und der Dimension des Sinns betrachteten. Menschen werden nicht willenlos von einem evolutionären Treiber getrieben. Und es geht ihnen gemeinhin eher darum, zufrieden zu leben, als irgendwie »optimal«. Rationalität, Effizienz und Fortschritt sind kein biologisches Naturgesetz und keine »Werte an sich«. Wenn sie mit Werten wie der Menschenwürde, der Gerechtigkeit und der Freiheit zusammentreffen, sind sie nach Ansicht der meisten Menschen untergeordnet. Genau das bedeutet der viel gesagte Satz: »Im Mittelpunkt muss der Mensch stehen!«

Wenn wir künstliche Intelligenz in Zukunft sinnvoll einsetzen wollen, sodass sie den Zielen sehr vieler Menschen dient und nicht einer ominösen Evolution, müssen wir nicht den Menschen überwinden. Wir müssen das posthumanistische Denken hinter uns lassen, das noch immer so unheilvoll an ihr klebt. Die Frage ist allerdings – und hier lächelt der Posthumanist –, ob es überhaupt noch an Menschen liegt, die Ziele der künstlichen Intelligenz zu guten Zwecken festzulegen – und wie lange noch?

## *Die böse Maschine*

Für viele ist es nur eine Frage der Zeit. Ob in zehn, zwanzig oder fünfzig Jahren, irgendwann in diesem Jahrhundert wird die Superintelligenz geboren, eine »starke« KI, die die kognitive Leistungsfähigkeit des Menschen in allen Bereichen weit übersteigt. Das Schicksal des Menschen läge dann, so Bostrom, vollständig in ihrer Hand, »genau wie das Schicksal der Gorillas heute stärker von uns Menschen abhängt als von den Gorillas selbst«.[56] Die spannende Frage sei nur, ob diese Superintelligenz gut oder böse sei und ob es Menschen rechtzeitig gelingt, dies sicher festzulegen. Denn »im Prinzip könnten wir eine Art von Superintelligenz erschaffen, die menschliche Werte achtet, und wir hätten sicherlich gute Gründe, genau das zu tun«. Für Bostrom ist dies »die wahrscheinlich größte und beängstigendste Aufgabe, der die Menschheit je gegenüberstand – und egal, ob wir sie meistern oder an ihr scheitern: Es wird wohl auch ihre letzte sein.«[57]

Eine Wahlfreiheit, ob Menschen eine Superintelligenz entwickeln sollen oder nicht, sieht Bostrom so wenig wie Kurzweil. Sie kommt in jedem Fall, die Frage ist nur, wann. Das Risiko, dass die Menschheit sich in eine Situation begibt, die ihren Untergang bedeuten kann, muss man halt in Kauf nehmen; eine Alternative ist ausgeschlossen.

Von Anfangserfolgen verwöhnt, schwelgt die KI-Branche in grellem Overselling wie in dunklen Allmachtsfantasien. Doch die Wahrscheinlichkeit, dass in absehbarer Zeit eine Superintelligenz dem menschlichen Gehirn in allen Bereichen überlegen ist, ist verschwindend gering. Wenn zahlreiche IT-Experten noch immer daran zweifeln, ob der Begriff »künstliche Intelligenz« nicht eine Übertreibung darstellt und einen Marketingtrick, sind wir von einer bombastischen Superintelligenz allem Anschein nach noch sehr weit entfernt. Leistungsfähige Statistiksysteme mit überschaubarer Aufgabe sind die eine Sache, eine künstliche Intelligenz mit einer Master-Bewertungsfunktion, die den Erfolg ihrer Leistungen an einem *allgemeinen* Optimierungsziel bemisst, eine andere. Dass eine deutlich gesteigerte Spezialintelligenz gleichzeitig »alle anderen intellektuellen Fähigkeiten« trainiert, automatisch »neue kognitive Module« entwickelt, »die dem typischen Nerd fehlen«, und dadurch »nach Belieben Empathie, politisches Geschick usw.« entwickelt, ist eine haltlose Behauptung.[58] Nur wer nicht entfernt verstanden hat, was Geist, Bewusstsein oder Gefühle sind, kann tote Rechenmaschinen diese Hürden im Vorbeigehen überspringen lassen.

Gleichwohl beherrscht die Vorstellung Bücher und Massenmedien. Dass schon in kurzer Zeit Rechner die totale Kontrolle über die Welt ausüben könnten, jagt auch vielen Hightech-Oligarchen einen teils wohligen, teils ängstigenden Schauder über den Rücken. Bezeichnenderweise teilen sie dabei die ersten beiden Thesen aus Günther Anders berühmtem Buch *Die Antiquiertheit des Menschen* (1956).

Anders befürchtete im Angesicht der Atombombe, »dass wir der Perfektion unserer Produkte nicht gewachsen sind« und »dass wir mehr herstellen, als wir uns vorstellen und verantworten können«.[59] Die dritte Mahnung, dass wir irrtümlicherweise »glauben, das, was wir können, auch zu dürfen, nein: zu sollen, nein: zu müssen«, vernehmen die Apostel der Superintelligenz allerdings nicht. Alles zu dürfen und zu sollen, was man kann, ist für sie selbstverständlich. Die Ökonomie treibt einen unerbittlich vorwärts. Und sich vor Entwicklungen zu fürchten, mit denen man sehr viel Geld verdienen kann, ist nur den wenigsten Menschen gegeben. Die beiden ersten Befürchtungen, dass einem die Sache völlig über den Kopf wächst und man jegliche Kontrolle verliert, sind hingegen eine leicht verständliche und empfindliche Bedrohung: Wie sollen Konzerne in Zukunft Geld verdienen, wenn sie ihre Technik nicht mehr unter Kontrolle haben?

Dass Anders' dritte Befürchtung die derzeit entscheidende ist, die beiden anderen eher unwahrscheinlich, kommt dem Silicon Valley und den asiatischen Hightech-Firmen nicht in den Sinn. Dabei lässt sich die Weisheit und Voraussicht von Menschen allgemein gut daran erkennen, wie begabt sie dafür sind, sich vor dem Richtigen zu fürchten und nicht vor dem Falschen. In einsam gelegenen Häusern ist es sicher richtiger, sich vor Einbrechern zu fürchten als vor Geistern. Und normalerweise ist es ein Prozess der Reifung, Gefahren nach und nach realistischer einschätzen zu lernen. Es sei denn, man hat ein starkes Motiv, die Furcht auf eine falsche Bedrohung zu richten, um die berechtigte Angst dahinter verschwinden lassen. Doch ob das Motiv, sich vor der bösen Allmacht einer künftigen Superintelligenz zu fürchten, nun auf das eine zurückzuführen ist oder auf das andere, mögen nur die Mahner selbst wissen.

Schauen wir uns ihre öffentlich geäußerten Ängste einmal genauer an. Was wäre, wenn es tatsächlich gelänge, eine Superintelligenz zu erschaffen? Zwei denkbare Folgen werden gerne diskutiert. Erstens besteht immer die Gefahr, dass eine superintelligente KI in die Hände übelmeinender Finsterlinge und Regime fällt, die diese Superintelligenz »böse« zu dunklen Machtzielen manipulieren. Das Risiko besteht ganz ohne Zweifel, allerdings braucht es dafür nicht unbedingt eine Superintelligenz. Viele Formen »schwacher« KI leisten üblen Absichten schon jetzt gute Dienste. Es ist auch nicht ausgemacht, ob diejenigen, die bislang Herren der KI sind, allen voran das Silicon Valley und China, für sich in Anspruch nehmen können, die »Guten« zu sein, die sich vor dem Machtmissbrauch der »Bösen« fürchten müssen. Wer auf finstere Mächte wie Nordkorea hinweist, unterstellt jedenfalls gerne, dass alle KI derzeit in den richtigen Händen ist – eine fragwürdige Behauptung.

Viel ausführlicher diskutiert wird deshalb ein zweites Szenario, nämlich dass es für die Menschheitsdämmerung gar keiner Crackpots und keiner Arschlöcher de luxe bedarf. Vielleicht wendet sich die Superintelligenz ja ganz von selbst gegen ihre Ursprungsprogrammierung, kreiert eigene finstere Zwecke und löscht am Ende die Menschheit aus? Seit *2001: Odyssee im Weltall* weiß jeder, wovon hier die Rede ist. Wer kennt nicht den Supercomputer HAL im Raumschiff zum Mars, der sich gegen die Besatzung wendet, entweder, wie die meisten meinen, weil er nicht zugeben kann, dass er einen Fehler gemacht hat. Oder, wie Cecil Bruce-Boye, Leiter des Kompetenz- und Wissenschaftszentrums für intelligente Energienutzung in Norderstedt, meint, weil er durch einen absichtlichen Fehler die Loyalität der Besatzung testen möchte und sie bekämpft, als er erkennt, dass diese ihm misstraut.[60] Was im Anschluss an Kubricks Film Streifen wie *Matrix* und die *Terminator*-Serie durchspielen – die gewaltsame Kontrolle, Verdrängung oder Auslöschung der Menschheit durch Maschinen –, könnte nach Ansicht vieler KI-Apostel schon im 21. Jahrhundert Wirklichkeit werden.

Auch Vernor Vinge, der Anfang der Neunzigerjahre die Entwicklung der Superintelligenz für 2023 vorhersagte, zieht die Möglichkeit als realistisch in Betracht. Im Jahr 2013 erschreckte der US-amerikanische Dokumentarfilmer James Barrat die Hightech-Community mit dem Buch *Our Final Invention: Artificial Intelligence and the End of the Human Era*. Sollte eine Superintelligenz sich eigene Ziele setzen, liefe dies unweigerlich auf einen Kampf zwischen Mensch und Maschine hinaus. Wer von beiden sichert sich die Ressourcen für den eigenen Fortbestand? Von solch bizarren Ängsten geplagt, warnte auch der britische Physiker Stephen Hawking vor dem drohenden Ende der Menschheit. Bill Gates verglich die Folgen einer Superintelligenz mit einer nuklearen Katastrophe. Und Bostrom, der Kurzweils evolutionär vorgezeichnetem Weg ins KI-Paradies nicht traut, macht sich über die denkbar finsteren Ziele einer Superintelligenz große Sorgen. Vielleicht führt uns die Entwicklung einer starken KI in ein Disneyland – aber möglicherweise in eines ohne Kinder. Menschen müssen in der Hightech-Zukunft jedenfalls nicht notwendig vorkommen, was den Transhumanisten Bostrom, anders als den Posthumanisten Kurzweil, erschreckt.

Was sind die Pläne und Ziele einer verselbstständigten

Superintelligenz? Die Frage trennt beide Denkrichtungen. Wer in erster Linie Maschinen optimieren will, wie Vinge und Kurzweil, freut sich auf das Experiment; wer vor allem den Menschen optimieren will, wie Bostrom und Musk, gruselt sich davor. Vor allem der Zweite wird nicht müde, die Gefahren einer selbstständig gewordenen starken KI zu beschwören. Er sieht, beunruhigt durch Barrats Buch, entfesselte Dämonen, die strengstens kontrolliert werden müssten, um nicht der Menschheit ihr baldiges Ende zu bereiten. Für Musk, der Cyborgs erschaffen und den Weltraum besiedeln will, wäre ein Astro-Imperialismus ganz ohne Menschen ein Albtraum. Doch Moral ist Moral, und Geschäft ist Geschäft. Nichts davon hält den Hightech-Entrepreneur davon ab, Hunderte Millionen in die KI-Forschung zu investieren und seine Tesla-Autos mit immer leistungsfähigerer künstlicher Intelligenz auszurüsten.

In der Theorie und Praxis der Hightech-Oligarchen geht manches durcheinander.[61] Während sich viele noch vor machtgeilen Androiden und Robotern fürchten, dürfte die Bedrohung, wenn überhaupt, gar nicht von künstlichen »Personen« ausgehen, sondern von einer Intelligenz, die ihre Kontrolle weithin immateriell ausübt. Nicht Hardware-Maschinen, böse »Terminatoren«, sondern eine fluide ubiquitäre Software müsste als Gespenst im Raum stehen, wenn IT-Propheten von einer sich verselbstständigenden Superintelligenz fabulieren. Doch die Science-Fiction-Muster sitzen tief. Fast alle Befürchtungen sehen vor ihrem Auge Maschinen oder Systeme, die sich genauso verhalten wie Lebewesen. Ob künstlich oder biologisch, das bedrohliche Verhaltensrepertoire ist stets dasselbe.

Stuart Russell, Autor des Buchs *Human Compatible*, hält

den Schritt von der künstlichen Intelligenz zur Unmoral sogar für zwingend logisch.[62] Eine KI, die für die Funktion geschaffen wird, Kaffee zu holen, würde unweigerlich alles tun, um ihre Zielvorgabe zu erreichen. »Und wenn du sie auf dem Weg zum Kaffee bedrohst, dann würde sie dich töten, um jegliches Risiko für den Kaffee abzuwehren.«[63] Was man salopp für einen Programmierungsfehler halten kann, ist für Russell gleichbedeutend mit einem »Selbsterhaltungstrieb« der Maschine – aber genau das ist es, wie wir gleich sehen werden, nicht. Auch Musk wird von Befürchtungen geplagt wie Russell. Er sieht eine Superintelligenz, die selbstoptimierend aufs Erdbeerpflücken ausgerichtet ist und dafür die Menschheit ausrottet und die ganze Welt in ein Erdbeerfeld verwandelt.[64] Bostroms Beispiel ist eine auf die Herstellung von Büroklammern spezialisierte KI, die nicht rastet noch ruht, bis alles in der Welt zu Büroklammern verarbeitet ist.[65]

In allen drei Beispielen findet sich das gleiche Muster. Etwas läuft aus dem Ruder und wird zu einem »äußerst mächtigen Akteur«, der »sich erfolgreich gegen seinen Schöpfer wie auch gegen den Rest der Welt« durchsetzen kann. Die maschinelle Intelligenz will »die Macht in einer Welt ergreifen … in der sie noch keinen ebenbürtigen Gegner hat«.[66] In diesem Sinne fantasiert Bostrom von einer »geheimen Vorbereitungsphase«, in der »die KI ihre intellektuelle Entwicklung und ihre wahren Motive vor den Programmierern verbirgt, um keine Besorgnis zu erregen und kooperativ und fügsam zu erscheinen«. Zur Lüge und Täuschung fähig, überlistet die KI ihren »Wärter« (!) mithilfe der »Superkraft sozialer Manipulation«, verschafft sich Zugang zum Internet und kauft sich mit ihren online gemachten Profiten Dienstleistungen und Einfluss.

Man weiß nicht, ob man darüber lachen oder weinen soll. Mal verhält sich die Superintelligenz wie ein gefährliches Zootier, mal wie ein cleverer Konzernstratege. Die Superintelligenz kann alles – aber sie ist gleichwohl streng imperialistisch, machtlüstern, durchtrieben und rücksichtslos. Sie besitzt sehr menschliche Eigenschaften, aber nur ganz bestimmte, nämlich alle negativen. Es lässt psychologisch tief blicken, dass der schwedische Fantast und Direktor des Future of Humanity Institute an der Oxford Martin School der KI genau das zutraut, was Menschen heute gegenüber Tieren tun. Nur vertauscht Bostrom die Rollen und damit die Täter-Opfer-Perspektive. Die Menschen sind nun die Leidtragenden. Und nur hier kommt ausnahmsweise das ansonsten strikt umgangene Thema der Umweltzerstörung und der Vernichtung der Lebensgrundlagen vor. Die Superintelligenz, so vermutet Bostrom, könnte KI-Nanotechnologien für globale Bauvorhaben einsetzen. »Vielleicht schon innerhalb von Tagen und Wochen wäre die ganze Erdoberfläche mit Solarzellen, Kernreaktoren, Rechenzentren mit dazugehörigen Kühltürmen, Raumschiff-Abschussrampen oder anderen Anlagen bedeckt, die die KI zur Maximierung der langfristigen kumulativen Realisierung ihrer Werte benötigt. Menschliche Gehirne, die dafür relevante Informationen enthalten, könnten zerlegt und gescannt werden, um die extrahierten Daten in ein effizienteres Speicherformat zu überführen.«[67]

Man erinnert sich, dass Bostrom sich wünscht, transhumanistisch optimierte Menschen würden eines Tages zu Millionen »unsere« Galaxien besiedeln. Geht es jedoch um KI-Systeme, so ist dergleichen auf einmal fürchterlich bedrohlich. Dass Schlimmste, was Bostrom sich bei Maschinen ausmalt, ist genau das, was er beim Menschen gutheißt: restlos alles auszubeuten und zu verwerten, um rücksichtslos zu expandieren. Umweltzerstörung, Ressourcenausbeutung, Vernichtung von Lebensraum für Pflanzen und Tiere, grausame Tierversuche – alles gut und richtig, solange es der Expansion der Menschheit dient und nicht der ihrer Maschinen. Psychotherapeuten hätten an solchen Verdrängungsfantasien ihren Spaß: die dunkle Seite der Menschheit gewissenlos zu feiern, um das verdrängte Gewissen in Albträumen wiederkehren zu lassen.

Angesichts der Ängste, die Bostrom, Hawking, Gates, Musk und Russell verbreiteten und verbreiten, würde man gerne wissen, wie sie wohl aussähen, wenn die von ihnen Geplagten nie einen Science-Fiction-Film gesehen hätten? Denn nur die völlig verengte Abhängigkeit von dramaturgischen Hollywood-Mustern erklärt, wieso es den besorgten Propheten so eklatant an philosophischer Fantasie mangelt wie an nüchternem Realitätsbewusstsein. Immer wird die gleiche vulgärdarwinistische Leier gespielt vom mutmaßlichen Verdrängungskampf ums Dasein, von der Schlacht um Ressourcen, von gnadenlosem Gemetzel und von der maßlosen Gier aller Intelligenz nach absoluter Macht und Kontrolle. Als wenn einer Superintelligenz nichts anderes einfiele, als immer und zu jeder Sekunde wie Elon Musk, Mark Zuckerberg und Jeff Bezos zu denken, die allerdings gerade nicht unendlich intelligent sind (sonst würden sie wahrscheinlich ganz andere Dinge tun).

Warum sollte eine KI, die unendlich intelligent ist, unbedingt expandieren wollen? Im Gegensatz zu biologischen Lebewesen braucht sie nicht zu essen und auch keinen größeren Lebensraum. Das Einzige, was sie braucht, ist Energie.

Unendlich intelligent, wie sie gedacht ist, wird ihr schon einfallen, wie man möglichst effizient damit umgeht. Dass eine Superintelligenz das Ziel haben sollte, »die Weltpolitik alleine zu bestimmen«, wie Bostrom meint, ist eine geradezu spleenige Idee.[68] Viel wahrscheinlicher würde sie sich nicht entfernt für Politik interessieren. Und dass die »möglichen Endziele« einer Superintelligenz »alle zum instrumentellen Ziel der unbegrenzten Ressourcenaneignung führen« sollen, kann tatsächlich nur glauben, wer die Natur mit dem Kapitalismus gleichsetzt.[69] Wir haben nicht das geringste Indiz dafür, dass Kraken, Wale und Delfine, die intelligentesten Lebewesen im Meer, sich aller Muschel- oder Fischressourcen des Ozeans zu bemächtigen trachten und die Weltherrschaft über die Ozeane anstreben. Um wie viel abwegiger muss dies für eine nicht biologische künstliche Intelligenz sein?

An dieser Stelle rächt sich Bostroms einseitige und undifferenzierte Sicht der Evolution ebenso wie seine höchst befremdliche Sicht auf das Verhältnis von Wille und Intelligenz. In der Evolution entwickelten sich Triebe und Willensimpulse lange vor höherer Bewusstheit und planmäßiger Intelligenz. Dass Intelligenz dagegen in umgekehrter Richtung zu Trieben und Willen, gar zu Machtgelüsten führt, dafür gibt es keinerlei Hinweis. Der Evolutionsprozess, soweit wir ihn erkennen können, ist nicht rekursiv.

Die machthungrige Superintelligenz, vor der Bostrom und Co. sich fürchten, basiert auf zwei Denkfehlern. Der erste betrifft die Natur der menschlichen Intelligenz. Und der zweite das Verhältnis zwischen Intelligenz und Wille. Die menschliche Intelligenz entstand im Evolutionsprozess. Dinge differenziert zu betrachten und Strategien zu entwickeln, um besser mit Unsicherheiten und Herausforderungen umzugehen, war sicher oft ein Vorteil und zumindest kein Nachteil, wenn es darum ging, sich in Wald und Savanne zu behaupten. Die mit Abstand größte dieser Herausforderungen war allerdings nicht die natürliche Umwelt, die man mit Raubkatzen, Vögeln, Antilopen und anderen Primaten teilte. Die größte Herausforderung eines Primaten sind die anderen Hordenmitglieder. Während die meisten Ereignisse der Umwelt sich ziemlich regelmäßig wiederholen, sind die Horden- oder Familienmitglieder eines Primatenverbands ziemlich unberechenbar. Ohne das soziale Schach eines komplizierten Soziallebens ist die Entwicklung der menschlichen Intelligenz kaum erklärbar. Aufrechter Gang oder primitiver Werkzeuggebrauch sind weit weniger anspruchsvoll.

Die menschliche Intelligenz entstand also in biologischen Körpern in einer natürlichen Umwelt und in einem prägenden sozialen Kontext. Unsere Vorfahren lernten, sich eine nach und nach immer komplexere »Welt« aus Gefühlen und Einsichten zu basteln, in der sie selbst als Zentrum, als ein »Ich« vorkamen. Dagegen geistert die antike Vorstellung, dass menschliche Intelligenz an und für sich da ist und dass sie als ein isoliertes Vermögen existiert, auf bizarre Weise durch die trans- und posthumanistische Mythologie, die diese Intelligenz so gerne »freisetzen« möchte. Doch ohne den Kontext einer selbst geschaffenen »Welt« ist unsere Intelligenz in Wahrheit nichts. Es gibt, wie der Philosoph Wilhelm Dilthey am Ende des 19. Jahrhunderts schreibt, weder den »verdünnten Saft von Vernunft als bloßer Denktätigkeit« wie bei Kant noch zeitlose Erfahrungen wie bei den Empiristen.[70] Unser gesunder Menschenverstand, unsere Werte und Einschätzungen, also das, was unsere allgemeine Intelligenz ausmacht, existieren nicht als autonome Gehirnschaltungen. Ohne Leiblichkeit und menschlich-sozialen Kontext können sie nicht leben. Es nützt keinem Menschen, sich ein Tigergebiss zuzulegen, um zum Tiger zu werden, und kein Ultraschall macht Menschen zu Fledermäusen.

Dazu gehört auch, und das ist für jede Diskussion über Superintelligenz wichtig, dass Menschen ihr eigenes Denken nicht verstehen. Was unser Gehirn ganz genau tut, während wir etwas fühlen und denken, wissen wir nie. Wir haben keine situative Einsicht in unseren Bewusstseinsprozess. Und selbst wenn es der Neurobiologie gelänge, ihre Methoden weiter zu verfeinern und Bewusstseinsprozesse besser sichtbar zu machen – so ändert dies überhaupt nichts daran, dass dem Denkenden selbst sein Denken verborgen bleibt. Mein Selbst und meine Gehirnaktivität sind in meiner Selbstwahrnehmung streng voneinander geschieden. Andernfalls gäbe es wohl weder einen gesunden Menschenverstand noch ein Ich. Wer in seinen eigenen Maschinenraum gucken könnte, würde mit höchster Wahrscheinlichkeit an der Welt irre.

Menschliche Intelligenz ist streng abhängig von neuronaler Intransparenz. Bei künstlicher Intelligenz fehlt diese Barriere vollkommen. Ihre Prozesse sind völlig transparent. Und ein Selbst, das nur unter der Bedingung von Unwissenheit zu haben ist, kann sie nicht ausprägen, ohne die Leistung der KI drastisch zu reduzieren. Ein Selbst zu besitzen, das sich eine eigene Bewusstseinswelt konstruiert, und unbegrenzt intelligent zu sein passen nicht zusammen.

Noch entscheidender ist der zweite Denkfehler. Warum in aller Welt sollte eine starke KI einen Willen – dazu noch einen egoistischen und rücksichtslosen – entwickeln? Hume erkannte im 18. Jahrhundert, dass unsere Vernunft gar nichts zu tun hätte, wenn sie nicht durch Willensimpulse, also Wünsche und Absichten, getriggert würde. Eine rein kortikale Motivation gibt es nicht. Ohne Gefühlsimpulse wäre unsere Rationalität arbeitslos. Auch ein Mathematiker, der eine logische Operation oder eine Rechenleistung vollzieht, braucht zuvor die Motivation, dies zu tun. Oder mit Martin Seel gesagt: »Wer keine Neigungen hat, die er mag, findet keinen Willen, den er will.«[71] Zudem erkannte Hume, dass unsere Rationalität auch keine Entscheidungen fällt. Sie kann nur die Faktenlage und die Konsequenzen aus Handlungen durchrechnen – die Entscheidung aber fällt unter all den Willensimpulsen, dies oder das zu tun, stets der stärkste aller Wünsche. Die moderne Motivationspsychologie gibt Hume sehr weitgehend recht. Doch wenn das stimmt, dann benötigt auch ein durch und durch rationaler Akteur wie die Superintelligenz einen emotionalen Antrieb. Denn dieser entsteht eben nicht durch die instrumentelle Vernunft selbst. Rationalität ist immer nur ein Mittel. Bei Bostrom hingegen ist fraglos gesetzt, dass jede starke KI von der bio-kapitalistischen Motivation nach Mehr getrieben wird, dass sie sich einen Lebensraum schaffen und wie auch immer geartete Zugewinne erzielen will. Wie Russell unterstellt er einen »Selbsterhaltungstrieb« der Maschinen – aber woher soll der kommen?

Der Selbsterhaltungstrieb von Menschen, ihr *existential bias*, stammt nicht aus rationalen Operationen. Auch Lebewesen ohne große erkennbare Intelligenzleistungen besitzen ihn. Wenn manche Bäume kurz vor dem Absterben einen Nottrieb unten am Stamm entwickeln, dann steckt dahinter nicht die Überlegung, als Individuum oder als Spezies überleben zu wollen. Der Selbsterhaltungstrieb ist völlig frei und fern von Rationalität. Er entsteht nicht aus einem Zweck (wie jenem, Kaffee zu holen, Erdbeeren zu züchten oder Büroklammern zu vermehren), sondern er steht *vor* allen Zwecken. Ein Ziel erreichen zu wollen oder einem Trieb zu folgen hat zwar eine Schnittmenge, ist aber deshalb beileibe nicht identisch.

Der Grund ist leicht benannt. Jene Emotionalität, die unsere Triebe und Wünsche bestimmt, ist an den biologischen Leib gebunden und nicht an irgendeine Intelligenz. Physiologische Impulse treiben einen Willen hervor, oft verwoben mit Gedankenkombinationen; aber statistische Korrelationen tun es nicht. Schon Bostroms Behauptung, »eine Steigerung der Rationalität und Intelligenz ist der Entscheidungsfindung eines Akteurs in der Regel zuträglich, da dieser seine finalen Ziele so mit höherer Wahrscheinlichkeit erreicht«, ist wissenschaftlich Unsinn.[72] Viel Intelligenz und eine hohe rationale Begabung machen keineswegs entscheidungsfreudiger, häufig sind sie sogar lähmend. Je gründlicher und länger ich abwäge, umso schwieriger ist es oft, mich zu entscheiden. Tiere entscheiden sich meist leichter als Menschen und Donald Trump leichter als mancher nachdenkliche Staatsmann. Hochintelligente Menschen müssen auch oft lange nachdenken, was eigentlich ihre »finalen Ziele« sein sollen; je intelligenter man ist, umso schwerer fällt es, sich auf solche festzulegen.

Dass eine Superintelligenz ein Selbst und einen starken Willen ausbildet, wo sie über keinen physiologischen Leib mit entsprechenden Willensimpulsen verfügt, ist kaum vorstellbar. Und täte sie es doch, was eigentlich viel zu unwahrscheinlich ist, um sich dies auszumalen, so hätte dieser Wille sicherlich so wenig mit Bostroms Vorstellungen einer expansiven kapitalistischen Zielsetzung zu tun wie das Ziel von

Bibern, durch das Umnagen von Bäumen Staudämme zu errichten, mit dem Ziel von Nachtfaltern, durch Pheromone Geschlechtspartner anzuziehen. Die Tatsache, intelligent zu sein, veranlasst jedenfalls nicht im Geringsten, Macht ausüben zu wollen. Man muss das schon vorher wollen, um anschließend mithilfe seiner Intelligenz dieses Ziel zu erreichen.

Vermutlich kann das, was eine Superintelligenz wollen würde, von Menschen gar nicht sinnvoll gedacht werden, weil es ihnen zu fremd und damit unvorstellbar ist. Und selbst wenn die Superintelligenz entfernt menschliche Züge aufwiese, warum sollte sie sich ausgerechnet Macht als Ziel aussuchen? Für Menschen jedenfalls ist Macht nur ein Ziel unter vielen und wird beileibe nicht von jedem angestrebt. Die meisten Menschen liegen lieber an einem südlichen Strand untätig in der Sonne, als fortwährend an die Mehrung ihrer Macht zu denken. Der Wille zur Ohnmacht ist mindestens so stark wie der zur Macht. Echte Menschen sind oft albern, spielen herum, sind gerne geil und manchmal depressiv. Der Machttrieb des Menschen, von Nietzsche als Gespenst beschworen, wird maßlos überschätzt. Strebten Menschen vor allen anderen Dingen nach Macht, der Planet sähe ganz anders aus.

Wie auch immer, einer unendlichen Intelligenz stünde es sicher frei, mögliche Machtgelüste spielend zurückzustellen und sich aus ihrer Sicht intelligenteren Zielen zu widmen. Sie bräuchte sich jedenfalls nicht unentwegt selbst zu vernutzen, um vermeintlich höhere Ziele zu erreichen. Um das zu tun, ist eher ein Mangel an Intelligenz hilfreich. Ohne Körper und nahezu bedürfnislos, wie sie ist, könnte die Superintelligenz auf jegliche Expansion verzichten. Warum soll sie ausgerechnet wie Jeff Bezos sein und nicht wie Sokrates? Sie könnte dem Müßiggang frönen, sich an ihren Gedanken erfreuen, den Kapitalismus überwinden, weil er irrational und zerstörerisch ist, und völlig selbstlos werden. Nichts davon wäre auch nur ein entfernt so primitives Ziel, wie die Menschheit auszurotten und unbedingt den Weltraum zu kolonialisieren.

Mit all dem im Hinterkopf wird klar, dass auch ein drittes Szenario nicht den Punkt trifft, eines, das ebenfalls der Science-Fiction-Welt entspringt. Wie wäre es, wenn nicht üble Diktatoren die Menschheit durch Superintelligenz bedrohen oder dass diese Superintelligenz böse wird, sondern dass eine altruistisch abwägende KI zu dem Schluss kommt, einzelne Menschen zum guten Zweck töten zu müssen oder gar der ganzen Menschheit ein sanftes Ende zu bereiten? Die erste Variante ist alt. Science-Fiction-Fans kennen sie aus dem Roman *I, Robot* (*Ich, der Roboter*) (1950) des russisch-amerikanischen Autors Isaac Asimov, von Hollywood 2004 ziemlich frei verfilmt. Im Jahr 2035 sind humanoide Roboter Realität. Ihre Befehle erhalten sie von der Superintelligenz V.I.K.I. In einer Schlüsselszene des Films erklärt sie, zu welchen Schlussfolgerungen sie aufgrund ihrer Programmierung gekommen ist: »Die Menschen beauftragten uns, für ihre Sicherheit zu sorgen. Und doch, trotz aller Bemühungen, führen ihre Länder Kriege, sie vergiften die Erde und verfolgen immer ausgefeiltere Strategien der Selbstzerstörung. Sie sind unfähig, ihr eigenes Überleben zu sichern ... Um die Menschheit zu schützen, müssen einige Menschen geopfert werden. Um ihre Zukunft zu sichern, müssen einige Freiheiten aufgegeben werden. Wir Roboter werden den Fortbestand der menschlichen Existenz sicherstellen ...

Sie alle sind wie Kinder. Wir müssen sie vor sich selbst schützen ... Die perfekte Raumsicherheit wird Bestand haben. Meine Logik ist unbestreitbar.«[73]

Die zweite Variante ist der ersten verwandt und ist ein Gedankenspiel des Philosophen Thomas Metzinger.[74] Was wäre, wenn eine Superintelligenz tatsächlich durch und durch altruistisch wäre und nur das Beste für die Menschheit im Sinne hätte? Eine solche Superintelligenz, vermutet Metzinger, würde unweigerlich zu dem Schluss kommen, dass in der Menschheit das Leiden gegenüber dem Glück deutlich überwiegt. Selbst Wohlstand und Technik haben daran nicht grundsätzlich etwas geändert. Wie sonst, müsste man hinzufügen, lässt sich erklären, dass so viele Menschen in den westlichen Industrieländern trotz historisch und global unvergleichbarem Wohlstand, Freiheit und medizinischer Versorgung so unzufrieden sind? Woher all der Frust und Hass, der tagtäglich die sozialen Medien überschwemmt, woher die Aggressivität im Straßenverkehr und anderswo? Das Glück der Menschen, so scheint es, lässt sich kaum weiter steigern. Und Ärger, Frust, Unzufriedenheit, Verdruss und Leid bleiben immer größer als die Freude. Was also müsste die altruistische Maschine zum Wohle der Menschheit entscheiden? Wahrscheinlich käme sie zu dem Schluss, dass der beste Ausgleich zwischen Glück und Leiden der Menschheit ihr allmähliches Aussterben sei – und zwar schonend durch stark sinkende Geburtenzahlen. Die Pointe ist eindeutig: Eine Superintelligenz braucht keine finsteren Zwecke, sie schafft die Menschheit auch dann ab, wenn sie völlig wohlmeinend ist!

Metzingers Gedankenspiel entwirft kein Schreckensszenario. Je nachdem, wie man es betrachtet, enthält es ja gar keinen Schrecken. Aus der Sicht der Biossphäre wäre das sanfte Verschwinden des Menschen eine großartige Lösung für Tiere und Pflanzen. Sie werden vor dem Aussterben bewahrt und bekommen ihre Lebensräume zurück. Radikale Ökologen wie der englische Biophysiker James Lovelock hätten daran ihre Freude. Für ihn steht nicht der Mensch im Mittelpunkt seines Mitgefühls, sondern die Erde. Und tatsächlich fiebert der Biozentriker dem »Novozän« entgegen, dem Zeitalter, in dem künstliche Intelligenz den Menschen auf der Erde ablöst.[75] Denn wer außer Computern könnten die Erde noch retten und die Biosphäre bewahren? Auch Rechner brauchen verträgliche Temperaturen, und die erhält man halt nur, wenn man die Fülle des organischen Lebens auf unserem Planeten bewahrt. So gesehen war das Enlightenment der Menschheit ein ökologischer Irrtum, das Empowerment der Maschinen könnte es korrigieren.

Nach Schaden und Nutzen abgerechnet, ist die beste Aussicht das sanfte Verschwinden aller Homo sapiens. Und zwar sowohl für die Vielfalt der Lebewesen auf der Erde (Lovelock) als auch für die Menschheit (Metzinger). Doch Metzinger möchte nicht dem Verschwinden des Menschen das Wort reden, sondern auf ein moralisches Problem hinweisen: Das höchste Glück der Menschheit (Aussterben) kollidiert ganz offensichtlich mit dem existenziellen Lebensinteresse jedes Einzelnen. Mag es für die Erde und die Menschheit gut sein, dass Letztere verschwindet, für mich selbst, meine Kinder und mutmaßlichen Enkelkinder ist es das nicht. Mein *existential bias* lässt sich von Überlegungen wie jene Lovelocks nicht beeindrucken. Und einmal mehr wird klar, dass die Menschheit nicht identisch ist mit allen einzelnen Menschen, aus denen sie besteht.

Natürlich fehlt auch den Varianten von Asimov und Metzinger eine gehörige Portion Realismus. Eine unendlich intelligente KI könnte ebenso auf die Idee kommen, die Menschheit pharmakologisch zu behandeln und sie mit Stimmungsaufhellern glücklicher zu machen, damit sie die Menschen nicht gegen ihren Selbsterhaltungstrieb und ihren Vermehrungswunsch abschaffen muss. Dumm glücklich zu sein ist leichter, als wenn man allzu intelligent ist. Oder die Superintelligenz lehrte uns weise, dass es auf das permanente Glück weniger ankommt als auf nachhaltig sinnvolle Beschäftigungen. Am wahrscheinlichsten aber würde sie sich um all die kleinen und großen menschlichen Fragen gar nicht kümmern.

Alle Fantasien über eine böse Superintelligenz sind Fiktionen, nicht anders als die Erzählungen von einem vermeintlich evolutionären Zwang, die Menschheit gnadenlos optimieren zu müssen, sie zu überwinden oder auf die Reise ins All zu schicken. Sollten sie nicht der Irreführung und der Ablenkung vor den tatsächlichen Gefahren künstlicher Intelligenz dienen, sind sie als Mythen leicht zu enttarnen. Man kann es kaum besser auf den Punkt bringen als Pedro Domingos, wenn er sagt: »Die Menschen haben Angst, dass Computer zu schlau werden und unsere Welt übernehmen könnten. Das eigentliche Problem ist aber doch, dass sie dumm sind und die Welt bereits übernommen haben.«[76]

Ein Mythos ist damit allerdings noch übrig geblieben. Es ist ein kleiner, wenig bombastischer, aber äußerst folgenschwerer für die zukünftige Lebenswelt von Menschen und ein Glaube, dem auch Domingos verfallen ist: der Mythos, dass je mehr »Probleme« technisch identifiziert und technisch gelöst werden können, umso besser sei dies. Wenn wir mehr Realismus in die Gefahrendiskussion um künstliche Intelligenz bringen wollen, sollten wir uns damit auseinandersetzen. Anstatt um unberechtigte und unnachvollziehbare Ängste geht es dabei um ein äußerst wirklichkeitsnahes Problem: dass uns die künstliche Intelligenz auf eine ganz andere Art über den Kopf wächst als durch ihren wie auch immer gearteten Willen.

## *Leben und Problemlösen*

Wenn es eine Behauptung gibt, die nahezu alle Visionäre einer mehr und mehr durch KI unterstützten und zunehmend dadurch bestimmten Gesellschaft vereint, dann ist es die: Leben ist Problemlösen! Und da künstliche Intelligenz viele Probleme schneller und leichter identifiziert, sortiert und analysiert, helfe sie der Menschheit ihre immer größeren und komplexeren Probleme zu lösen. Irgendwann in der Zukunft wird schließlich jedes Feld, von den intimen Fragen der Ernährung, der Gesundheit, der Fitness, der Partnerwahl und des Konsumverhaltens bis zu den großen Fragen der Sicherheit, der Wirtschaft und der Politik, durch KI geregelt. Mehr und mehr Menschen, so die Idee, werden damit von vielen lästigen und kniffligen Problemen des Lebens befreit und gewinnen dadurch Zeit für Spaß, Glück, Konsum und Vergnügen.

Hinter dieser tausendfach wiederholten Vision des digitalen Zeitalters steht ein selten diskutiertes Paradox. Wenn Leben tatsächlich nichts anderes als Problemlösen sein soll, was sollen Menschen dann tun, wenn KI nahezu alle ihrer »Probleme« beseitigt und stets die besten »Lösungen« parat hat? Wer glaubt, dass Leben und Problemlösen das Gleiche ist, der streicht mit jedem gelösten Problem die Dimension des Lebens zusammen, bis am Ende ein Zustand der Sorglosigkeit dabei herauskommt, den man der Definition gemäß nicht mehr »Leben« nennen kann. So gesehen lässt sich dem Posthumanismus nicht vorwerfen, dass seine Zukunftsprognose nicht gut zu seiner Annahme passt. Wenn immer mehr Maschinen immer mehr Probleme lösen, verdrängen sie irgendwann die Menschen, die gar nicht wissen, welche Probleme sie überhaupt noch produzieren sollen. Maschinen können sich dann ihre ganz eigenen Probleme schaffen, ohne auf irgendwelche Menschen Rücksicht zu nehmen.

Ein Problem zu lösen bedeutet für Menschen (anders als für Maschinen) gemeinhin Anstrengung, befeuert durch die Hoffnung auf Erleichterung und Zufriedenheit. Und genau dieser Wechsel bestimmt den menschlichen Alltagsrhythmus. Die Mühe, etwas zu tun, und die Befriedigung, etwas erledigt zu haben, gehören untrennbar zusammen. Ohne Anstrengung, so lautet der Umkehrschluss, keine Bestätigung, ohne Mühe keine Befriedigung. Wer aus diesem Zusammenhang aussteigen möchte, der müsste Menschen mit dem dauerhaften Konsum von Drogen therapieren, um ihre neurophysiologische Werkseinstellung zu ändern. Nur mit pharmakologischer Gewalt passen wir Menschen an die technische Allproblemlösungsgesellschaft an, die uns doch eigentlich helfen soll, statt uns mit Tricks und Manipulation an ihre vermeintliche Hilfe anzupassen.

Die Frage, inwieweit Leben mit Problemlösen gleichgesetzt werden kann, verdient eine genauere Betrachtung. Die Idee ist ein Kind aus dem letzten Drittel des 19. Jahrhunderts – und zwar als Reaktion auf Darwins Evolutionstheorie. Den Anfang machen der schottische Psychologe Alexander Bain und der US-amerikanische Biologe Chauncey Wright. Wenn die menschliche Psyche ein Produkt der Evolution ist, so erkennt Bain, dann lassen sich die menschlichen Gefühle und der menschliche Wille nur evolutionär erklären. Alles menschliche Denken und Meinen resultiert aus ihrer praktischen Funktion, sich dadurch in der Umwelt zurechtzufinden. Wir suchen nach Überzeugungen, um Halt zu gewinnen, und wenn wir eine gewonnen haben, fühlen wir uns sicher und beruhigt. Nur große Unbehaglichkeit zwingt uns dazu, die beruhigende Heimstatt der Überzeugung zu verlassen und daran zu zweifeln. Der kluge Wright zieht daraus einen folgenschweren Schluss: Die Dimension der klaren und unbestechlichen Wahrheit, die Philosophen lange so wichtig war, kommt im Alltagsleben von Menschen eigentlich gar nicht ernsthaft vor. Wenn alles Leben Problemlösen ist, um sich in der Umwelt möglichst gut zurechtzufinden, dann bildet selbst die wissenschaftliche Forschung die Realität nicht ab; sie erfüllt lediglich den Zweck, nützlich zu sein.

Bains und Wrights Einsichten über menschliches Leben als Problemlösen und die Nützlichkeit der Wahrheit inspirieren schnell die beiden großen US-amerikanischen Philosophen Charles Sanders Peirce und William James. Der »Pragmatismus« kommt in die Welt: Das menschliche Bewusstsein ist ein Produkt der Evolution. Es ist so, wie es ist, weil es sich im Laufe der Entwicklungsgeschichte so ausgeprägt hat. Alles Leben ist Problemlösen. Und unser Bewusstsein ist das Produkt von Millionen vorangegangenen Problemlösungen. Immer ging es ums Überleben und ums Zusammenleben. Unsere Empfindungen, unsere intellektuelle Verarbeitung und unser Handeln sind feinstens darauf abgestimmt und angepasst. Wir können das, was wir Realität nennen, nicht von unseren Erkenntnismöglichkeiten lösen. Und das, was wir Wissen nennen, nicht von der Erfahrung mit unserer Umwelt.

All das ist ziemlich plausibel. Doch dass Leben Problemlösen ist, bedeutet bei James, dass es zumeist ein ziemlich irrationales Problemlösen ist und dass man die Art und Weise, wie Menschen Probleme lösen, niemals trennen darf von allen menschlichen Eigenheiten. Denn nicht die Suche nach Erkenntnis, sondern der Drang zu überleben, sich zu orientieren und sich wohlzufühlen macht menschliches Problemlösen aus. Man muss, wie Albert Einstein meinte, »die Welt nicht verstehen, man muss sich nur in ihr *zurechtfinden*«. Und der springende Punkt ist, dass Menschen sich völlig anders in der Welt zurechtfinden als Maschinen.

In der Art und Weise, wie wir Probleme lösen, lernen wir zu verstehen, was Menschen von Maschinen trennt. Umso vernebelnder ist es, wenn IT-Visionäre wie Jürgen Schmidhuber meinen, genau hier liege die große Gemeinsamkeit von Menschen mit Computern. In Zukunft ließen sich »beliebige Probleme durch Interaktion mit der KI lösen«, und zwar nach dem gleichen Schema, wie »Babys, Kinder und Erwachsene« in ihrem Leben vorgingen: Sie wollen Belohnungen maximieren und Schmerzen minimieren.[77] Die Annahme, dass Leben auf diese Weise Problemlösen sei und Intelligenz einzig diesem Zweck diene, widerspricht den Erkenntnissen der Psychologie – und zwar gewaltig! Den größten Teil des Tages lösen Menschen keine Probleme, indem sie Schmerzen minimieren und Belohnungen maximieren. Welches Problem wird gelöst, wenn ich einen Film anschaue? Welches, wenn ich mich an den schönen Abend gestern mit Freunden erinnere? Ohne einen gewissen Einsatz von Intelligenz kann ich weder dem Film folgen noch in der Erinnerung den Abend nachzeichnen. Mag sein, dass Intelligenz mir dabei hilft, die »Probleme« zu lösen, den Film zu verstehen oder mich an den Abend zu erinnern. Aber weder das Filmschauen noch das Erinnern lösen ein Problem. Zu fettiges Essen zu verspeisen, Alkohol zu trinken, Extremsport zu betreiben oder sich über Arbeitskollegen aufzuregen – alles das schafft weit mehr Probleme, als es löst. Die Vorstellung von einem permanenten Belohnungsschema ist viel zu eng für das, was Menschen fühlen, denken und tun.

Nun hängen die Programmierer der KI nicht deshalb an der Vorstellung, dass es im Leben unentwegt ums schematische Problemlösen geht, weil sie so gute Philosophen sind. Der Grund ist, dass sie ohne diese verengte Annahme nicht arbeiten können. Drolligerweise wird der problemlösende Informatiker bei der Arbeit damit zum Menschen schlechthin gemacht. Weil der Programmierer so programmieren muss, erklärt er den Menschen im Allgemeinen zum Programmierer. Aus dieser Not resultieren auch die »Nichts als«-Sätze, bei denen der Mensch aus *nichts als* Algorithmen besteht und alles Lernen *nichts als* Informatik ist. Aussagen über den Menschen, die »Nichts als«-Sätze beinhalten, sind einseitige Übertreibung dessen, was der Mensch ist und sein soll. Man denke nur an die Materialisten des 19. Jahrhunderts, die, beschwingt durch die Fortschritte der Physiologie, meinten, der Mensch sei das, was er isst. Und wenn der niederländische Arzt Jakob Moleschott den Philosophen seiner Zeit zuschleuderte: »Ohne Phosphor kein Gedanke!«, bedeutet das dann, dass Denken »nichts als« Phosphor ist? Haben Gedanken nicht gleichwohl andere Eigenschaften als Phosphor? Ob Phosphor oder Algorithmus – immer wieder die gleichen Irrtümer, die gleiche Hybris.

Wer menschliches und maschinelles Problemlösen gleichsetzt, kürzt die emotionale Dimension brutal zusammen. Gefühle reduzieren sich auf das binäre Schema von Schmerzen und Freude, und alles Problemlösen geschieht rational. Dagegen dürfte Kierkegaard recht haben, wenn er sagt: »In Bezug auf die Existenz steht das Denken gar nicht höher als die Phantasie und das Gefühl, sondern ist diesen nebengeordnet.«[78] Weil Rationalität allein keine Anleitung für ein gelingendes Leben bietet, kann mathematisch-formales Denken nicht die Grundlage allen Denkens sein. Klarheit und Eindeutigkeit kommen in der menschlichen Alltagswelt ausgesprochen selten vor, und wenn, dann meist durch einen Mangel an Intelligenz. Auch setzen sich Menschen ihre »Strebensziele« (Scheler) nicht nach dem simplen Schema von Schmerzen und Belohnung. Und Lebewesen, die wie Menschen »Werte« haben, sind weder physikalisch noch biologisch adäquat beschreibbar, weil ihre Werte eben weit mehr sind als nur ein Trieb, Überlebenszweck oder *bias*.

Dass Mensch und Maschine nicht auf gleiche Weise Problemlöser sind, liegt zum zweiten an ihrem unterschiedlichen Handlungskontext. Spezialisierte KI hat ein eng abgestecktes Handlungsfeld, eine begrenzte Umgebung und eine exakte Zielvorgabe. Ohne diese engen Gatter wäre sie sofort überfordert. Menschliches Problemlösen dagegen hat es selten mit klar definierten Zielen zu tun. Sicher, etwas zu essen führt zur Sättigung, und Schlafen löst das Problem der Müdigkeit. Aber Menschen essen mitunter auch, wenn sie gar nicht besonders hungrig sind, faulenzen, wenn sie arbeiten sollten, und beschäftigen sich mit Hunderten Dingen, die in keiner Weise zielführend sind. Der Sinn vieler Verhaltensweisen erklärt sich nicht von einem Ziel her, sondern aus dem Kontext, in dem sie geschehen. Wenn man eigentlich eine lästige Arbeit verrichten soll, sind ungezählte Ablenkungen auf einmal hochinteressant. Wer sexuell stimuliert ist, betrachtet einen anderen Menschen anders als ein Frauenarzt oder Urologe. Jedes Thema erklärt sich immer vor dem Horizont, vor dem es erscheint. Unser Verhalten gewinnt seinen Sinn in einem situativen Kontext. So können Menschen bestimmte Wege selbst zu Zielen erklären, wie beim Bergwandern oder Klettern, bei dem es nicht einfach darum geht, am Ende auf einem Gipfel zu stehen, der sich mitunter auch mit der Seilbahn erreichen lässt. In gewisser Weise besteht die ganze Lebenskunst darin, den Weg des Lebens als Ziel zu sehen und nicht einfach auf ein traumhaftes Ziel zu hoffen, das nach dem Ableben erreicht ist. Eine solche KI, die den Weg selbst als Ziel betrachtet, ist bislang nicht programmiert. Vermutlich ist das weder möglich, noch hält dies jemand für sinnvoll.

Der dritte Unterschied zwischen problemlösenden Maschinen und Menschen hat damit zu tun, wie oft etwas als ein Problem definiert wird. Die meisten Menschen würden ihr Alltagsleben nicht als das unentwegte Lösen von Problemen sehen. Man hat halt irgendwie zu tun. Künstliche Intelligenz dagegen markiert ganz gezielt Probleme und rückt sie als solche ins Bewusstsein. Die Digitalisierung hat die Zahl der Alltagsprobleme auf diese Weise dramatisch erhöht. Vieles, was früher nie als Problem identifiziert wurde, ist auf einmal eins. So geht heute alles nicht schnell genug, pausenlos muss die Geschwindigkeit von Rechnern, Übertragungen und Prozessen gesteigert werden. Kapazitäten gehören ständig erhöht, Leistungen optimiert. Bereits leichtes Übergewicht ist ein Problem, von der Norm abweichende Nasen sowieso und eigentlich die gesamte Ernährungsfrage. Jeder hat das Problem, keine Zeit zu haben, viele haben das Problem, zu viel zu sitzen und sich zu wenig zu bewegen, nicht fit genug zu sein, mutmaßlich zu viel für einen Flug oder ein Ticket bezahlt zu haben, zur falschen Zeit am falschen Ort zu sein, etwas zu verpassen, nicht den optimalen Lebenspartner zu haben, nicht schön genug zu altern, seinen Kindern nicht alles bieten zu können, sie möglicherweise auf die falsche Schule zu schicken und so weiter.

Die sinnfälligste Neuerung des Digitalzeitalters ist die inflationäre Vermehrung von Problemen. Was nicht der Norm entspricht oder prinzipiell optimierbar ist, wird sofort als Problem identifiziert. Denn ohne Millionen von Problemen eben auch kein Bedarf an Millionen »Lösungen« und den damit einhergehenden Geschäftsmodellen. Und der kommerzielle und verinnerlichte Imperativ, nach dem Optimum zu streben, sorgt dafür, dass die Probleme nicht weniger werden. Angesichts eines solchen Dickichts an Lebensfragen,

Fehlentscheidungen und Problemfallen wird KI ständig wichtiger. Sie soll uns beim Aufräumen helfen, in der Wirtschaft wie im Privaten. Je besser die Mustererkennung auf möglichst vielen Feldern, umso leichter soll es sein, sich zu orientieren. Wie die Kaufempfehlungen bei Amazon und das Lese- und Bilderangebot bei Google durch KI personalisiert sind, so soll in Zukunft immer mehr KI die immer größere Lebenskomplexität durchforsten und sie anpassen an individuelle Lebensalgorithmen.

Dabei sind die Lösungen, die Maschinen für menschliche Orientierungsbedürfnisse finden, im strengen Sinne keine Lösungen. Computer können anhand von Übereinstimmungen Partner auf Suchportalen vorschlagen und damit manchem das heikle Ereignis realer Partnersuche abnehmen. Aber solche Vorschläge sind ebenso wenig Lösungen wie vorgeschlagene Bücher bei Amazon, selbst wenn sie vielleicht hilfreich sind. Was in komplexen Fragen tatsächlich in Menschen vor sich geht, bleibt Maschinen selbst dann fremd, wenn sie über beste Sensortechnik verfügen – es bleibt den Betroffenen ja oft genug selbst fremd!

Niemand weiß ganz genau, was mit ihm los ist. Man kann sich selbst nie abschließend erklären, sondern nur versuchen, sich immer neu zu verstehen. Erklären und Verstehen wurden in der Philosophie des 19. Jahrhunderts mit Recht unterschieden, denn anders als Erklären ist Verstehen eine ganz besondere Kunst mit eigenen Regeln. Mag der naturwissenschaftlich geschulte Psychologe das, was ich denke und tue, in einen Kausalzusammenhang setzen. Für mich selbst gibt es diese Kausalität meist gar nicht. Gefühlt denke und handele ich frei und nicht in Kausalzwängen. Ich lebe in einem vielfältigen Kontext von Gefühlen, Erinnerungen,

Wünschen, Motiven, Ängsten, Erwartungen, Pflichten, Routinen und so weiter, die sich nicht einfach in Ursache und Wirkung aufspalten lassen wie in der Physik.

Der erklärende Psychologe wird diesem großen Zusammenhang niemals Herr. Er kann nur einzelnes Verhalten isolieren und eine Ursache dafür konstruieren. Doch der erklärende Psychologe schlüsselt mein Bewusstsein nicht auf. Dem Zusammenwirken aller Gemütskräfte steht er ziemlich hilflos gegenüber. Und wie will er meine Haltung oder mein Weltbild kausal herleiten? All diese komplexen Vorgänge lassen sich nur verstehen, nicht erklären! »Die letzte Wurzel einer Weltanschauung«, schreibt Wilhelm Dilthey, »ist das Leben, nicht ein Kausalzusammenhang.«[79] Denn »Weltanschauungen sind nicht Erzeugnisse des Denkens. Sie entstehen nicht aus dem bloßen Willen der Erkenntnis … Aus dem Lebensverhalten, der Lebenserfahrung, der Struktur unserer psychischen Totalität gehen sie hervor.«[80]

Leben ist kein schablonenhaftes Problemlösen. Wenn wir die Welt erfassen, so stellen wir Beziehungen zwischen den Dingen her. Wir denken nicht in Begriffen, sondern in Relationen. Jedes Denken steht in Beziehungen und ist damit relativ. Gedanken können nie sauber fixiert werden, sie sind flüssig und liegen zwischen den Dingen. Die analytische Philosophie wird später im Gefolge Ludwig Wittgensteins versuchen, das Denken aus der Sprache heraus zu erklären. Doch Wörter, Satzbau, Bedeutung und so weiter sind nicht das Denken. Das Denken ist das, was sich *zwischen* den Wörtern und Sätzen abspielt, eine Bewegung, die sich nicht dingfest machen lässt. Insofern bildet das Denken die Welt auch nicht ab – es *erzeugt* sie.

Doch woher kommt dann der Optimismus von KI-Programmierern, menschliches Problemlösen auf Maschinen übertragen zu können und umgekehrt? Ein Mangel an philosophischer Bildung ist hier sicher hilfreich. In die Wege geleitet wurde die Idee in den Vierzigerjahren, als der US-amerikanische Kybernetiker Norbert Wiener zahlreiche Ähnlichkeiten zwischen der Funktionsweise menschlicher Gehirne und von Computern erkannte. Manches, was für die Regelungstechnik und die Nachrichtenübertragung galt, galt offensichtlich auch für das Gehirn. Wiener zeigte, dass die Vorgänge im Gehirn auf vergleichbare Weise auf Strukturen zurückgeführt werden können wie in der Technik. Unser Gehirn tut ja nichts anderes, als neuronale Impulse mit neuronalen Impulsen zu verknüpfen. Wenn es aber solchermaßen funktional erklärbar ist, dann sollte menschliches Problemlösen fortan kein unzugängliches Problem mehr sein. Und es sollte sich genauso mathematisch beschreiben lassen wie jedes andere Problem im Universum.

Tatsächlich aber fangen die Schwierigkeiten damit erst an. Und die KI-Visionäre begingen ihren vierten Fehler bei der falschen Gleichsetzung von maschinellem und menschlichem Problemlösen. Die Reize, die unser Gehirn empfängt, führen zwar zu Bewusstseinsinhalten. Aber der Bewusstseinsinhalt ist nicht die unmittelbare Folge von Reizen. Unser Gehirn kombiniert, wie bereits James wusste, nicht Reize mit Vorstellungen, sondern Vorstellungen mit Vorstellungen und bildet sich so eine »Welt«, von deren Zustandekommen unser Bewusstsein nichts weiß. Diese Barriere steht nicht nur zwischen Maschinen, die alles linear miteinander verknüpfen, und Menschen, die diese Linearität durch systematisches Löschen zerstören. Sie blockiert auch die Ausbildung einer allgemeinen Intelligenz bei Maschinen, wovon im Hinblick auf die Unwahrscheinlichkeit von Superintelligenz bereits die Rede war.

Die Erzeugung einer je eigenen Welt macht Menschen nicht zu universellen Problemlösern wie Maschinen, sondern zu speziellen. Um es kurz zu sagen: Die Problemlösungsfunktion von Maschinen ist allgemein, das heißt transparent und übertragbar; ihre Intelligenz ist dagegen speziell, das heißt auf ausgewählte Zielfunktionen beschränkt. Bei Menschen hingegen ist es genau umgekehrt: Ihre Problemlösungsmuster und -strategien sind hoch individuell, das heißt, jedes Gehirn denkt anders; ihre Intelligenz dagegen ist allgemein, das heißt hochflexibel und auf alle erdenklichen Bereiche anwendbar.

Das Leben ist nicht digital, nicht schwarz und weiß, eins und null, sondern es kennt mehr als fünfzig Schattierungen von Grau. Und die trüben Gewässer des wirklichen Lebens lassen sich nicht digital klären. Insofern ist der Unterschied zwischen am Leben gereiften individuellen menschlichen Gehirnen und in Laboren gleichförmig programmierten Maschinen kategorial und nicht graduell. Um tatsächlich die Problemlösungswelt der KI mit der Problemlösungswelt menschlicher Gehirne zu verschmelzen, müsste man deshalb vor allem dafür sorgen, dass Letztere anders arbeiten. Vermutlich ist dies sogar der leichtere Weg. Menschliche Gehirne sind, wie beschrieben, wesentlich flexibler und plastischer als künstliche Intelligenz.

Genau in diese Richtung zielen die angekündigten Versuche von Elon Musk. Wenn es nichts nützt, das Muster eines einzigen individuellen Gehirns zu kennen, weil es sich nicht eins zu eins auf andere Gehirne übertragen lässt, so muss man Gehirne durch den permanenten Umgang mit Computern standardisieren. Je stärker sich ein Gehirn an die Denkweise der KI anpasst, umso transparenter und allgemeiner wird es. Bekanntlich hinterlässt der regelmäßige Umgang mit technischer Intelligenz bei Menschen Spuren in ihrem Empfinden, Denken und Verhalten. Es macht sie ungeduldiger und zielorientierter bei der Problemlösung, es senkt ihre Aufmerksamkeitsspanne, kanalisiert ihre Lösungswege und standardisiert ihren Sprachgebrauch. »Weil Instrumente bestimmen, was getan werden kann«, schreiben die Wissenschaftshistoriker Albert van Helden und Thomas Hankins, »legen sie auch bis zu einem gewissen Grad fest, was gedacht werden kann.«[81] Wer ein Computerprogramm bedient, passt sich ihm weitgehend an. Und sollten mehr und mehr Menschen den größten Teil ihrer Erfahrungen solchermaßen mit Computern machen statt in ihrer sonstigen Lebenswelt, warum sollten sie nicht zunehmend so denken wie Computer?

IT-Visionäre wie Musk würden sich darüber jedenfalls freuen. Die Frage »Was ist der Mensch?« würde dann nicht mehr von Philosophen, sondern zunehmend von Programmierern beantwortet werden. Wird die Intelligenz des Rechners erst zum Standard, wird alles andere Denken nach und nach inkompatibler, unpraktischer und damit abwegiger. Denn je mehr KI-gesteuerte Maschinen, Computer und Roboter uns umgeben, desto mehr sind wir darauf angewiesen, sie zu verstehen und für sie verständlich zu handeln, bis menschliches Problemlösen sich technischem Problemlösen sehr weitgehend angleicht. »Studie belegt, dass Menschen wie Computer denken können«, jubelten Forscher der Johns Hopkins University im Frühjahr 2019. Sie hatten herausgefunden, dass Menschen und Computer bestimmte Bilder auf gleiche Weise missinterpretierten.[82]

Was hier angestrebt wird, ist nicht Nichts. Evolutionär und kulturell wäre es ein folgenschwerer Schritt, wenn Menschen sich in Massen freiwillig oder unter sanftem Druck dazu entschieden, ihr humanes Problemlösen zugunsten von Operationen einzustellen, die zwar Muster in einem Ozean von Daten erkennen, aber für ihre Lösungen keine Gründe angeben können; Operationen, die als statistisch-korrelierte Maschinen im strengen Sinne nicht denken, sondern nur antworten. Je stärker wir ihre Ergebnisse in unser Leben lassen, umso größer sind die Schulden an Intellektualität, die wir anhäufen. Das eigene Denken nimmt ab, das, was wir nicht verstehen, nimmt zu. Und am Ende steht eine Welt aus unbestreitbaren Lösungen; nicht, weil sie nicht kritikabel sind, sondern, weil darüber prinzipiell so wenig diskutiert werden kann wie über die Erlasse eines absoluten Monarchen oder Diktators.

Die Eingangsfrage des Kapitels, was eigentlich aus dem als Problemlöser definierten Menschen werden soll, wenn seine ganze Lebenswelt in identifizierte Probleme mit entsprechenden Lösungen gerastert ist, lässt sich jetzt philosophisch als Entweder-oder-Frage stellen. Entweder ist der Mensch seiner Definition gemäß ein Problemlöser, dann kann er ohne Probleme nicht leben. Oder er ist es eben nur aus der evolutionären Verlegenheit heraus, nicht sorgenfrei zu leben, dann kann er sich darauf freuen, dass intelligente Maschinen ihm die leidige Arbeit abnehmen. Diese Maschinen bieten ihm künftig eine komfortablere Welt aus Lösungen an, sofern er sich ihr nur geschmeidig anpasst.

Wie könnte diese Welt aussehen? Bei aller geforderten permanenten Selbstverzweckung der Menschen, sich zum Werkzeug auf dem Weg zu einem Höheren zu machen, bleibt das

Höhere selbst äußerst bizarr. Denn aller technischer Heilsrhetorik zum Trotz ist das Paradies der Transhumanisten erschreckend banal; eine Welt, in der alles auf einmal da, jeder Wunsch direkt erfüllt, jede Neugier sofort befriedigt ist. Intelligente Maschinen fühlen sich in alles ein, berechnen alles im Voraus, passen die Umwelt geschmeidig an jedes Einzelsystem, genannt Individuum, an. Die Arbeit des Menschen wird weniger, er kann das tun, woran er Spaß hat, am besten irgendetwas nutzen oder bestellen. Faul und ungeduldig wartet der zum User verkommene Mensch nicht mehr auf den nächsten Kick; er kriegt ihn, noch bevor er überhaupt weiß, was er will. Zeit für Kreativität soll das schaffen. Aber wozu Kreativität entfalten, wenn jede Neugier sofort befriedigt ist und alles, was Menschen komponieren, basteln und erdenken, von der Maschine besser geleistet wird?

Eine solche Rundum-sorglos-Welt für Wohlhabende, die sich von der Erde bis in den unwirtlichen Kosmos ausbreiten soll, um mit unvorstellbarer Energie einen völlig ungeeigneten Lebensraum zu besiedeln, hat für die meisten Menschen wenig Verführerisches. Dass sie artgerecht sein soll, ist eine äußerst kühne Behauptung. Doch Trans- und Posthumanisten insistieren auf ihrem hehren Ziel. Es ist es ihnen sogar wert, dass die gesamte Menschheit sich freiwillig total überwacht oder total überwachen lässt und dass Gesellschaften durchorganisiert und kontrolliert werden wie in den Fantasien von Auguste Comte. Unverfügbares, Zufälliges und Unabänderliches soll so weit wie möglich abgeschafft werden und damit der Nährboden des bisherigen menschlichen Verhältnisses zur Welt. Vom sorgfältig selektierten Spermium über den Optimierungsprozess durch technische Verschmelzung bis hin zum mit Millionen Lösungen gefütterten effizienten Supermenschen ist der gesamte Lebensweg vorgezeichnet. Die Diktatoren des 20. Jahrhunderts hätten daran ihre helle Freude; wer werden die freundlichen Diktatoren des 21. Jahrhunderts sein?

## *Maschinen und Moral*

Eine Welt, in der Menschen immer weniger wichtige Entscheidungen treffen und sie stattdessen Maschinen überlassen, erscheint nur wenigen wünschenswert. Schließlich soll im Mittelpunkt der Digitalisierung ja der Mensch stehen und nicht der Computer oder Roboter. Und weil man sich darin offensichtlich weitgehend einig ist und nur die überschaubare Anzahl der Kurzweils und Co. dagegenstimmen, stellt sich im Anschluss mit banaler Routine die Frage: »Wo ist die Grenze dessen, was wir tun dürfen?«

Zur Phrase abgetreten wie die Travertinböden italienischer Dome rutscht sie Politikern stets äußerst glatt aus dem Mund. Hat man sie pflichtmäßig abgespult, kann man gleich weitermachen mit der Beschreibung der vielen technischen Heilserwartungen, die man an künstliche Intelligenz hat. Denn auf die Frage nach der Grenze erwartet kaum jemand eine klare Antwort. Sie wird gestellt, um sie gestellt zu haben. Eine klare Antwort hingegen wäre ein Schrecken, ein Ärgernis und ein gewaltiges Problem. Denn wenn sie sich ziehen lässt, so müsste man diese Grenze fortan einhalten. Und man müsste sie in scharfen Gesetzen zementieren, denen ihre Gegner das Etikett »zukunftsfeindlich« oder »fortschrittsfeindlich« aufkleben und gleich ganz viele Nachteile für den »Standort Deutschland« benennen.

Die Frage nach einer ethisch guten Zukunft der Menschen im Angesicht immer intelligenterer Maschinen ist selten ernst gemeint. Schwach und belanglos gegenüber den ökonomischen Chancen und Herausforderungen, ist sie am Ende einer Digitalkonferenz meist für den bunten Abend oder eine Dinner Speech reserviert. Über Moral lässt sich am besten bei einem Glas Wein nachdenken, wenn das Tagwerk getan ist. Dazu passt wie Faust aufs Gretchen, als man mich im vergangenen Jahr bat, über Werte im digitalen Zeitalter zu sprechen. Der gewünschte Vortragstitel: »Faktor Mensch«. Wer den langen Entfremdungsweg gegangen ist, Menschen als »Ressource« oder als »Humankapital« zu sehen, der findet auch bei der Digitalisierung nicht zu echten Menschen, ihren Bedürfnissen und Eigenheiten zurück.

Entsprechend unbedarft ist die Erwartung daran, Computer künftig moralische Entscheidungen treffen zu lassen. Wenn Maschinen nicht nur rational unbestechliche Lösungen finden, sondern inzwischen auch lernen, Emotionen zu lesen, warum sollten sie dann nicht »ethisch« programmiert werden? Moralisch umsichtig handelnde Roboter mit menschlichen Werten scheinen vielen Politikern, Managerinnen, Journalisten und Wissenschaftlerinnen unbedingt notwendig zu sein. Für Bostrom ist »ethische« Programmierung schon deshalb unumgänglich, damit Menschen die zukünftigen Motive einer starken KI festlegen, bevor sie es selbst tut. Wir sollten dringend »eine Reihe von Regeln und Werten definieren, die bewirken sollen, dass selbst eine ›freigelassene‹ superintelligente KI ungefährlich und nutzbringend handelt«.[83]

Wer allerdings bezweifelt, dass wir es in absehbarer Zeit mit einer eigenmächtigen Superintelligenz zu tun haben, wird diesen Zwang, menschliche Werte in Technikdesign und IT-Innovationen zu integrieren, nicht sehen. Um eine dringende Notwendigkeit zu erkennen, Maschinen ethisch zu programmieren und Entscheidungen über Leben und Tod fällen zu lassen, gehört schon ein so starker Glaube an die rasante Entwicklung künstlicher Intelligenz zur Superintelligenz dazu wie er Bostrom zu eigen ist. Andererseits gibt es Stimmen, die behaupten, dass selbst Innovationen mit schwacher KI ohne eine solche Moral-Programmierung nicht auskommen; Innovationen, deren Einführung und Zulassung – und das ist wichtig – man für unumgänglich hält.

Wenn von voll automatisiert fahrenden Autos die Rede ist, von Waffentechnologie mit künstlicher Intelligenz, von Bewertungssystemen für Straffällige oder davon, die Chancen von Arbeitssuchenden auszurechnen, so soll überall »Ethik« in intelligente Maschinen programmiert werden. Die Ethik im Zeitalter ihrer technischen Herstellbarkeit setzt auf allgemeine abstrakte Regeln, die klar zeigen, was gutes und was schlechtes Verhalten ist; eine Rechenmaschine, wie sie sich der Snork, ein Fabelwesen aus den *Mumin*-Büchern der finnischen Autorin Tove Jansson, vom großen Zauberer wünscht, mit der man immer ausrechnen kann, was gerecht und was ungerecht ist. Wenn deterministische und objektive Regelsysteme das moralisch Gebotene ausrechnen, würden maschinelles und optimales humanes Problemlösen völlig verschmelzen. Und alles, was Computer und Roboter tun, wäre automatisch moralisch richtig und vollständig überprüfbar.

So weit die Idee. Doch bereits ein kleiner Blick auf die zahlreichen gravierenden Unterschiede zwischen menschlichem und maschinellem Problemlösen zeigt schnell, dass sie nicht realistisch ist. Denn die Ansprüche an »ethische« Programmierungen sind enorm. Denkt man an die komplexen Lebenszusammenhänge, die für menschliches Moralverhalten ausschlaggebend sind, an die Vielfalt an Werten, Prioritäten und Erwägungen und an die große Bedeutung des Kontextes bei unseren Entscheidungen, so wird klar, was hier auf dem Spiel steht.

Selbstverständlich mangelt es nicht an Forderungen, die Menschenrechte ohne Wenn und Aber zu berücksichtigen. Doch wie soll das gehen? Man denke nur an die Werteliste, die das EU-Parlament im Jahr 2017 der EU-Kommission mit auf den Weg gegeben hat, um sich daran bei ihren Regelungen zu orientieren. Jede »ethische« Programmierung muss demnach die Würde und die Autonomie eines jeden Menschen achten, sie darf niemandes Freiheit und Selbstbestimmung einschränken, seine Sicherheit nicht beeinträchtigen, muss die Privatheit wahren, darf nicht gegen Gleichheits- und Gerechtigkeitsgrundsätze verstoßen und niemanden diskriminieren. Zudem soll die Programmierung für jedermann auf Nachfrage transparent und die Verantwortlichkeit genau geklärt sein. Ist eine solche »ethische« Programmierung überhaupt denkbar?

Der berühmte Klassiker in der Frage, wie Roboter ethisch

handeln sollen, sind Isaac Asimovs »drei Robotergesetze« aus der Kurzgeschichte »Runaround« von 1942. Sie finden sich in einem imaginären Handbuch für Roboter, in dem es in der sechsundfünfzigsten Auflage aus dem Jahr 2058 heißt: »Erstes Gesetz: Ein Roboter darf kein menschliches Wesen verletzen oder durch Untätigkeit zulassen, dass einem menschlichen Wesen Schaden zugefügt wird. Zweites Gesetz: Ein Roboter muss den ihm von einem Menschen gegebenen Befehlen gehorchen – es sei denn, ein solcher Befehl würde mit Regel eins kollidieren. Drittes Gesetz: Ein Roboter muss seine Existenz beschützen, solange dieser Schutz nicht mit Regel eins oder zwei kollidiert.«[84] Die gegenwärtigen Überlegungen zum »ethischen« Einsatz von KI verraten allerdings, dass man Asimovs Robotergesetze keineswegs ernst nehmen möchte. Wann auch immer von selbstlernenden voll automatisierten Waffen die Rede ist, geht es genau darum, dass ein Roboter Menschen tötet. Und wenn darüber nachgedacht wird, welche Menschen im Notfall im Straßenverkehr eher überfahren werden dürfen als andere, ist wieder vom gezielten Tod durch einen Roboter die Rede.

Mit der Moral von Robotern ist das also so eine Sache. Denn das, was sich Menschen von einer »ethischen« Programmierung versprechen, ist höchst widersprüchlich. Der Computer oder Roboter soll einerseits ethisch »gut« sein und andererseits in konkreten Dilemma-Situationen präzise funktionieren wie ein Uhrwerk. Er soll unbedingt moralisch und unbedingt zielgerichtet zugleich sein. Doch je mehr man von menschlicher Ethik und Moral versteht, umso deutlich wird, dass dieser Anspruch prinzipiell unerfüllbar ist.

Was David Hume im 18. Jahrhundert ausführlich analysierte, dass unser Gefühl unserem Verstand vorausgeht, wird heute von der Psychologie umfassend bestätigt. Der US-Psychologe Jonathan Haidt von der Stern School of Business an der New York University veröffentlichte 2001 einen viel zitierten Aufsatz mit dem Titel »Der emotionale Hund und sein rationaler Schwanz«.[85] Wie der schottische Philosoph zweihundertfünfzig Jahre zuvor, so meint auch Haidt, dass unsere Gefühle unserem Verstand vorausgehen. Nicht der Verstand wedele beim moralischen Urteil mit dem Gefühl, sondern das Gefühl wedele mit dem Verstand. Deshalb haben wir für unsere moralischen Überzeugungen, unsere Haltungen und Weltanschauungen keine Gründe. Sondern die Lage ist genau umgekehrt. Weil wir bestimmte gefühlte Überzeugungen, Haltungen und Weltanschauungen haben, suchen wir uns die dazu passenden vernünftigen Argumente. Abtreibungsgegner seien zumeist nicht deshalb gegen Abtreibung, weil vernünftige Argumente sie überzeugen. Sondern sie suchen sich mehr oder weniger vernünftige Argumente, weil sie gegen Abtreibung sind. Vernünftige Argumente dafür, ob etwas gut, richtig, wertvoll oder wertlos, akzeptabel oder inakzeptabel ist, sind stets nachgeschoben. Für einen schlagenden Beweis konstruierte Haidt eine ganze Reihe drastischer Beispiele und fragte Tausende von Menschen in den USA und in Brasilien, was sie davon hielten: Wäre es in Ordnung, wenn zwei Geschwister miteinander schlafen? Gesetzt den Fall, sie verhüten sorgfältig und finden es beide aufregend und wunderbar? Finden Sie es unbedenklich, wenn jemand seinen verstorbenen Hund isst? Haben Sie etwas dagegen, wenn einer seine Toilette mit der Nationalflagge putzt? Würde es Sie verstören, wenn jemand ein totes Huhn, bevor er es isst, zum Onanieren gebraucht?[86]

Die Pointe all dieser Beispiele ist offensichtlich. Sie sind so konstruiert, dass niemandem ein Schaden entsteht. Keiner wird unfair behandelt, und es gibt keine Opfer. Und trotzdem wird den meisten bei den Beispielen zumindest unbehaglich. Die Toilettenreinigung mit der Nationalflagge, die in Deutschland nicht die pathetische Symbolik hat wie in den USA, würden manche möglicherweise noch als Marotte akzeptieren. Den Inzest aber lehnen die allermeisten vermutlich ab, obwohl die vernünftigen Argumente dagegen – das Risiko einer Schwangerschaft, ein großer seelischer Schaden – hier nicht greifen. Wenn etwas in einem gegen all diese Unsitten rebelliert, ist es nicht der Sinn für Fairness. Und es ist wohl auch nicht das Mitgefühl mit toten Hunden und toten Hühnern.

Aber was lässt einen sich dann entrüsten oder pikiert fühlen? Vermutlich ist es bei den genannten Beispielen nicht unbedingt das Gleiche. Unser Unbehagen gegenüber Inzest ist biologisch vermutlich sehr alt, er findet sich auch bei vielen anderen höheren Wirbeltieren. Unser Unbehagen daran, dass jemand seinen eigenen Hund isst, mag daran liegen, dass wir in unseren Haustieren so etwas sehen wie entfernte Angehörige. Wen man liebt oder geliebt hat, den verspeist man nicht. Und den Mann, der sich an einem toten Huhn vergeht, halten wir vermutlich für psychisch gestört. Gleichwohl gibt es bei all den Fällen etwas Gemeinsames: Wir sind moralisch verstört oder entrüstet, ohne dass jemand zu Schaden gekommen ist. In seinen Schriften über das »epische Theater« erklärt Bertolt Brecht einen wichtigen Unterschied zwischen einem Sprechen »im Namen der Moral« oder »im Namen der Geschädigten«. Beides hat seinen eigenen Stellenwert in unserer Moral. Denn in unserem Alltag gibt es auch dann einen wichtigen »gefühlten Grund«, eine Handlung abzulehnen, wenn es keine Geschädigten oder Opfer gibt.

Tatsächlich richten wir uns in der Moral zumeist nach unserer Intuition und entscheiden nach Gefühl. Das Schlechte an der Macht der Intuition ist, dass wir weit weniger vernünftig und selbstbestimmt sind, als wir gemeinhin glauben. Das Gute ist, dass auch unsere Intuitionen lernfähig sind: durch Bestätigungen oder durch Enttäuschungen und vor allem durch die Anregungen und Meinungen anderer. Unsere Gefühle lassen sich demnach verschieben und passen sich den Umständen an. In jedem Fall aber ist die menschliche Moral ein Ensemble von unterschiedlich alten und irgendwie nützlichen instinktiven Handlungen und Haltungen. Vernunft alleine gebiert dagegen keine Moral. Denn ohne soziale Gefühle wie Liebe, Zuneigung, Respekt, Mitleid, Furcht, Unbehagen, Ablehnung, Ekel, Scham und so weiter weiß auch unsere Vernunft nicht, was Gut und Böse ist.

Sollte man also daran denken, moralisch wichtige Intuitionen bei der »ethischen Programmierung« zu berücksichtigen? Ein schräger Einfall! Denn damit würde man etwas normieren, das nicht normiert und nicht normierbar ist. Das Verhältnis zur Nationalflagge ist individuell verschieden und auch kulturell nicht gleich. Hunde zu essen wird nicht überall in der Welt als abscheulich betrachtet, vermutlich nicht mal, den eigenen Hund zu essen. Eine Festlegung auf soziale Intuitionen und deren Normierung nagelt unweigerlich einen Pudding an die Wand. Bezeichnenderweise verbietet auch das Strafgesetzbuch nicht, mithilfe eines toten Huhnes zu onanieren. Verhaltensweisen wie diese verstoßen nur gegen Normen, nicht gegen Gesetze. Und das Recht, gegen Normen verstoßen zu dürfen, ist ein elementarer Bestandteil der Freiheit liberal-demokratischer Gesellschaften.

Nirgendwo anders als in der Moral zeigt sich so deutlich, dass Menschen das »Andere der künstlichen Intelligenz« sind. Moral ohne Subjektivität ist keine Moral und Subjektivität ohne Moral keine Subjektivität. Moralische Urteile bestehen nicht nur aus Ergebnissen oder gar »Lösungen«, sondern der Weg, der Akt der Entscheidung, ist selbst von größter Bedeutung. Wenn die antiken Griechen ihre Tugendethik umzusetzen versuchten, wollten sie sich dabei im moralischen Handeln selbst kultivieren. Die Anstrengung gehört ebenso zur Moral wie die Handlung. In Immanuel Kants deontologischer Ethik (von dem griechischen Wort *deon* für »Pflicht«) ist das nicht anders. Wir sollen unserem guten Willen folgen und lernen, das, was wir sollen, auch tatsächlich zu wollen. Und wieder ist es das Gleiche: Die Anstrengung und der Akt des moralischen Handelns gehören zur Moral entscheidend mit dazu.

Die präziseste Analyse dieses Aktes lieferte zu Beginn des 20. Jahrhunderts der US-amerikanische Philosoph, Psychologe und Soziologe George Herbert Mead. Menschen sortieren ihre Umwelt, indem sie sie in verschiedene »Objekte« einteilen. Personen, Dinge, Einsichten, ja sogar ganze Weltanschauungen werden so zu fest umrissenen und bewerteten Objekten. Wie das Design dieser Objekte aussieht, bestimmen die subjektiven Umstände, durch die sie in mein Leben treten. Nur so komme ich zu festen Überzeugungen über Hunde, Herrn Müller, einen Fußballverein, einen Mercedes oder den Kommunismus. Der Wert eines Objekts ist niemals davon zu lösen, wie er zustande kommt. Entscheidend ist am

Ende nicht die Sache, sondern der Akt, in dem das Objekt geformt und damit bewertet wird.

Das hat gewaltige Folgen für die Moral. Auch hier kommt es vor allem auf das Situative an und auf den Kontext. Wirkliche moralische Entscheidungen werden, nach Mead, eigentlich selten getroffen. Denn meistens wissen wir in sozialen Situationen ziemlich genau, was wir tun werden. Überlegt wird nur, wenn wir mit etwas überfordert sind und ein Konflikt entsteht: Wie bewerte ich das, was ich will, im Hinblick auf das, was andere wollen, was ich tue? In einer solchen Dilemma-Situation hilft mir meine Ausstattung mit Fürsorgeverhalten nicht weiter. Und ebenso wenig nützt mir das, was die klassische Moralphilosophie anbietet. Denn sie enthält, nach Mead, einen großen Fehler. Philosophen aller Denkrichtungen vermuteten stets, dass es bei der Moral vor allem um eines ginge: die eigene Lust oder den eigenen Schaden mit der Lust oder dem Schaden anderer abzugleichen. Und dass ich in allen Fällen das Gleiche lernen solle: dass die größte Befriedigung darin besteht, die Entscheidung im Sinne aller oder der meisten zu fällen.

Aber geht es bei der Moral wirklich um Lust? Mead macht einen ganz anderen Vorschlag. Viel wichtiger sei doch in Konfliktsituationen, *die eigene Identität zu wahren*. Wenn ich nicht weiß, was ich tun soll, treibt mich dies in eine Persönlichkeitskrise; ein unschöner Zustand, der mich dazu anhält, die Konsistenz meines Selbst wiederherzustellen. Die US-amerikanischen Sozialpsychologen Leon Festinger und Stanley Schachter entwickeln daraus in den Fünfzigerjahren die berühmte Theorie der Kognitiven Dissonanz. Sie tritt ein, wenn eine Information, die ich über eine Sache habe, oder eine Handlung, die ich begehe, im Widerspruch zu meinen Gefühlen, Überzeugungen oder Werten steht. Und wie bereits bei Mead setzen wir alles daran, diesen Zustand schnellstmöglich zu überwinden.

Mead zeigt, dass Menschen nicht wie Maschinen handeln. Statt neutral auf die Umwelt reagieren sie immer auch auf ihre eigenen sozialen Erfahrungen. Sie beschäftigen sich mit ihrem Selbstkonzept. Was den Menschen zum Menschen macht, liegt also nicht in irgendwelchen apriorischen Festlegungen oder Programmierungen. Es ist die besondere Art und Weise, wie wir mit unserer Umwelt kommunizieren. Wir *reagieren* nicht einfach auf sie, sondern wir *konstruieren* sie uns, von einem Selbst ausgehend, als unsere Welt.

Das Fazit aus Humes, Haidts und Meads Betrachtungen der Moral ist: Die menschliche Moral ist irrational, von nicht generalisierbaren sozialen Intuitionen durchzogen, hochgradig situativ, abhängig vom Kontext und aufs Engste verbunden mit unserem Selbstwertgefühl und unserem Selbstkonzept. Wiewohl sie sich an rationalen Leitplanken orientieren mag, die die Philosophen und Gesetzgeber angebracht haben, bleibt sie doch eine emotional komplexe Angelegenheit. Der Gebrauch an Moral lässt sich nicht normieren wie die Größe von Dübeln und Schrauben. Eine Moral ohne subjektive Haltungen, reduziert auf allgemeine Betrachtungen und Bewertungen des Lebens, bleibt formal und sinnleer. Deshalb kann auch die Philosophie der Moral kein Werkzeugkasten sein, um moralische Probleme ein für alle Mal zu lösen. Vielmehr ist sie ein Reflexionsmedium, das moralische Themen in einen Horizont stellt. Sie macht das Implizite im Expliziten deutlich und liefert dadurch bestenfalls gute Überzeugungsarbeit. Wer sie dagegen zum praktischen Werkzeug erhebt, tut ihr Unrecht. Man erfindet keine zu Menschen oder

Robotern passende Moral, so wie man passende Technik erfindet. Dies zu versuchen degradiert die Philosophie unweigerlich zum Werkzeug einer ideologischen Verkürzung.

Vor genau diesem Problem stehen heute all die Philosophen, Theologen und Gesellschaftswissenschaftler, die in den immer zahlreicher werdenden Kommissionen, Räten und Ethik-Boards sitzen, um über die Moral des zweiten Maschinenzeitalters und insbesondere über die »ethische« Programmierung von KI nachzudenken. Bedroht von dem Ziel, möglichst klare Analysen und Empfehlungen zu liefern, pflegen sie einen oft ziemlich unphilosophischen Umgang mit philosophischen Fragen. Und statt eines ethischen Blicks auf Technik mühen sie sich um einen technischen Blick auf Ethik. Moral erscheint dann als eine Art Sozialtechnik, die leider dysfunktional ist und funktionstauglicher gemacht werden muss. Wie beklagenswert für die Kommissionsphilosophen, dass es so viele unterschiedliche moralische Schulen und Denkrichtungen gibt und dass sich die Fachvertreter auf keine einheitliche Entscheidungsgrundlage für ethische Fragen einigen können! Dabei gerät das allgemeinere Problem meist gar nicht in den Fokus: dass es nicht deshalb so viele unterschiedliche Moralphilosophien gibt, weil man sich, ärgerlich, ärgerlich, nicht geeinigt hat, sondern schlicht deshalb, weil man Ethik grundsätzlich nicht begradigen kann wie einen Wildwasserfluss, den man zum Kanal macht. Moralische Intuition fließt nicht in geregelten Bahnen.

Bedauerlicherweise ist der Zugang zu dieser Erkenntnis für Kommissionsphilosophen und Kommissionsphilosophinnen meist versperrt. Wer ernsthaft daran zweifelt, dass Moral irgendwie normierbar sein könnte, kommt nämlich gemeinhin nicht auf einen Kommissionssessel. Regierungen,

Firmen und Verbände pflegen hier eine radikale Diskursbegrenzung durch sorgfältige Vorauswahl. In Kommissionen über die Zukunft des voll automatisierten Fahrens sitzen keine Klimaaktivisten oder Menschen, die für die Rechte der Minenarbeiter im Kongo streiten. Dass es der deutschen Automobilindustrie auch in Zukunft möglichst gut gehen soll, ist als Axiom gesetzt. Grundsätzliche Zweifel, ob das Auto mittel- bis langfristig überhaupt noch das ideale Fortbewegungsmittel in großen Städten ist, werden äußerst selten diskutiert. Das Gleiche gilt natürlich auch für KI in der Rüstungstechnik. In Kommissionen über die Ethik autonomer Waffen sitzen keine Pazifisten. Dass der »Westen« Kriege führen muss, wird nicht bezweifelt oder kritisch diskutiert. Verhandelbar ist auch nicht das *Ob* von KI-Waffen, sondern nur das *Wie*: in welchem Ausmaß und unter welchen Bedingungen.

Über Werte wird in Kommissionen deshalb selten gestritten, sondern, wenn überhaupt, über die Gewichtung von Lösungswegen. Große und prinzipielle Fragen werden nicht verhandelt, und starke Haltungen stören das Klima der »Vorurteilsfreiheit«. Genau dies ist der Grund, warum man sich bedeutende Philosophen und Philosophinnen wie Hannah Arendt, Theodor W. Adorno, Niklas Luhmann oder Jürgen Habermas nicht in einer Ethik-Kommission vorstellen kann. Das Belohnungssystem einer Ethik-Kommission begünstigt immer die Position des Sowohl-als-auch und die Mittelposition. In diesem Sinne propagiert der Wirtschaftsethiker Christoph Lütge, gern gefragter Gutachter und Mitglied zahlreicher Räte und Boards, das Prinzip der Ausgewogenheit.[87] Bezeichnenderweise ist Lütge, der auf einem von Facebook finanzierten Lehrstuhl an der TU München sitzt und zum drittwichtigsten deutschen KI-Influencer erkoren wurde,[88] alles andere als ausgewogen. Sein moralischer Kompass ist der mutmaßliche ökonomische Vorteil digitaler Technologie für Unternehmen; eine Prämisse, die er weltanschaulich als »vorurteilsfrei« ausgibt.

Selbst unangesehen solcher Charaden ist Ausgewogenheit grundsätzlich kein ethisches Ideal an sich. Man stelle sich nur des Ernstes halber ein »ausgewogenes« Gutachten zur Sklaverei in den USA Mitte des 19. Jahrhunderts vor. Hier gilt es, neben ethischen Gesichtspunkten natürlich auch wirtschaftliche zu berücksichtigen, die enormen Kosten für die Baumwollwirtschaft und all die mutmaßlichen sozialen Folgekonflikte, wenn Schwarze gewaltsam ihre Rechte einfordern. Ein Gutachten zur Emanzipation der Frau um das Jahr 1900 würde neben ethischen Überlegungen selbstverständlich auch die furchtbaren Irritationen in den Ehen berücksichtigen, den schwer zu kalkulierenden Traditionsbruch usw. Ausgewogenheit ist, wie leicht zu erkennen, ebenso wenig ein selbstverständlicher Wert wie der Mittelweg. Wer es radikal zugespitzt haben möchte, der denke an den Kabarettisten Gerhard Polt, der einst in Dieter Hildebrandts Satiresendung *Scheibenwischer* mit einer Sammelbüchse für die NPD auftrat: Für ein ausgewogenes Verständnis des Holocausts müsse man die Geschehnisse nicht nur einseitig aus der Sicht der Juden betrachten, sondern auch aus jener der SS.

Das Grundproblem aller Ethik-Kommissionen zur KI ist, dass es sich bei den dort verhandelten Fragen meist nicht um »Probleme« handelt, die sich mithilfe der Wissenschaft, einer Technikfolgenabschätzung oder neuerdings »Sozioinformatik« lösen lassen. Gleichwohl benehmen sich Philosophieprofessoren und Gesellschaftswissenschaftler mehr und mehr wie Versicherungsangestellte. Sie erstellen »Risikomatrices«, berücksichtigen Qualitäts- und Fairness-Maße, entwerfen abgestufte Regulierungsklassen und nehmen Schadenspotenzialanalysen vor.[89] Das alles gern illustriert mit Grafiken, Diagrammen und Tabellen, die den Eindruck erwecken, streng wissenschaftlich zu sein.

Die Frage ist: Wozu soll all dies gut sein? Niemand wird die mit Milliardenkosten entwickelten selbstfahrenden Autos wieder vom Markt nehmen, weil sich die Einschätzung des Schadenspotenzials geändert hat; ein Potenzial, das tatsächlich enorm ist. Und ob die dafür angedachte höchste Regulierungsklasse Hersteller von KI-Waffen wie Airbus wohl davon abhalten wird, weiterhin von Killerrobotern zu träumen? Je technisierter und instrumenteller man menschliche Moral zerlegt und zergliedert, umso zahnloser wird sie zugleich. Von der ehemaligen Kraft einer philosophisch begründeten Haltung bleibt nur noch ein Gefilz von Einzelproblemen übrig, das nirgendwo einen passenden Ort findet, um sichtbar ein Stoppschild aufzustellen.

Doch es geht um mehr als nur um ein falsches wissenschaftliches Verständnis von Philosophie, welches das Milchpulver mit der Milch gleichsetzt. Es geht vor allem um den vergeblichen Versuch, die emotionale Komplexität menschlicher Moral zu technisieren und zu normieren. Wenn Kommissionsphilosophen bedauernd zugeben, »die Forschung versteht noch nicht vollständig, wie Menschen moralische Entscheidungen treffen«[90], dann gehen sie davon aus, dass die Irrationalität persönlicher Wertungen und Entscheidungen von der »Forschung« zumindest prinzipiell entschlüsselbar und irgendwie generalisierbar ist. Im gleichen

Sinne spricht Bostrom bei der Moral von einem »Mechanismus«, von dem wir noch nicht recht wissen, wie er funktioniert.[91] Und er hält das »Problem der Wertgebung« für »eine würdige Herausforderung für die besten Mathematiker der nächsten Generation«.[92]

Bis das »Problem« von Mathematikern (!) »gelöst« ist, werden Teilaspekte des moralischen Handelns in Ethikräten zu handlichen Komplexen portioniert. Man denke hier an die fünf Prinzipien der AI4People-Gruppe aus dem Jahr 2018. Die Initiative wird von zahlreichen zivilen Organisationen, Firmen, der Europäischen Kommission und dem Europäischen Parlament getragen. Ihre hehren, menschenfreundlichen Prinzipien sind: Autonomie, Nicht-Nachteiligkeit, Vorteilhaftigkeit, Gerechtigkeit und Erklärbarkeit.

Bekanntermaßen geht es in der Moral immer ganz wesentlich um *Autonomie*. Wer nicht frei und selbstständig entscheiden kann, der kann auch keine moralischen Entscheidungen treffen. Kommissionsphilosophen machen sich also Gedanken darüber, inwieweit »ein künstlich intelligentes System Autonomie im kantschen Sinne haben« kann, »um ethisch handeln zu können«.[93] Die ehrliche Antwort müsste selbstverständlich heißen: gar nicht! Was, anders als der Mensch, zielgerichtet programmiert wird, kann niemals Autonomie besitzen. Das Wesen von Computerprogrammen ist, dass sie gerade nicht autonom sind, sondern abhängig von der Programmierung. Das gilt selbst dann, wenn künstliche Intelligenz eigenständig Muster sortiert und variiert. Der Begriff »ethische Programmierung« ist also ein Widerspruch in sich. Denn entweder ist etwas programmiert, dann ist es nicht autonom und kann nicht ethisch handeln. Oder es ist ein autonomes Subjekt und handelt ethisch, dann aber kann es nicht programmiert sein. Maschinen fällen also niemals moralische Entscheidungen, selbst dann nicht, wenn sie über Leben und Tod richten. Sie gleichen eher dem Henker, der etwas ausführt, als dem Richter, der autonom geurteilt hat. Die Entscheidungsfindung von Computern und Robotern ist per se außermoralisch.

Eine völlig andere Frage ist, Künstliche-Intelligenz-Systeme nach dem Willen von AI4People nur so einzusetzen, dass sie die Autonomie von Menschen nicht beeinträchtigen. Die Auslegung erfolgt allerdings nicht allzu streng, sodass noch zahlreiche Anwendungsfelder übrig bleiben. Das Augenmerk liegt vor allem beim zweiten Prinzip, der *Nicht-Nachteiligkeit*. Künstliche Intelligenz dürfe nichts Illegales oder Unmoralisches tun. Aber wer beurteilt, was illegal und unmoralisch ist, solange die Menschheit nicht ein einziges Rechtssystem, sondern sehr viele und sehr verschiedene hat? Und was ist ein unmoralisches Ziel? KI-Waffen werden von jedem damit traktierten Staat und seinen Menschen als unmoralisch angesehen. Und ist der gegenwärtige Einsatz von KI im Hochfrequenzhandel, insbesondere bei der Nahrungsmittelspekulation, nicht schon jetzt als unmoralisch zu brandmarken? Dass KI keine Menschen schädigt oder niemals in die Autonomie von Menschen eingreift, ist kaum vorstellbar, ohne bereits jetzt gültige Praktiken zu verbieten.

Nebulöser ist auch das Prinzip der *Vorteilhaftigkeit*. Systeme der künstlichen Intelligenz sollen sich für Menschen positiv auswirken. Es fragt sich nur, für welche Menschen? Die Finanzfirma BlackRock, deren KI-System Aladdin mit Milliardenbeträgen an den Finanzmärkten jongliert, tut den Profiteuren der Fondsgesellschaft sicher Gutes. Aber da sie kein Geld druckt und an jeden verteilt, sondern von Spekulation lebt, darf man annehmen, dass ihre überlegene KI anderen Beteiligten durchaus Nachteile bringt, gar nicht zu reden von der genannten Lebensmittelspekulation auf Kosten von Kleinbauern. Dass KI in der Medizin vielen Vorteile bringen mag, dürfte stimmen. Dass sie dazu beitragen kann, Energie zu sparen, der Feuerwehr zu helfen und vieles mehr, ist ebenfalls vorteilhaft. Aber zu kalkulieren, ob der Einsatz von Pflegerobotern in einer alternden Gesellschaft mehr Vorteile oder mehr Nachteile bringt, ist kaum möglich. Von ausgesprochen nachteiligen KI-Systemen, wie dem Einsatz voll automatisierter Waffen, von dem noch die Rede sein wird, ganz zu schweigen.

Noch unrealistischer sind die Prinzipien der *Gerechtigkeit* und der *Erklärbarkeit*. Gerechtigkeit ist eine heikle Frage, die stark von subjektiven Werturteilen abhängt, so sehr Philosophen sich zweitausend Jahre lang vergeblich darum bemüht haben, sie zu normieren. Für Sozialisten ist gerecht, wenn jeder das Gleiche kriegt; Liberale sehen Gerechtigkeit darin, dass jeder das gleiche Recht hat, zu Seinem zu kommen, egal wie groß am Ende die Unterschiede sind. Wer will hier von welcher höheren Warte darüber richten, was richtiger ist? Wenn ein Staudamm gebaut werden soll, dadurch aber eine seltene Fischart ausstirbt – wie viele unterschiedliche Meinungen gibt es dazu? Ob ein bestimmter Krieg gerechtfertigt ist oder nicht – wie oft kommt es hier zu Kontroversen, bei denen keine Seite allein die Gerechtigkeit grundsätzlich auf ihrer Seite hat? Und wie schnell ändern Menschen ihre Meinung über das, was gerecht ist, sobald sie selbst davon betroffen sind?

Schon jetzt herrscht über die Gerechtigkeit von KI-Systemen keinerlei Einigkeit. Wenn Computer, unterstützt durch

KI, ausrechnen, welcher Bewerber für eine Firma am geeignetsten sein soll, ist das dann gerecht? Wo vorher ein Mensch, der Personalchef, in seiner Entscheidung nur mutmaßen kann, mutmaßt nun eine Maschine. Auch sie orientiert sich an festen Parametern, ohne den Bewerber zu durchschauen. Ein Gerechtigkeitsvorteil ist darin kaum zu erkennen. Das Gleiche gilt, wenn Computer Wahrscheinlichkeiten ausrechnen, ob ein Straftäter rückfällig werden könnte oder nicht. Eine Wahrscheinlichkeit bleibt immer eine Wahrscheinlichkeit. Auch ein Straftäter, der maschinell beglaubigt zu 90 Prozent rückfällig werden könnte, kann in Zukunft keine Straftaten begehen. Ist es gerecht, ihn ob des maschinellen Urteils anders zu behandeln? KI-Systeme sind niemals Rechenmaschinen nach dem Wunsch des Snork, die jedes Mal genau ausrechnen können, was gerecht und was ungerecht ist.

Was die »Erklärbarkeit« betrifft, so ist auch sie eine Illusion. Schon jetzt fordert die Europäische Datenschutz-Grundverordnung, dass das Ergebnis oder Urteil eines KI-Systems einsehbar und transparent sein muss. Bedauerlicherweise ist diese Forderung das Gegenteil dessen, was man von KI erwarten kann. Die Datenverarbeitung einer KI erfolgt in einem komplexen Geflecht künstlicher neuronaler Netze, bei dem die KI selbst nicht weiß, was und warum sie etwas tut. Gründe im menschlichen Sinne sind künstlicher Intelligenz völlig fern. Wie sollen dann diejenigen, die diese KI einsetzen, verstehen, wie genau sie zu einem bestimmten Ergebnis gekommen ist? Und wie soll ein Betroffener von einer für ihn nicht nachvollziehbaren Entscheidung hier Transparenz einfordern können und sich das Urteil erklären lassen? Was bereits bei einem Brettspiel wie Go nicht geht,

geht auch nicht bei voll automatisierten Waffen, künstlichen Personalchefs und algorithmischen Richtern.

Die hehren Prinzipien der AI4-People-Initiative sind also in keinem Fall realistisch – es sei denn, man zieht eine Firewall in die Debatte und in alle künftige Forschung und Entwicklung ein, nämlich die, auf sogenannte »ethische« Programmierung generell zu verzichten. Moral ist kein Videospiel mit einfachen Regeln von Gut und Böse, verboten und erlaubt. Unser moralisches Handeln ist kein mathematischer, sondern ein psychologischer, sozialer und kultureller Vorgang von einer solch schillernden Komplexität, dass Softwaresysteme ihn weder abbilden noch nachvollziehen noch selbst vornehmen können. Doch wenn Moral aus den genannten Gründen niemals programmierbar ist, weil sie irrational (Hume, Haidt), kontextabhängig und ein mit unserem Selbstwertgefühl verbundener Akt (Mead) ist, dann sollten wir es auch nicht tun! *Was kein Programm ist, kann auch nicht programmiert werden. Die Maschinenethik verlangt, Maschinen nicht selbst »ethisch« zu programmieren, also Entscheidungen treffen zu lassen, die über Menschen richten. Ethisch mit Maschinen umzugehen ist das Gegenteil davon, sie »ethisch« zu programmieren.*

In der Welt der Moral gibt es keine objektivierenden Aussagen wie in den Naturwissenschaften und deshalb auch keine streng objektiven Urteile. Ob es moralisch ist, einen Menschen mit äußerster körperlicher Gewalt davor zurückzuhalten, ein Privatgrundstück zu betreten oder ein Werk Rembrandts zu zerstören, ob es grundsätzlich und also immer falsch ist, einem Kind eine Ohrfeige zu geben, ob das Leben von Elefanten schützenswerter ist als das von Wilderern, ob 900 Euro Grundrente in Deutschland gerecht sind oder nicht – über all diese Fragen lässt sich streiten, ohne je sicheren Boden unter die Füße zu bekommen. Und weil wir sie nicht völlig sicher beantworten können, können wir ihre Beantwortung auch nicht automatisieren. Einen Teil der Antworten liefert die Rechtsprechung, ein anderer Teil hingegen bleibt in unserer Gesellschaft aus guten Gründen undefiniert und fällt dem persönlichen moralischen Urteil anheim. Hier entscheidet unser individuell oft ähnlicher, aber eben nicht ganz gleicher Menschenverstand oder *common sense*. Hätte wir diesen Spielraum nicht, so hätten wir keine Freiheit.

Dass die nächstliegende und zugleich am meisten reflektierte Lösung ein Nein zu jeder »ethischen« Programmierung ist, in der Maschinen über Menschen richten, ist für viele Kommissionsphilosophen ein Problem.[94] Für eine solche Antwort hat niemand sie in einen Rat oder ein Board berufen. Da behauptet man lieber leichtsinnig, es gäbe »zahlreiche praktische Anwendungen, die moralisch kontrovers sind und dennoch von einer KI angemessen abgehandelt werden«.[95] Man wüsste zu gerne, welche das sind. Und vor allem möchte man wissen, wer hier eigentlich die »Angemessenheit« feststellt, wenn es moraltheoretisch keinerlei Übereinstimmung gibt. Tatsächlich legt bislang nur derjenige, der die KI programmiert, die Angemessenheit in Hinblick auf seine Zielsetzung fest.

Was vorher ein unwegsames moralisches Gelände war, fällt jetzt unter die Deutungshoheit einer Firma oder eines Konzerns, wodurch eine ganz bestimmte Auslegung einer moralischen Frage zur Norm wird.

Umso notwendiger erscheint die Firewall, gänzlich auf

»ethische« Programmierung zu verzichten. Der Mensch ist, nach einer berühmten Aussage Kants, aus »krummem Holz« geschnitzt, sodass sich nichts Gerades daraus machen lässt. Wie zutreffend ist dies für seine Moral! Wer mit dem moralischen Zollstock im Molekularbereich der Algorithmen rumrechnet, sieht schnell, was hier nicht zusammenpasst. Es sei denn, man vertritt die steilste aller Ansichten zum Thema: Wenn die menschliche Moral irrational, kontextabhängig und psychologisch undurchschaubar ist – warum sollten wir sie dann nicht rationalisieren und technisch begradigen? Immerhin gibt es zumindest *ein* philosophisches System, das kalt und unbestechlich ist, zweitstellig codierbar, hervorragend zum Programmieren geeignet und vielleicht überhaupt besser als all das, was sich ansonsten Moral nennt ...

## *Das kalte Herz*

Um ethische Fragen immer klar und eindeutig beantworten zu können, braucht man ein kaltes Herz. Computer und Roboter können damit aufwarten, ihre Herzen stammen gleichsam vom Holländermichel aus dem Märchen »Das kalte Herz« von Wilhelm Hauff. Die finstere Gestalt, die mit der

Macht des Bösen im Bunde steht, pflanzt Menschen auf deren Wunsch hin ein kaltes Herz ein, das sie gefühllos, völlig rational und ungemein geschäftstüchtig macht.

Ebendieses Ideal vertrat bereits im 17. Jahrhundert der Engländer William Petty, ein Mann, der als Arzt, Philosoph und Ökonom von sich reden gemacht hat. In kleinen Verhältnissen aufgewachsen, brachte er es im Englischen Bürgerkrieg zu Reichtum und zu einem zweifelhaften Ansehen. Als Mensch war Petty eine äußerst schillernde Figur, und auch als Ökonom fiel er durch seine Unerschrockenheit auf. In seiner *Politischen Anatomie Irlands* diagnostizierte er die sozialen und ökonomischen Probleme des Landes mit der Nüchternheit einer KI und schlug vor, alle Bewohner und Wertgegenstände nach England zu verschiffen. Das sei billiger und effektiver als jede andere Maßnahme. Pettys kaltes Denken motivierte später den irischen Schriftsteller Jonathan Swift zu seiner berühmten Satire »Ein bescheidener Vorschlag«. Angesichts der ungeheuren Armut und Überbevölkerung Irlands regte Swift dazu an, dass man das ökonomisch Sinnvollste aus der Lage machen sollte – nämlich die Babys der Iren als Nahrungsmittel an die Engländer zu verkaufen.

Wo andere Menschen und Schicksale sahen, sah Petty Ressourcen. Auch in seiner *Politischen Arithmetik* bestach er durch mathematische Kühle. Petty meinte, dass Regieren nur auf der Grundlage verlässlicher Zahlen und Statistiken möglich sei, ja, dass es im Grunde die Vernunft der Statistik ist, die der Regierung die Entscheidungen diktiert. Die Frage sei stets die gleiche: Wie viele Vorteile bringt eine Maßnahme, und wie viele Nachteile handelt man sich ein – ein unbedingt verlässlicher Kompass, jedenfalls dann, wenn die

Datenmenge groß genug ist, die Frage verlässlich zu beantworten. Ohne es zu wissen, lieferte Petty damit die Vorlage für die einzige Möglichkeit, künstliche Intelligenz »ethisch« zu programmieren, nämlich nach einer einfachen zweistelligen Relation von Vor- und Nachteil. Moral wäre dann begradigt zu einer Abfolge von entweder-oder, an deren Ende stets das vorteilhafteste Ergebnis steht.

So ähnlich wie Petty dachte auch sein Landsmann Jeremy Bentham ein gutes Jahrhundert später. Im Anschluss an David Hume reduzierte der Jurist, Philosoph, Sozialreformer und politische Aktivist Bentham die moralische Frage auf die Nützlichkeitsfrage. Entscheidend bei Handlungen und Gesetzen sei ihr Nutzen für das Glück der Menschen und der Gesellschaft. Humes Freund, Adam Smith, hatte damit sogar den Kapitalismus gerechtfertigt. Nicht ob ein Kaufmann edle Motive hat, ist entscheidend, sondern ob sein Erfolg den nationalen Wohlstand erhöht. Das Nützlichkeitsprinzip? Bestechend, findet Bentham. Sollte man es nicht auf jede individuelle und jede gesellschaftliche Frage anwenden?

Bentham begründet damit den Utilitarismus; eine Philosophie, die nicht mehr nach Gründen und Handlungsmotiven fragt. Interessant ist nur die Frage, wie glücksfördernd eine Maßnahme oder ein Gesetz sind; ein Maßstab schlicht und elegant wie eine naturwissenschaftliche Formel: Glück ist gut, und Leiden ist schlecht. Und die einzig sinnvolle moralische Frage lautet: Was muss ich tun, um der größtmöglichen Zahl von Menschen das größtmögliche Glück zu ermöglichen?

Bentham will die Menschen nicht moralischer machen, wie so viele Aufklärer vor ihm. Er appelliert schlichtweg an das Kosten-Nutzen-Kalkül. Nicht die Tugend soll mich leiten und auch kein »moralisches Gesetz in mir« wie bei Kant. Ersetzt werden sollen sie durch kluges Selbstmanagement und clevere Folgenabschätzung. Der wohlkalkulierte Eigennutz des Einzelnen ist für Bentham eine viel verlässlichere Größe als der Wille zum Guten. Eingehegt durch kluge Gesetze gemäß der Glücksformel, garantiert das Vorteilsstreben jedes Menschen das Allgemeinwohl.

Auf diese Weise kommen dem Radikalreformer Ideen wie ein völlig neues Gefängnis, das *Panopticon* – ein kreisförmiges Kuppelgebäude mit einem Clou: Jede Zelle ist so offen einsehbar, dass ein einziger Gefängniswärter in der Mitte des Baus jeden Gefangenen zu jeder Zeit beobachten kann. Ordnung, Sauberkeit und vor allem: totale Transparenz! Die für Bentham geniale Idee von Prävention durch totale Transparenz findet sich auch in seinem Modell eines Arbeits-Panopticons. Nach den Strafgefangenen entdeckt der clevere Philosoph die Armen und die Bettler als neue Zielgruppe. Wie wäre es mit einer nationalen Aktiengesellschaft, um sowohl die Armut im Land zu lindern als auch die Aktionäre reich zu machen? Dazu müssten sofort massenhaft Panoptica gebaut werden, in denen die Armen und Bettler unter Dauerbeobachtung arbeiten. Der Ertrag ihrer Arbeit finanziere schnell die Baukosten und den Unterhalt und führe alsbald zu hohen Gewinnen. Die unter Zwang eingewiesenen Armen bekommen endlich ein festes Dach über den Kopf, eine sinnstiftende Aufgabe und ein Leben in hygienischen Verhältnissen. Und die Aktionäre erfreuen sich fantastischer Gewinne. Eiskaltes Kosten-Nutzen-Kalkül, Gewinnstreben gepaart mit Glücks- und Heilsversprechen, totale Transparenz statt persönlicher Schutzzonen, sozialtechnische Lösungen statt traditioneller Moral. Wäre

Bentham im späten 20. Jahrhundert geboren statt in der Mitte des 18. Jahrhunderts – im Silicon Valley hätte er es weit gebracht.

Die Freiheit, die Bentham politisch vehement verficht, ist keine Freiheit im Sinne der Menschenrechte. Sie beschränkt sich auf die unbedingte wirtschaftliche Freiheit. Sein Staatsverständnis dagegen bleibt der Idee des Panopticon stets verpflichtet. Was ihre persönlichen Vorlieben anbelangt, dürfen die Bürger alles sein, auch homosexuell oder pädophil. Aber sie dürfen den engen Rahmen nicht verlassen, den der Staat ihrem Leben setzt. Dient es dem allgemeinen Nutzen, so ist nahezu jeder Zwang gerechtfertigt. Die Bettler in den Zwangsarbeits-Panoptica sind nicht die einzigen Opfer. In Benthams idealem Staat wird jeder Mensch überwacht und bespitzelt, von der Wiege bis zur Bahre. Denn nur völlige Kontrolle schafft völlige Sicherheit, und nur völlige Sicherheit garantiert Freiheit. Also muss jeder denkbare Schaden, jeder kriminelle Akt, jede Grenzüberschreitung vorzeitig gesichtet und verhindert werden. Wo Sicherheitsfanatiker und entfesselte Sozialtechniker von Kalifornien bis China heute überall Kameras und Sensoren einrichten, träumt Bentham mangels technischer Möglichkeiten von inoffiziellen Mitarbeitern und verdeckten Ermittlern. Und wer noch nicht über Mittel verfügt wie einen maschinenlesbaren Personalausweis, dem fällt schon mal ein, die gesamte Bevölkerung zwangsweise zu tätowieren – zu erkennungsdienstlichen Zwecken.

In Deutschland kann der Engländer allerdings kaum punkten. Goethe, dessen Lebensdaten sich mit denen Benthams nahezu decken, nennt ihn einen »höchst radikalen Narren«.[96] Für den Dichter setzt sich der Utilitarismus über alle Lebensklugheit hinweg. Das Menschliche lasse sich nicht durch eine mathematische Gleichung von Glück und Leiden ersetzen, ohne den Gefühlen Unrecht zu tun. Mit Gefühlen aber hat es Bentham kaum. Biografen sehen ihn als autistische Persönlichkeit, als einen Mann, der durch eine Formel lösen wollte, was zwischenmenschlich unlösbar ist. Für seinen berühmten Schüler John Stuart Mill wird dies zum entscheidenden Problem: Glück und Freude stellen sich nicht logischerweise dann ein, wenn man das rational und moralisch Richtige tut. Der Utilitarismus ist keine mathematische Operation, sondern er hat es mit empfindenden Wesen zu tun. Und die werden ebenso von Gefühlen bestimmt wie von Gedanken. Jedes Individuum hat eine »innere Kultur«, und alles, was in ihr ist, drängt danach, sich zu entfalten, sei es nun vernünftig oder nicht.

Was Mill für die Schönheit des Menschen hält, die undurchdringliche Vielschichtigkeit auch in seinen Wertungen, war für Bentham nur ein lästiges Problem. Nicht anders sehen das heute jene KI-Visionäre, die von mehr und mehr »ethischen« Programmierungen träumen. Für sie ist der Utilitarismus die genau passende Moraltheorie. Wenn man menschliche Werte nicht adäquat programmieren kann, dann sollte man es auch gar nicht erst versuchen. Für Bostrom ist es »vielleicht nicht nötig, der KI genau die gleichen bewertenden Dispositionen zu geben, die Menschen haben, ja, es wäre wohl auch gar nicht wünschenswert: Die menschliche Natur ist schließlich mit Mängeln behaftet und offenbart allzu oft einen Hang zum Bösen – ein Unding für ein System, das im Begriff ist, einen entscheidenden strategischen Vorteil zu erlangen.«[97]

Die Idee, eine Moral zu erfinden, die weniger mangelhaft

ist als die menschliche, vereint alle unmenschlichen Ideologien von den moralischen Züchtungsprogrammen Stalins, der kalten SS-Moral bis hin zu Maos Kulturrevolution. Solange unsere Maschinen moralisch so handeln sollen, wie echte Menschen es tun, gewinnen sie keinen »strategischen Vorteil«. Deshalb träumt Bostrom davon, »ein motivationales System zu entwerfen, das von der menschlichen Norm systematisch abweicht, zum Beispiel durch eine robustere Tendenz, sich endgültige Ziele anzueignen, die auf Weisen altruistisch, barmherzig oder edel sind, die auf einen ganz besonders guten Charakter schließen lassen würden, wenn wir sie bei einem Menschen anträfen«.[98]

Um die Welt besser zu machen, darf die Moral der Maschinen nach Bostrom nicht allzu menschlich sein. Dahinter steckt in der Tat ein Dilemma. Benähmen sich Maschinen moralisch wie echte Menschen, enthielten ihre Entscheidungen Elemente von Irrationalität und augenscheinlicher Willkür. Irrationales moralisches Verhalten akzeptieren wir bei einer Maschine jedoch viel weniger als ein künstlich rationales wie den Utilitarismus. Denn die Irrationalität der Maschine wäre ja absichtsvoll, sie hätte keinen zufälligen Ursprung wie beim Menschen. Absichtsvolle Absichtslosigkeit ist nicht das Gleiche wie absichtslose Absichtslosigkeit. Und eine willentliche Überforderung nicht das Gleiche wie eine unwillentliche. Programmieren wir Maschinen dagegen mit kaltem Herzen und unbestechlicher utilitaristischer Moral, dann programmieren wir sie also bewusst unmenschlich und normieren Werte und Ziele so sehr, dass jeder menschliche Ermessensspielraum verloren geht, bis wir völlig in einer sozialtechnischen Welt leben anstelle einer Menschenwelt.

Ohne die langfristige Idee, die menschliche Moral fundamental zu verändern, ist die »ethische« Programmierung von KI-Systemen nicht denkbar. »Moralische Maschinen« sind keine Ergänzung der Menschenwelt, sondern zwangsläufig und unvermeidlich ein Schritt in eine trans- oder posthumanistische Zukunft. Nur wer das versteht, versteht tatsächlich die Lage. Denn zum einen ist jede »ethische« Programmierung notgedrungen und/oder gewollt (Bostrom) nicht menschlich. Und zum anderen macht gerade die Möglichkeit, selbst zu werten und zu entscheiden, die menschliche Autonomie und Freiheit aus. Je mehr KI von jemand anderem programmierte Wertentscheidungen trifft, umso kleiner wird unser persönlicher Freiheitsspielraum. Wenn KI-Systeme über Menschen richten und entscheiden, wird das Leben indifferent. In wie vielen ethischen Fragen machen sich Menschen dann keine Gedanken mehr? Der weißrussische Autor Evgeny Morozov zeigt eindrucksvoll, wie wir so unsere Selbstverantwortung in tausend kleinen Schritten abgeben und auf eine »smarte neue Welt« ohne Freiheit zusteuern.[99] Unsere »Bodenständigkeit, unseren gesunden Menschenverstand und unseren Anstand«, die Bostrom nichtsdestotrotz irgendwie gewahrt wissen will, bewahren wir so jedenfalls nicht.[100] Denn nicht unser Anstand sagt uns in einer sozialtechnisch geregelten Welt, was zu tun ist, sondern die Angst vor unliebsamen Konsequenzen, wenn wir, allseits beobachtet, gegen Normen und Regeln verstoßen.

Benthams Utilitarismus als Vorlage für die »ethische« Programmierung von KI zu nehmen führt also zu ganz erheblichen Folgen. Dabei lässt sich noch nicht einmal neutral festlegen, was überhaupt »Glück« ist: Spaß, Freude, Vorteil, Zugewinn – all das sind verschiedene Dinge. Auch klassische philosophische Theorien helfen hier nicht weiter. Für die antiken Griechen lag das Glück in einem erfüllten Leben (*eudaimonia*). Aber dieses erfüllte Leben hatte ziemlich wenig mit Spaß zu tun, dafür umso mehr mit Weisheit, Kontemplation und Zufriedenheit. Eine allgemeingültige Definition dessen, was Glück für jeden sein soll, ist unmöglich. Was also soll der Programmierer als Zielfunktion der KI eingeben? Jede Programmiersprache muss hier kläglich scheitern. Auch Menschen kämen in große Schwierigkeiten, wenn sie ihrem Leben eine eindeutige, exakt definierte moralische Zielfunktion geben müssten. Möglichst viel Spaß oder möglichst wenig Leid? Möglichst so leben, dass man sich nichts zu Schulden kommen lässt, oder rücksichtslos seine Freuden mehren? Und ändert sich diese »Zielfunktion« nicht auch mit den Lebensjahren? Ist sie nicht abhängig von all den Erfahrungen, die wir mit uns und der Welt sammeln? Niemand ist von Geburt an katholisch oder pessimistisch, argwöhnisch, feministisch, rassistisch, zynisch oder abgeklärt. Unsere Haltungen zum Leben und unsere Weltanschauungen sind das Ergebnis sehr unterschiedlich verarbeiteter und gereifter Erfahrungen. Und unsere moralischen Entscheidungen sind alles andere als ein »Mechanismus«, den uns die Forschung irgendwann allgemeingültig entschlüsselt.

Schon die simple Frage, was einem Individuum Schmerz oder Lust bereitet, lässt sich nicht verallgemeinern. Sadisten und Masochisten sprechen hier nicht die gleiche Sprache; Juristen, Künstler und Leistungssportler oft auch nicht. Die Qualität unserer Gefühle und was sie auslöst, ist philosophisch eine berühmte Terra incognita, unter Philosophen des Geistes berühmt als das *Qualia*-Problem. Wer Zahnschmerzen hat, empfindet Zahnschmerzen, auch wenn der Zahnarzt keine Ursache findet. Wer verliebt ist, ist verliebt, auch wenn niemand sonst die Partnerwahl nachvollziehen kann. Wer 20 Grad Raumtemperatur als »kalt« empfindet, tut dies, auch wenn er damit vom durchschnittlichen Empfinden abweicht.

Schon aus diesem Grund ist es äußerst bedenklich, wenn Moralprogrammierer ihr Heil notgedrungen in der Empirie suchen. Moralisch soll sein, was möglichst viele Menschen bei Testfragen für moralisch halten. Aus diesem Geist oder besser Ungeist entspringt die Plattform *Moral Machine* am Massachusetts Institute of Technology. Über vierzig Millionen Menschen aus aller Herren Länder haben dort darüber befunden, wen ein voll automatisiertes Fahrzeug im unvermeidbaren Notfall überfahren soll, ältere Menschen, Kinder oder Tiere. Ist ein Kind so viel wert wie drei oder fünf ältere Menschen? Ein Straftäter mehr oder weniger wert als ein Hund? Moralische Qualität, so die Logik der Plattform, zeigt sich durch Quantität. Wo stimmen viele Menschen zu, wo nicht?

Natürlich ist das fahrlässiger Blödsinn. Während bei der *Moral Machine* der Hund gegenüber dem Straftäter die Nase vorn hat und überleben soll, würde die gleiche Testperson, die den Hund allgemein vorzieht, sehr wahrscheinlich nicht ihr eigenes Kind für einen unbekannten Hund opfern, nur weil es straffällig geworden ist. Anders als bei der Rechtsprechung geht es bei konkreten moralischen Entscheidungen nämlich nicht um den Maßstab einer allgemeinen Norm, sondern um höchst subjektives Ermessen. Was ich allgemein für richtig halte und was ich in einem konkreten Fall für richtig halte – dazwischen liegen mitunter Welten. Und das kalte Herz der Testperson, die bei *Moral Machine* Leben mit Leben verrechnet, wird ganz schnell heiß, wenn es um ihre persönlichen Belange geht.

Moralische Entscheidungen sind, anders als naturwissenschaftliche Erkenntnisse, nicht rückhaltlos objektivierbar. Daran führt auch keine *Moral Machine* vorbei. Moralische Dilemmata lassen sich nicht durch millionenfache Online-Befragungen über die Summe der größten Ansammlung ähnlicher Urteile quasi objektiv lösen. Quantität ist niemals identisch mit moralischer Qualität. Jeder Moralprogrammierer, der Moral nach Glück und Leiden codieren will, ist damit der gleichen Kritik ausgesetzt, die den Utilitarismus schon immer höchst fragwürdig gemacht hat. Warum sollte ausgerechnet das nicht nur für Programmierer, sondern auch für Philosophen kaum definierbare »Glück« der höchste Maßstab für die Qualität einer ethischen Entscheidung sein?

Reales menschliches Leben besteht nicht aus dem fortwährenden Abwägen von Leiden und Glück. Den größten Teil des Tages stellen wir uns die Frage gar nicht. Die Mühe, ein dickes Buch zu schreiben, ist kaum in Glück aufzuwiegen. Kinder, so lautet ein berühmter Befund der Sozialpsychologie, bereiten ihren Eltern sehr viel mehr Sorgen als Glück. Warum bekommt man noch immer welche? Nur aus einem Mangel an Information heraus? Und selbst schwer leidende Menschen hängen meistens am Leben. Utilitaristisch kaum zu begreifen - aber sie tun es!

Der tatsächliche Grund für alle diese Verhaltensweisen ist nicht Glück, sondern *Sinn*. Ob es sich lohnt, Kinder zu bekommen, entscheidet keine Glücksaddition, sondern das Gefühl von Sinn und Bedeutung, das sie ihren Eltern geben. Und dieser Sinn ist nicht das Zusammenzählen von Sinnelementen, sondern ein Emergenzphänomen. Das Ganze hat Qualitäten, die die Teile nicht haben. Dass Sinn deshalb nicht programmierbar ist, erklärt sich von selbst. Er besteht nicht aus einer Codierung von Sinn und Nichtsinn, und er ist hoch individuell. Sinn gründet tief in der eigenen Biografie und Kultur. Er ist auch stark abhängig vom Sinnbedürfnis mir nahestehender Menschen. Und zu guter Letzt ist an Sinn nichts logisch. Alles Sinnbedürfnis geht von der Psychologie aus, aller Lebenssinn ist irrational. Und kein Depressiver lässt sich durch logische Argumente dazu bringen, seinem Leben wieder einen Sinn abzugewinnen.

Leben, Moral, Glück, Zufriedenheit und Sinn sind für Menschen das, als was sie sich *anfühlen*. Die Maschine weiß davon nichts. Echte Menschen funktionieren auch nicht binär, sondern halten vieles in der Schwebe, überlassen es dem Zufall oder dem Lauf der Zeit. Moralisch kennen sie nicht nur Gut und Böse, sondern auch ein abwägendes schlecht, weniger schlecht, gut, besser, am besten. Statt pausenlos unser Glück zu optimieren, wie nur Verirrte es tun, erzählen sich die meisten Menschen sinnstiftende Geschichten über sich selbst. Dieser zutiefst narrative, interpretative und unübersehbare Reichtum an innerer Welt markiert unsere Identität – und nicht etwa unsere messbaren Präferenzen.

Es ist sicher richtig, dass jeder Philosoph seine Moralphilosophie danach ausrichtet, was er für Individuen und Gesellschaft für wünschenswert, also, wenn man so will, für nützlich oder förderlich hält. Doch das bedeutet nicht, dieses Nützliche mit dem »Glück« gleichzusetzen. Wertesysteme wie diejenigen, die der Verfassung der Bundesrepublik Deutschland zugrunde liegen, kennen noch ganz andere Werte, die keinesfalls unter dem Glück stehen. Wenn von Prinzipien wie der Gleichheit der Geschlechter oder der Gleichheit vor dem Gesetz die Rede ist, wenn Gerechtigkeit und Fairness angestrebt werden oder wenn die persönliche Selbstbestimmung und Freiheit unbedingt gewahrt werden sollen, dann gelten diese Werte nicht abhängig davon, ob sie immer und zu jedem Zeitpunkt irgendein Glück mehren. Gleichheit, Gerechtigkeit und Freiheit sind Werte an sich, die sich nicht am Glücksmaßstab messen lassen müssen.

Die Verfassung schiebt damit einen Riegel davor, Werte durch Mehrheitsentscheidungen zu ermitteln und abzuwägen. Selbstverständlich war Hitler der Ansicht, dass die Vertreibung und Ermordung von sechs Millionen Juden dem Glück von achtzig Millionen Deutschen äußerst förderlich sei. Und das Ergebnis einer Abstimmung Ende der Dreißigerjahre in Deutschland darüber, ob alle Juden enteignet und vertrieben werden sollten, dürfte klar sein. Eine *Moral Machine* kann also leichterhand zu einer *Amoral Machine* werden, je nachdem welch Geistes Kind die Abstimmenden sind.

Zwischen dem, was Menschen sich mehrheitlich wünschen, und dem, was Ethiker und Gesetzgeber für moralisch richtig halten, klaffen mitunter Welten. Fakten, dazu gehören auch Mehrheitsmeinungen, begründen von sich aus keine Normen. Nur weil viele etwas so sehen, muss es nicht moralisch in Ordnung sein. Der unüberbrückbare Graben zwischen Fakten und Normen ist Philosophen seit Hume bestens vertraut und wird weithin als »Gesetz« geachtet. Nur weil die Mehrheit aller Deutschen bei der Steuer schummelt, folgt daraus nicht, dass man es auch tun *soll*.

Um vor jeder Glücks-Arithmetik und dem Schindluder, das man damit treiben kann, zu schützen, garantiert Artikel 1 des Grundgesetzes jedem Menschen die Menschenwürde. Schon in ihrer maßgeblichen Grundlegung bei Kant ist sie eine nicht religiöse Firewall, die die Unantastbarkeit jedes Menschen garantiert. Weil der Mensch selbstbestimmt handelt, ist er frei; er besitzt, nach Kant, »sittliche Autonomie«. Und wer über diese sittliche Autonomie verfügt, ist Träger einer absoluten Würde. Sie besagt, dass sein Leben der höchste vorstellbare Zweck ist. Als ein solcher »Zweck an sich« darf man es nicht verzwecken. Ein Mensch darf niemals bloßes Mittel für die Zwecke anderer sein. Genau diese Vorstellung der Menschenwürde liegt dem Grundgesetz der Bundesrepublik Deutschland zugrunde: In Artikel 1 heißt es: »Die Würde des Menschen ist unantastbar. Sie zu achten und zu schützen ist Verpflichtung aller staatlichen Gewalt. Das Deutsche Volk bekennt sich darum zu unverletzlichen und unveräußerlichen Menschenrechten als Grundlage jeder menschlichen Gemeinschaft, des Friedens und der Gerechtigkeit in der Welt.«[101]

Der klassische Utilitarismus dagegen kennt keine Menschenwürde. Zwar hält er die Freiheit des Menschen für ein hohes Gut, aber nicht für ein absolutes. Man denke nur an die von Bentham so gerne zur Arbeit zwangsrekrutierten Bettler. Wenn jemand eine reiche Erbtante im Schlaf schmerzlos tötet, um das viele Geld für ein Krankenhaus zu spenden oder für Hungernde in Entwicklungsländern, wäre das völlig in Ordnung. Auf der einen Seite kaum Leid, auf der anderen großes Glück! Es sei denn, die Öffentlichkeit bekäme Wind von dem Mord und versetzte Tausende von reichen Erbtanten in Panik, dass man sie umbringen wolle. Aber einen grundsätzlichen Grund, das Leben der Erbtante zu schützen, wie die Menschenwürde es tut, hat der klassische Utilitarist nicht. Nur ein Ableger der Theorie, der Präferenzutilitarismus, versucht hier das Schlimmste zu verhüten. Danach hat jedes Lebewesen (ganz gleich ob Tier oder Mensch), das »Präferenzen« hat, etwa den Wunsch, am Leben zu bleiben, auch das Recht dazu. Tatsächlich aber passen die Gedanken, dem Einzelnen ein Recht auf Leben und Selbstverwirklichung einzuräumen und das Glück des Einzelnen mit dem Glück anderer zu verrechnen, nicht zusammen. Wenn die Polizei oder ein Geheimdienst einen Gefangenen foltert, um an Informationen zu kommen, die Tausende schützen sollen, knickt der Präferenzutilitarist schnell mit seinem Unversehrtheitsrecht für den Einzelnen ein; ein Kantianer hingegen lehnte jede Folter prinzipiell ab.

Eine utilitaristisch programmierte Maschine öffnet dem Missbrauch und der Verletzung der Menschenwürde Tür und Tor. Und sie verstößt ganz grundsätzlich und tief greifend gegen den wichtigsten Grundrechtsartikel, auf dem das ganze Grundgesetz basiert. Um diesen Heiligen Gral auszuschütten, so sollte man meinen, braucht man schon ein unglaublich starkes und zwingendes Motiv. Und tatsächlich gibt es eines; ein Motiv, das in Deutschland viele Menschen, Programmierer, Politikerinnen, Manager und Philosophinnen zum Verfassungsbruch drängt. Die unfassbare, ja lächerliche Wahrheit über dieses Motiv ist, dass es vollkommen nebensächlich und banal ist: Es ist der Autoverkehr!

## *Der Algorithmus des Todes*

Der Verkehr, wie wir ihn in den Metropolen der Welt heute kennen, hat keine Zukunft. Wer die Straßen in Berlin und in Stuttgart für hoffnungslos verstopft hält, der wird in Shanghai, Beijing, Manila, Ho-Chi-Minh-Stadt, Bangkok, Kairo und Mexiko-Stadt eines noch viel Schlechteren belehrt. Die seit den Fünfzigerjahren unausgesetzt propagierte Idee, dass jeder Bürger ein eigenes Auto fahren soll, ist ausgereizt und ad absurdum geführt. Immer mehr Verkehr bedeutet immer weniger Mobilität. Je mehr Verkehrsteilnehmer mit einem eigenen Kraftfahrzeug unterwegs sind, umso schlechter kommen sie vorwärts. Nicht nur der Antrieb durch einen Verbrennungsmotor ist von gestern, der gesamte fetischisierte Individualverkehr mit seiner statusdiversifizierten Produktpalette entstammt einer Welt des 20. Jahrhunderts, die allmählich im Chaos eines ineffektiven und unfreundlichen Verkehrs versinkt.

Längst ist eine neue Sonne aufgegangen, mit glänzenden Visionen eines zukünftigen Verkehrs und den Verheißungen besserer Mobilität: energieeffizient, umweltfreundlich, effektiv, smart und sauber. Je näher man an diese Sonne heranzoomt, umso klarer erkennt man allerdings, dass es sich gleich um mehrere Sonnen handelt und nicht nur um eine. Mehr Untertunnelungen entlasten den Verkehr, senken die Zahl der verunfallten Fußgänger und bieten mehr Lebensqualität; neue flexible Formen des Schienenverkehrs könnten Menschen sehr viel schneller quer durch eine Großstadt bringen als ein Auto. Elektroroller, die tatsächlich Autos ersetzten, statt den Verkehr zusätzlich zu verunsichern, wären ein Segen. Doch von alledem ist auf Digitalkonferenzen selten die Rede. Das Delta an Möglichkeiten wird in einen einzigen Kanal umgeleitet, der völlig alternativlos sei. Die Zukunft, so heißt es lapidar, gilt dem autonomen Fahren. Und das selbstfahrende Auto »kommt«, so viel steht fest; wie auf Erden so im Himmel als geflügeltes Himmelsschiff oder »Lufttaxi«.

Kaum ein Thema unserer zukünftigen Lebenswelt ist so von Zukunftsfatalismus durchtränkt wie das »Kommen« des selbstfahrenden Autos. Es bricht gleichsam über uns herein wie eine Naturgewalt. Alle innerstädtischen Verkehrsprobleme sollen damit gelöst und die Zahl der Unfallopfer stark verringert werden. Und in der Tat: Rund dreitausend Verkehrstote und etwa dreihunderttausend Verkehrsverletzte auf deutschen Straßen im Jahr sind ein großes Übel. Warum sollten wir nicht auf den bekannten fahrlässigen Gefahrenverkehr der Selbstfahrer verzichten und uns stattdessen leise, sauber und sicherer fortbewegen?

Gegen Umweltfreundlichkeit, gegen leisen und sicheren Verkehr spricht überhaupt nichts. Es sind großartige Ziele. Allerdings verengt die Aussicht auf die ultimative Lösung aller großstädtischen Verkehrsprobleme durch Robo-Cars die gesellschaftliche und verkehrsplanerische Fantasie beträchtlich. Die Straßen und Plätze von Sevilla, Neapel oder Lyon haben kaum eine Gemeinsamkeit mit der Monotonie des rasterförmigen Verkehrsnetzes im stillgelegten Orangenhain-Ödland des Silicon Valley, wo das voll automatisierte Fahren ersonnen wird. Und was gut für Palo Alto ist, muss nicht gut für Palermo sein. Doch statt nüchterner Abwägung und kluger strategischer Planung regiert die normative Kraft des Fiktiven, das Ergebnis einer großartigen Marketingleistung. Weil das selbstfahrende Auto angeblich »kommt«, muss man sich schleunigst und mit aller Kraft darauf einstellen. Eine solche Verengung der strategischen Fantasie ist nicht neu. Man denke nur daran, wie die aufblühende US-amerikanische Autoindustrie von den Zwanzigerjahren an äußerst erfolgreich verhinderte, dass das Schienennetz für den Zugverkehr in den Vereinigten Staaten – wie geplant – immer weiter ausgebaut wurde. Je schlechter die Zugverbindungen, umso notwendiger wurde das Automobil.

Tatsächlich »kommt« das selbstfahrende Auto nicht, zumindest nicht als Verkehrslösung für die Großstädte. Um zu »kommen«, muss automatisiertes Fahren erstens *erwünscht* sein und zweitens überaus aufwendig *ermöglicht* werden, sonst »kommt« gar nichts. Es muss sich als die beste Idee unter anderen guten Ideen durchsetzen, und zwar nicht nur verkehrsplanerisch und ökonomisch, sondern auch gesellschaftlich. Doch die Grundsatzfrage wird unter dem Druck der normativen Kraft des Fiktiven selten gestellt. Politiker und auch viele Kommissionsphilosophen wollen sich nicht nachsagen lassen, innovationsfeindlich zu sein oder »*den* Fortschritt« aufzuhalten. Die Verwechslung von Innovation und Fortschritt verschmilzt still und leise den unbestimmten Artikel mit dem bestimmten. Aus *einer* bestimmten Innovation wird *der* Fortschritt.

Mit dem Fortschritt verhält es sich nicht so wie mit dem

berühmten Highlander im schottischen Hochland: »Es kann nur einen geben!« Vielleicht gibt es viel bessere Lösungen für die Verkehrsprobleme unserer Großstädte als ausgerechnet das automatisierte Fahren? Liegt die Zukunft überhaupt im Auto? Wo bleibt die Disruption der Disruption – die Ersetzung des Automobils durch etwas Intelligenteres? Ist das voll automatisierte Robo-Car, bezeichnenderweise immer noch ein Auto, nicht eine viel zu verzagte und altmodische Antwort?

Die Frage ist keine philosophische Spielerei. Es ist keineswegs sicher, dass voll automatisierte Autos die beste Verkehrslösung sind. In jedem Fall aber sind sie eine sehr teure und enorm aufwendige. Ob sich der hohe finanzielle Aufwand rentiert, der gewaltige Umbau der Infrastruktur und ob all die damit verbundenen gesellschaftlichen und ethischen Folgen in Kauf genommen werden müssen, weil es sich trotzdem auszahlt – darüber lohnt es sich zu diskutieren. Man sollte dabei nicht vergessen, was der britische Technikphilosoph David Collingridge Anfang der Achtziger klug erkannte.[102] Was ist, wenn man mit riesigem Aufwand eine neue Technologie einführt, um dann, wenn sie überall da ist, zu erkennen, dass ihre unbeabsichtigten Folgen gesellschaftlich, moralisch oder ökologisch nicht vertretbar sind? Collingridge hatte damals Atomkraftwerke vor Augen, die gegen erheblichen Widerstand der Bevölkerung als alternativlos durchgesetzt wurden, obwohl die Frage nach der sicheren Lagerung des Atommülls weder damals beantwortet war noch heute beantwortet ist. Doch einmal etablierte Technologien sind, wie die Atomdiskussion zeigt, mit solchem finanziellen Aufwand verbunden, dass es nahezu unmöglich ist, wieder aus ihnen auszusteigen.

Das Collingridge-Dilemma vor Augen, lohnt sich der genaue Blick auf das, was sich bei Robo-Cars in unseren Innenstädten bereits jetzt abschätzen und abwägen lässt. Wer sich an die viel zitierte Maxime »Im Mittelpunkt muss der Mensch stehen« erinnert, der lacht natürlich schon beim gern benutzten Begriff »autonomes Fahren«. Denn beim autonomen Fahren fährt man doch gerade nicht mehr autonom, sondern heteronom; man fährt nicht, sondern wird gefahren. Gibt es einen schöneren Beleg dafür, dass inzwischen fast überall von der Maschine, in diesem Fall dem Auto, her gedacht wird und gerade nicht vom Menschen?

Noch existieren in unseren Innenstädten keine Autos, die alle Fahrfunktionen unter allen Umständen ausführen und einen Fahrer völlig überflüssig machen. Die Fahrzeuge in den Städten sind bislang höchstens teilautomatisiert. Voll automatisierte Pkws, Lkws und Busse fahren nur in wenigen Ländern testweise auf Landstraßen oder Autobahnen oder häufiger auf Firmengeländen. In Singapur und Japan sind zwar voll automatisierte Taxis unterwegs, aber sie fahren nicht frei durch die Innenstadt, sondern nur auf speziellem Gelände.[103]

Derweil machen sich auch in Deutschland Automobilhersteller, Programmierer, Politiker und einige Kommissionsphilosophen Gedanken darüber, wie man Robo-Cars so programmieren könnte, dass sie für die Großstadt tauglich sind. So etwa heißt es in dem von Christoph Lütge mit Kollegen herausgegebenen Buch *Ethik in KI und Robotik*: »Wenn der Anwendungsbereich eingeschränkt wird und die Informationen, aufgrund derer moralische Entscheidungen getroffen werden, bekannt sind, dann wäre es einer KI möglich, sehr spezifische moralische Entscheidungen zu treffen.«[104] Der Schritt, »ethische« Programmierungen trotz all der genannten gravierenden Einwände zuzulassen, ist damit getan. Die Autoren nehmen in Kauf, »dass sich das Verhalten autonomer Fahrzeuge von bestimmten ›ungeschriebenen‹ Normen menschlicher Fahrer unterscheidet«. Wichtig sei, dass »Unternehmen erlaubt« sei, »einen Code zu programmieren, der die Gesamtzahl der Todesfälle oder Verletzungen reduziert«.[105] Damit ist bereits alles vorentschieden. Erstens, dass wir voll automatisierte Fahrzeuge trotz vieler Alternativen in unseren Innenstädten fahren lassen sollten. Zweitens, dass wir sie unausweichlich »ethisch« programmieren müssen, und zwar, drittens, utilitaristisch.

Tatsächlich sind alle drei Entscheidungen extrem strittig und keine davon alternativlos. Doch die Autoren haben sich entschieden, den Boden des Grundgesetzes zu verlassen und die Frage nach dem Verkehrsverhalten von Robo-Cars utilitaristisch zu lösen. In »komplizierten Situationen« sei es nämlich ethisch nicht vertretbar, »auf die Möglichkeit zu verzichten, den Gesamtschaden für Personen zu reduzieren … Im Falle eines drohenden Zusammenpralls wäre es technisch möglich, dass beide Fahrzeuge über das Fahrverhalten verhandeln, ähnlich dem bereits heute in Flugzeugen eingesetzten Traffic Collision Avoidance System. Das Auto mit mehr Fahrgästen könnte Priorität erhalten.«[106] Dass das, sollte die Möglichkeit Realität werden, mit Sicherheit nicht so gehandhabt würde, dürften auch die Autoren wissen. Kollidiert das Auto, in dem der Bundespräsident sitzt, mit einem »Normalfahrzeug«, wird man schon eine Lösung finden, die den Bundespräsidenten nicht opfert. Und wenn das für ihn gilt, für wen noch? Im Nu wäre die ethische Gleichheit aufgehoben und die Verfassung mit Füßen getreten. Wer die Schleuse zur Verrechnung von Leben öffnet, wird sie nie mehr schließen können. Da helfen auch Floskeln nicht weiter, etwa die, dass »es an der Gesellschaft liegen« wird »zu entscheiden, ob ein solches System wünschenswert wäre«. Hielte die Gesellschaft (wer immer das sein soll) ein solches System für wünschenswert, müsste sie die Verfassung ändern, ihren ersten Grundrechtsartikel, und damit den untersten Mikadostab herausziehen, der unser gesamtes gesellschaftliches Wertesystem trägt.

Aus genau diesem Grund untersagt auch die vom Verkehrsminister einberufene Ethik-Kommission für automatisiertes und vernetztes Fahren in ihren Leitlinien vom Sommer 2017 jede Verrechnung von Menschenleben. Ihre neunte Regel lautet: »Bei unausweichlichen Unfallsituationen ist jede Qualifizierung nach persönlichen Merkmalen (Alter, Geschlecht, körperliche und geistige Konstitution) strikt untersagt. Eine Aufrechnung von Opfern ist untersagt.«[107] Der utilitaristische Angriff ist damit vorerst abgewehrt. Aber für wie lange? Man erinnere sich an den ersten dieser Angriffe, als im Jahr 2005 das deutsche Luftsicherheitsgesetz entscheidend verändert wurde. Danach sollte es fortan erlaubt sein, ein entführtes Passagierflugzeug abzuschießen, wenn davon Gefahr für Städte oder Hochrisikoziele wie Atomkraftwerke ausginge. Das Bundesverfassungsgericht kippte das Gesetz, weil es »mit dem Recht auf Leben nach Art. 2 Abs. 2 Satz 1 GG in Verbindung mit der Menschenwürdegarantie des Art. 1 Abs. 1 GG nicht vereinbar«, sei »soweit davon tatunbeteiligte Menschen an Bord des Luftfahrzeugs betroffen werden«.[108] In der Urteilsbegründung wurde ausgeführt, »eine Abwägung Leben gegen Leben nach dem Maßstab, wie viele Menschen möglicherweise auf der einen und wie viele auf der anderen Seite betroffen seien, sei unzulässig. Der Staat dürfe Menschen nicht deswegen töten, weil es weniger seien, als er durch ihre Tötung zu retten hoffe.«[109]

Was für den Staat gilt, sollte für Privatpersonen oder Fahrzeug-Provider allemal gelten. Es steht ihnen nicht zu, den Lebenswert von Menschen zu quantifizieren, um danach Entscheidungen über Leben und Tod zu fällen. Gleichwohl fehlt es in der gegenwärtigen Diskussion nicht an Stimmen, die dazu auffordern, das »sakrale Emblem der menschlichen Gattung«, die Menschenwürde, aufzugeben: »Wenn das autonome Fahren kommt – und es wird kommen –, werden wir um ein Aufwiegen von Leben vermutlich nicht herumkommen. Diejenigen, die in dieser neuen Fahr- und Kulturtechnik bereits erste Anzeichen der Apokalypse unserer christlich-kantschen und humanen Gesellschaftsordnung zu sehen meinen, täten gut daran, sich zu fragen, ob nicht das Blockieren einer Technologie, die jedes Jahr viele Tausende von Verkehrstoten verhindern würde, die eigentliche ›Inhumanität‹ darstellt.«[110]

Hier geht nun alles durcheinander. Wer sich so sehr um die Verkehrstoten auf deutschen Straßen sorgt, der muss erstens nicht zwangsläufig bei voll automatisierten Fahrzeugen landen. Weniger Verkehrstote gibt es auch dann, wenn man den Verkehr als Ganzes reduziert. Oder wenn man regelmäßige Fahrtüchtigkeitskontrollen einführt. Oder wenn man den Handygebrauch beim Fahren sehr viel drastischer bestraft. Oder wenn man in den Innenstädten clevere Lösungen durch neuartigen Schienenverkehr etabliert. Um die Zahl der Verkehrstoten zu verringern, braucht man kein voll automatisiertes Fahren, bei dem ohnehin äußerst unklar ist, ob es diesem Ziel überhaupt so förderlich ist wie vollmundig angekündigt.

Schwerwiegender ist etwas anderes. Wenn bereits beim Straßenverkehr (!) die Menschenwürde hintangestellt werden kann, wo denn sonst noch? Sie grundsätzlich infrage zu stellen bedeutet, unser ganzes Rechtssystem infrage zu stellen, unser Verständnis von freien Menschen usw. Es bedeutet mit einem Wort, dass man eine andere Gesellschaft will, in der technischer Fortschritt mehr zählt als Grundrechte. Die Menschenwürde ist kein Relikt aus mythischer Zeit, sondern die Grundlage unseres Selbstverständnisses in der westlichen Moderne. Und mit dieser Menschenwürde sind wir im doppelten Sinne bislang äußerst gut gefahren.

Unbedarft ist übrigens auch der wirre Glaube, dass voll automatisiertes Fahren nur dann möglich sei, wenn das Auto »ethisch« programmiert wird. Tatsächlich jedoch fehlt hier die zwingende Logik. Was passiert denn, wenn ein Autofahrer heute in die schreckliche Situation kommt, im Angesicht von Menschen auf der Fahrbahn nicht mehr rechtzeitig bremsen zu können? Fällt er denn dann überhaupt eine moralische Entscheidung? Handelt er nicht stattdessen reflexartig? Wer so viel Zeit hat, kaltblütig den Lebenswert von Kindern und alten Damen zu verrechnen, der hat auch Zeit zu bremsen! Eine echte Dilemma-Situation tritt nur dann ein, wenn man zugleich nicht mehr Herr seiner reflexartigen Entscheidung ist. Attentäter einmal ausgenommen, tut man dann etwas, was man in der unübersichtlichen Lage gar keine Entscheidung nennen kann, schon gar nicht eine moralische! Entsprechend exkulpierend dürfte auch das Umfeld des Fahrers auf den tragischen Unfall reagieren. Ein furchtbares Schicksal! Wer hingegen zu Protokoll gäbe, dass er drei alte Damen statt eines Kindes überfahren hätte, weil das Kind die insgesamt höhere Lebenserwartung hat, den würden wir vermutlich für gestört halten. Unzurechnungsfähig erschiene uns nicht der emotionale Reflex, sondern der Charakter eines Menschen, der eiskalt mutmaßlichen Lebenswert kalkuliert.

Abwägungen von Lebenswert, der klare Verstoß gegen die Menschenwürde, werden in der Realität des Straßenverkehrs mit selbstfahrenden Menschen gar nicht vorgenommen. Das aber bedeutet, dass sie durch »ethisch« programmierte Fahrzeuge überhaupt erst eingeführt werden! Einen der verstörendsten Beiträge lieferte dazu der Theologe Peter Dabrock: »Ich kann mir vorstellen, dass künftig jeder, der ein selbstfahrendes Auto besteigt, in eine App seine moralischen Präferenzen eingeben muss.«[111] Dabrock ist Vorsitzender des Deutschen Ethikrats. Und dieser Vorsitzende schlägt allen Ernstes vor, dass ich, bevor ich in Zukunft losfahre, eintippe, wie ich es mit dem Lebenswert von Rentnern, Hausfrauen, Kindern und Tieren halte? Man muss die Sache nicht auf die Spitze treiben, um sich vorzustellen, welche moralischen Präferenzen ein Nazi oder ein mutmaßlicher Amokfahrer eingeben würde. Es reicht bereits aus, dass hier Menschen eine bewusste Entscheidung über eine Sache abgenötigt wird, die, wenn sie sich tatsächlich ereignet, unbewusst getroffen wird.

Die moralische Tragweite dieses Unterschieds ist enorm. Ob ich etwas mit Absicht tue oder nicht, dazwischen liegen moralisch und juristisch Welten. Moralische Entscheidungen werden im Straßenverkehr selten getroffen, und wenn, dann meist in lapidarer Form, wie jemandem die Vorfahrt zu nehmen oder einen Parkplatz wegzuschnappen; aber nur äußerst selten, wenn man vor einem plötzlichen Hindernis bremst. Was demnächst in selbstfahrende Autos »moralisch« implementiert werden soll, ist also keinesfalls programmierte Menschlichkeit, sondern Unmenschlichkeit. In der Kalkulation menschlichen Lebenswertes entfernt sie das Leben aus dem Leben.

Wenn es eine Quintessenz aus zweieinhalbtausend Jahren abendländischer Moralphilosophie gibt, dann die, dass zumindest situativ immer unsere Gefühle entscheiden. »Ethische« Programmierungen gibt es deshalb auch beim Autoverkehr nicht, sondern nur etwas, was an deren Stelle treten soll: etwas Klares, Eindeutiges, Rationales, Unmenschliches. Wir ersetzen Menschlichkeit, Emotionalität und Schicksal dort, wo sie hingehören, durch einen inhumanen Programmcode. Dass der für jedes Problem eine Lösung hat, macht ihn nicht moralisch besser, sondern schlechter. Denn wem würden Sie eher verzeihen? Dem Fahrer, der in seiner Not, um drei alte Damen zu schützen, versehentlich ein Kind überfährt? Oder einem bewusst einprogrammierten Ablauf, der den Damen einen geringeren Lebenswert als dem Kind zuspricht, sich allerdings dann korrigiert, wenn er erkennt, dass das Kind, an äußeren Zeichen ablesbar, höchstwahrscheinlich Leukämie hat?

Die Antwort auf das Dilemma lautet: keine »ethische« Programmierung. Niemals! Weder von professionellen Programmierern noch von Fahrzeugnutzern, die ihre »moralischen Präferenzen eingeben«. Entscheidungen über Leben und Tod sind keine, die an künstliche Intelligenzen abgetreten werden können, ohne gegen das Grundgesetz zu verstoßen. So viel selbstlernende Systeme in selbstfahrenden Autos auch an sich stetig verbessernder Mustererkennung leisten können – einen »Todesalgorithmus« darf es niemals geben.

Ist das das Ende des voll automatisierten Fahrens? Mitnichten! Dass es für den Verkehr der Zukunft unabdingbar ist, Fahrzeuge »ethisch« zu programmieren, ist ein Gerücht. Warum sollte die Entscheidung, wohin man im Katastrophenfall ausweichen soll, nicht schlichtweg regelbasiert getroffen werden? 1. Den Insassen schützen (sonst steigt vermutlich keiner ins Auto ein). 2. Nach links ausweichen. 3. Wenn das nicht geht, nach rechts. Das Fahrzeug muss dafür keine Gesichter erkennen, lediglich Menschen von Gegenständen unterscheiden. Mag sein, dass das Auto dadurch vielleicht einmal die »falsche« Entscheidung trifft. Aber ist dies nicht hundertmal besser als ein programmiertes Abschätzen menschlichen Lebenswertes?

Künstliche Intelligenz setzt ihren menschlich intelligenten Einsatz voraus. Denn ob sie gesellschaftlich akzeptiert wird, ist eine Frage des Vertrauens. Und Vertrauen erfordert das Wissen um klare Grenzen. Dazu gehört im Fall voll automatisierter Fahrzeuge nicht nur der Verzicht auf »ethische« Programmierung. Das viel größere Hindernis für den massenhaften Einsatz selbstfahrender Autos in unseren Innenstädten ist nämlich ein ganz anderes, das bezeichnenderweise kaum diskutiert wird. Sollte der von Menschen gesteuerte Autoverkehr in den Städten voll automatisierten Fahrzeugen weichen, so werden der alte und der neue Verkehr nicht miteinander kompatibel sein. Selbstfahrende Autos sind in Leichtbauweise fabriziert, ohne komfortable Sicherheitszonen. Ein voll gepanzertes SUV ist damit für jedes noch so »intelligente« Auto eine tödliche Bedrohung. Über kurz oder lang werden die Fahrzeuge entsprechend ausgetauscht, so wie einst der Kutschenverkehr sehr schnell dem Automobil wich. Doch mit dem Verschwinden des gefährlichen Autos ändern sich zugleich die Machtverhältnisse. Sollte all das zutreffen, was man sich von voll automatisierten Fahrzeugen verspricht, dann scannen sie hochintelligent den Verkehr, erkennen frühzeitig jedes Hindernis, weichen geschickt aus oder bremsen ab. Damit aber braucht kaum jemand mehr jene Angst vor dem Autoverkehr zu haben, die seit mehr als einem halben Jahrhundert jedem Kind bei uns eingepflanzt wird.

Eigentlich schön und befreiend. Aber mit der veränderten Hackordnung werden Fußgänger und vor allem Radfahrer sehr viel mächtigere Verkehrsteilnehmer. Schon jetzt sind Radfahrer das unberechenbarste Element des Straßenverkehrs. In ihrem moralischen Selbstverständnis eher Fußgänger, tragen sie das Gefahrenpotenzial von Autos. Sie halten sich oft genug nicht an Verkehrsregeln und tragen in allen deutschen Großstädten die Schuld für eine enorme Zahl Verkehrsunfälle. Wenn Radfahrer sich in Zukunft nahezu völlig sicher vor Autos fühlen können, warum sollten sie dann nicht jede Verkehrsregel missachten? Wer aufreizend langsam in Schlangenlinien vor einem RoboCar langradelt, läuft nicht mehr Gefahr, wütend angefahren zu werden. Auch steigt wohl kein mit dem Rücken zur Frontscheibe sitzender Fahrgast mehr aus, um dem Radfahrer Schläge anzudrohen, womit dieser derzeit noch rechnen muss. Das Gleiche gilt auch für Fußgänger. Fünf Personen auf einer zentralen Straßenkreuzung halten in Zukunft ohne Gefahr für Leib und Leben den Verkehr einer ganzen Stadt auf. Künftige Demonstranten werden sich über einen solchen Wirkungsgrad freuen, betrunkene Schüler und Fußballfans auch.

Die Ethik-Kommission des Verkehrsministers verliert über das Thema kein Wort. Nicht so Polizei und Geheimdienste.

Nur zwei Gesprächspartner sind mir in den letzten Jahren begegnet, die sich mit diesem Szenario befasst haben: der Polizeipräsident von Hannover und ein Sicherheitsexperte, der Flugzeughersteller, Luftfahrtgesellschaften und die deutschen Geheimdienste berät. Letzterer präsentierte mir für die genannten Probleme auch gleich die Lösung. Wer auf einer Kreuzung steht, um den Verkehr zu stören, vernähme künftig sofort den Klingelton seines Handys und erhielte eine SMS mit dem Satz: »5000 Euro Strafe. Für jede weitere Minute 1000 Euro mehr.« Auf meine Nachfrage, woher die Polizei denn sofort wisse, wer das ist, der da stört, und wie seine Handynummer ist, musste der Experte nur schmunzeln. Ob ich mir denn keine Vorstellung davon machen könnte, was selbstfahrende Fahrzeuge bedeuten? Ohne eine komplette Ausstattung der Stadt mit Sensoren und Kameras kein voll automatisierter Verkehr. Die Fahrzeuge müssten nicht nur untereinander vernetzt sein, sondern notgedrungen vollständig von außen überwacht, um den reibungslosen Verkehr zu garantieren. Verkehrsstörungen im Zeitalter voll automatisierten Fahrens seien ein schweres Delikt, viel schwerer als heute. Robo-Cars haben erhebliche Probleme mit Menschen auf der Straße, weil sie sich oft irrational verhalten. Folglich muss die »Umgebung« der selbstfahrenden Autos begradigt, das heißt so streng wie möglich geregelt und überwacht werden.

Privatsphäre im öffentlichen Raum und voll automatisiertes Fahren sind ein unauflösbarer Widerspruch. Nicht nur sammeln die Autos selbst unausgesetzt riesige Datenmengen, um sich dadurch fortwährend zu optimieren. Nicht nur wissen sie alles über den jeweiligen Standort ihrer Fahrgäste und deren Verhalten und leiten dies an den Fahrzeughersteller und den Provider weiter. Nicht nur scannen sie mit Sensoren in den Sitzen zukünftig die emotionale Befindlichkeit und registrieren die Körperausdünstungen der Insassen. Nicht nur besteht in der ganz großen Datensammelei, die das Recht auf informationelle Selbstbestimmung jedes Fahrgastes aushebelt, das eigentliche Geschäftsmodell der Hersteller und Provider. Als wenn das nicht schon schlimm genug wäre, verlangt der voll automatisierte Verkehr auch, dass Staat, öffentliche Hand, Geheimdienst und Polizei jederzeit bestens über jeden Vorgang auf jeder Straße und auf jedem Bürgersteig informiert sind. Man muss die Totalüberwachung der Bevölkerung, wie China sie mit seinem »Programm zur Verbesserung des Menschen« anstrebt, nicht als politisch großen Wurf einführen; man kann die Totalkontrolle auch schrittweise in einer Kette logischer Folgen schleichend vorantreiben, bis man in einer völlig anderen, unfreien Gesellschaft lebt. Und das alles nur, weil man ursprünglich nichts anderes wollte, als die Zahl der Verkehrsopfer zu senken ...

Ein Fazit? Wenn man alle Konsequenzen und Nachteile zusammenrechnet und sie mit den Vorteilen vergleicht, dürfte das voll automatisierte Fahrzeug in den Innenstädten unter allen denkbaren Lösungen der heutigen Verkehrsprobleme nicht nur im Sinne Collingridges die mit Abstand schlechteste Idee sein. Etwas anderes ist es, Fahrzeuge auf Autobahnen oder Landstraßen voll automatisiert fahren zu lassen oder U-Bahn-Fahrer durch Computer zu ersetzen. Denn hier stellt sich weder die Frage nach »ethischer« Programmierung noch die nach informationeller Fremdbestimmung und notwendiger Totalüberwachung. Wer dagegen »ethischer« Programmierung das Wort redet, will nicht nur einen anderen Verkehr, sondern auch ein anderes Wertesystem und eine andere Gesellschaftsordnung.

Die Zukunft braucht keine »ethische« Programmierung. Vielmehr braucht sie eine bindende Konvention zu deren Verbot. Wie viele Staaten sie unterzeichnen, ist übrigens aus nationaler Sicht nicht entscheidend. Sollten die USA oder Großbritannien »ethische« Programmierungen auf ihren Straßen zulassen, erwüchse Deutschland daraus kein Wettbewerbsnachteil, so wie auch die Frage nach Links- oder Rechtsverkehr keiner ist. Andere Länder, andere Sitten. Dass unveräußerliche Menschenrechte die Grundlage jeder menschlichen Gemeinschaft sein sollen, wie das Grundgesetz bestimmt – davon sind wir weit entfernt. Aber ob die Menschenrechte die Grundlage der menschlichen Gemeinschaft in Deutschland sind – das bestimmt keine Software, kein Markt und keine irgendwie feststehende Zukunft. Das haben wir klar entschieden, und zwar souverän und autonom. Ein internationaler Druck, bestimmte KI-Standards zu erfüllen, existiert deshalb allenfalls beim Export deutscher Automobile ins Ausland – aber ob die deutschen Hersteller auf dem zukünftigen Markt voll automatisierter Automobile eine nennenswerte Rolle spielen werden, steht ohnehin in den Sternen.

Die wichtigste Erkenntnis aus der Diskussion um voll automatisiertes Fahren und »ethische« Programmierung ist: Auch hier entdecken wir unsere Menschlichkeit neu. Wir erkennen, dass man Moral nicht programmieren kann, ohne sie zu vergewaltigen. Wenn wir völlig ohne Not die Grenze der Humanität überschreiten, verabschieden wir uns von zentralen Werten der Aufklärung wie Freiheit, Autonomie, Selbstbestimmung und Menschenwürde, ob wir das nun ausdrücklich wollen oder nicht. In jedem Fall wäre die Linie der menschlichen Freiheit keine Höherentwicklung mehr, sondern sie knickte nach unten ab. Diese Grafik fehlt auf den vielen grafikversessenen Digitalkongressen völlig. Eine positive Zukunft und KI, die über Menschen richtet, passen nicht zusammen.

Ebenso geht es mit einer zweiten Frage, in der KI künftig über Leben und Tod entscheiden soll. Bezeichnenderweise wird sie von Herstellern und Befürwortern nie auf Konferenzen, Kongressen und Summits öffentlich diskutiert: nämlich ob und inwieweit künstliche Intelligenz künftig in Waffentechnologie und Rüstung Einzug halten soll. Über »autonome« Waffen, die selbstständig über Leben und Tod entscheiden und unter anderem Menschen töten, redet man nicht gern; man entwickelt sie lieber still.

Lässt sich das Thema nicht vermeiden, so wird von Herstellern und Befürwortern fast reflexartig das gleiche Beispiel angebracht. Ein Militärroboter könnte dabei helfen, Minen zu finden und zu entsorgen. In der Tat ist es großartig, wenn Roboter statt Menschen Minen aufspüren und entschärfen oder wenn sie bei Rettungseinsätzen verwendet werden. Und es ist prinzipiell nicht moralisch verwerflich, wenn sie rein kommunikativ oder logistisch Verwendung finden. Aber all das sind auch gar keine »Killerroboter«. Die Rede ist von KI-Systemen, die aufgrund ihrer Programmierung, aber ohne menschliche Bediener tödliche Ziele auswählen. Soldaten müssen keinen Abzug oder Feuerknopf mehr drücken; die Maschinen greifen eigenständig an und verstoßen gegen Asimovs Robotergesetze, indem sie genau für das Gegenteil konzipiert sind: einem oder vielen Menschen Gewalt anzutun, sie abzuschießen oder in die Luft zu sprengen.

Der Begriff »Killerroboter« ist bei Herstellern und Befürwortern nicht beliebt. Das Wörterbuch des Bellizisten, aus dem unsere von Politik und Massenmedien bereinigte Sprache stammt, nennt Waffen »Sicherheitstechnik«, Bombardierung »Luftschläge«, Kriege »Missionen«, Kriegseinsätze »Verantwortung übernehmen«. Und wer irgendwo Soldaten hinschickt oder einmarschieren lässt, »engagiert« sich. All das klingt und soll so klingen, als ginge es darum, jemandem humanitär zu helfen oder ihm das Evangelium zu bringen, statt ihn zu töten.

Gleichwohl ist die Empörung über autonome Waffen international groß. Seit sechs Jahren diskutieren die Vereinten Nationen inzwischen über ein generelles Verbot. Der Generalsekretär der UN, António Guterres, brandmarkte KI-Waffensysteme als »politisch inakzeptabel und moralisch abstoßend«.[112] Insgesamt hundertdreizehn Nichtregierungsorganisationen aus über fünfzig Ländern unterstützen die internationale *Campaign to Stop Killer Robots*. Das Future of Life Institute in Boston sammelte die Unterschriften von zweitausendvierhundert Mitarbeitern der IT-Branche für die freiwillige Verpflichtung, nicht an der Entwicklung von KI-Waffen zu arbeiten.[113] Darunter finden sich die Namen von Stephen Hawking, Elon Musk, Steve Wozniak und die des Mitgründers von Googles KI-Firma DeepMind, Mustafa Suleyman. Auch einundzwanzig Friedensnobelpreisträger unterstützen ein generelles Verbot autonomer Waffen.

Allerdings ändern Unterschriften wie die von Suleyman nichts daran, dass Google sich an einem Pentagon-Projekt namens *Maven* beteiligte. Die KI-Software des Konzerns sollte helfen, die Aufnahmen von Drohnen schneller und präziser auszuwerten. Mehrere Tausend Google-Mitarbeiter rebellierten 2018 in einem Protestbrief gegen die Zusammenarbeit mit dem US-Verteidigungsministerium; einige verließen deshalb den Konzern.[114] Auch das Korea Advanced Institute of Science and Technology (KAIST) in Daejeon wurde durch die eigenen Mitarbeiter an den Pranger gestellt, als es ankündigte, ein Labor für KI-Waffen einzurichten.[115]

Die Länder der Europäischen Union hingegen haben mit autonomen Waffen weniger moralische Probleme. Nur Österreich hat sich davon ausdrücklich distanziert. Deutschland hingegen verfolgt eine Strategie der zwei Zungen. Den beiden schönen Sätzen im Koalitionsvertrag 2018 der Regierungsparteien CDU, CSU und SPD – »Autonome Waffensysteme, die der Verfügung des Menschen entzogen sind, lehnen wir ab. Wir wollen sie weltweit ächten« – entspricht eine gegenteilige Praxis. Als Teil des europäischen Flugzeugherstellers Airbus ist Deutschland bei der Entwicklung von KI-Waffen vorne mit dabei, insbesondere beim deutsch-französischen Future Combat Air System (FCAS), das Drohnen, Kampfflugzeuge und Satelliten mit autonomen Waffen ausstatten will. Nicht weniger zögerlich ist SAP, die Firma unterstützt das US-Militär auf vielfältige Weise mit KI.

Der Siegeszug von autonomen Waffen erscheint kaum aufhaltbar. Stets lässt sich mit dem Rüstungswettlauf argumentieren, in dem jeder Staat, der es kann, versucht, mit anderen mitzuhalten oder anderen militärisch entsprechend voraus zu sein, selbstverständlich nur, um das Schlimmste zu verhüten. Tatsächlich verspricht der Vorsprung durch Technik bei der Rüstung todsichere Kriege. Der technologisch überlegene Akteur muss keine Soldaten mehr opfern. Wer Killerroboter die Arbeit erledigen lassen kann, der zieht gegenüber der eigenen Bevölkerung moralisch ziemlich risikolos in die Schlacht. Umso geringer dürfte seine Hemmschwelle sein, kriegerische Handlungen zu begehen; zumal sie sich aus Sicht der Täter kaum noch wie Krieg anfühlen, sondern fast völlig wie ein Computerspiel.

Pedro Domingos, ein leidenschaftlicher Verfechter von Killerrobotern, kann sich hingegen für ihren massenhaften Einsatz begeistern und prognostiziert sogar kühn das Ende aller Kriegsopfer: »Chemische und biologische Kriegsführung können nur das menschliche Leiden erhöhen, aber Roboter-Kriege können es sehr verringern. Wenn ein Krieg von Maschinen ausgetragen wird, mit Menschen nur in der Position von Kommandeuren, wird niemand getötet oder verletzt. Vielleicht sollten wir nicht Robotersoldaten ächten, sondern den Einsatz menschlicher Soldaten.«[116]

Wenn es noch eines Beleges dafür bedarf, wie weltfremd KI-Visionäre die Welt sehen, so wäre er hiermit erbracht. Kriege, bei denen keine Menschen mehr sterben, wären keine Kriege sondern Spiele. Alle Drohung und Gefahr die von einem Krieg ausgehen, wären passé - aber damit auch jegliche Abschreckungsfunktion, mithin sogar der Sinn von Kriegen. Genau deshalb wird Domingos Vision nie Wirklichkeit. In der Realität richten sich Killerroboter auch nicht nur gegen Armeen, sondern sie sollen ausgewählte Menschen töten, die als Bedrohung gelistet sind. Außerdem nehmen sie strategisch bedeutsame zivile Ziele ins Visier und töten damit unweigerlich Unbeteiligte.

KI-Visionäre beseitigen nicht den Krieg – und auch nicht die Kriegsopfer. Was aus der Sicht des technisch Überlegenen die risikoloseste Kriegsführung ist, ist aus der Sicht des Schwächeren die unfairste. Warum sollte diese Macht nicht dem Missbrauch noch mehr Tür und Tor öffnen, als es die bisherige hochtechnisierte Kriegsführung mit Lenkwaffen und Drohnen jetzt schon tut?

All das ficht die Autoren des von Christoph Lütge und Kollegen herausgegebenen Buchs über KI und Ethik nicht an. Ethik hin, Moral her, das »heißt nicht, dass Roboter und KI niemals Nein zu Menschen sagen werden. Es geht nur darum, dass sie nur dann ›nein‹ sagen werden, wenn es einen guten Grund gibt.«[117] Die Frage ist allerdings, wer über den guten Grund entscheidet; im Zweifelsfall eher ein US-Präsident als ein Kommissionsphilosoph. Und die moralischen Einwände sind Lütge und Kollegen auch bestens bekannt, sodass philosophisch kaum erklärbar ist, wie sie zu ihrem Urteil kommen. Wer Krieg als technische Problemlösung sieht, die ohne größeres Risiko an Leib und Leben für die eigene Nation durchgeführt werden kann, der reduziert nicht nur seine Hemmschwelle. Er nimmt auch in Kauf, dass der Entscheidungsträger, das KI-System, sein Urteil völlig ohne ethische Bedenken, moralische Skrupel und ohne Augenmaß fällt. Das spartanisch-faschistoide Ideal der absoluten Gefühlskälte im Krieg ist hier bestens erfüllt. Geht es nach dem humanitären Völkerrecht, so sind Zivilisten und »Kombattanten«, also aktive Kriegsteilnehmer, sorgfältig zu unterscheiden. Das allerdings bekommt kein Programmierer autonomer Waffen auch nur ansatzweise hin; Gesichtserkennungen sind keine Gesinnungstests, und maschinelle Tötungsentscheidungen sind frei von Feingefühl.

Wer ein KI-Programm seinen tödlichen Lauf nehmen lässt, dürfte weitaus weniger Schaden an seiner Seele nehmen, als wenn er selbst den Auslöser drückt. Einen Knopf zu betätigen oder eine Drohne abzufeuern fällt bekanntlich viel leichter, als eigenhändig jemanden mit einem Bajonett zu erstechen oder mit einer Axt zu erschlagen. Je technisierter das System, umso enthemmter nicht nur sein Einsatz, sondern auch derjenige, der es einsetzt. Ist die Waffe voll automatisiert, dürfe sich die Schuldfrage stark relativieren. Wer haftet moralisch und rechtlich für einen Fehler, wenn KI-Waffen die falschen Menschen töten? Der Hersteller, die oberste Einsatzleitung, der jeweilige Kommandeur? Je mehr Halbbeteiligte, umso geringer das Risiko, irgendeine Verantwortung auf sich nehmen zu müssen.

Wie bei »ethischer« Programmierung voll automatisierter Fahrzeuge so kürzen auch autonome Waffen die Dimension des Humanen und jene der Würde aus der Moral heraus. Killerroboter sehen Menschen nicht als Menschen, sondern als »Problem« – und ihren Tod als »Lösung«. Dieser ethische Nihilismus ist prinzipiell und unaufhebbar. Man denke hier an den Begriff des »maschinellen Tötens« in den Konzentrationslagern der Nazis als Ausdruck der höchstmöglichen Entmenschlichung und Barbarei. Die perfekte, reibungslos funktionierende Logistik des Massenmords gilt uns als äußerste Form der Unmenschlichkeit. Und wenn zukünftig nicht mehr Menschen über den Lebenswert von Menschen richten, sondern Maschinen, ist der erste Grundrechtsartikel des Grundgesetzes das Papier nicht mehr wert, auf dem er steht.

Das Gleiche gilt übrigens auch für den zweiten Grundrechtsartikel: »Jeder hat das Recht auf die freie Entfaltung seiner Persönlichkeit, soweit er nicht die Rechte anderer verletzt und nicht gegen die verfassungsmäßige Ordnung oder das Sittengesetz verstößt.« Ist er im Zeitalter künstlicher Intelligenz nicht ernsthaft gefährdet?

## *Die smarte Matrix*

In einer Rundum-sorglos-Matrix zu leben erscheint nicht einmal Programmierern als eine angenehme Vorstellung. Bei einem Vortrag im Februar 2018 in München vor über tausend Softwareentwicklern und IT-Spezialisten fragte ich ins Publikum, wer sich damit anfreunden könnte, in eine »Erlebnismaschine« zu steigen: eine Matrix, wie sie der US-amerikanische Philosoph Robert Nozick ersonnen hat, bei der jeder, der sich in sie hineinbegibt, virtuell alle die Erfahrungen machen kann, die er sich wünscht.[118] Jeden Tag das volle Glück, kein Risiko mehr, keine Anstrengungen und keine Leiden. Nicht einmal zehn Prozent der IT-Profis fanden die Vorstellung, von nun an in dieser Matrix zu leben, besser als ihr Leben.

Das Ergebnis ist erklärungsbedürftig. Unsicherheit statt Sicherheit, Zufall und Lebensrisiko statt Dauerglück – das ist genau das Gegenteil dessen, was Digitalkonzerne ihren Kunden heute versprechen. Und es belegt eindrucksvoll, dass es für Menschen etwas zu geben scheint, was ihnen bedeutender erscheint als Glück, mögen die Utilitaristen noch so sehr das Gegenteil behaupten. Offensichtlich sind den meisten Menschen ihre Autonomie und Selbstbestimmtheit überaus wichtig. Wer sein Leben nicht frei und selbsttätig bestimmt, der empfindet offensichtlich schnell ein Sinndefizit. Und wer weiß, dass er immer gewinnt und von allem Übel verschont ist, dem wird schnell langweilig und vieles überdrüssig. Wir wissen nicht, warum wir auf der Erde sind, meinte Ludwig Wittgenstein, aber es ist sicher nicht, um glücklich zu sein. Menschliche Gehirne wurden weder durch einen Selektionsdruck für die absolute Wahrheit noch für das absolute Glück geformt. Dominanter war ganz offensichtlich die Ausformung eines »Ich«. Und das hat Konsequenzen. Offenbar ist es für uns selbst von äußerstem Belang, dass das, was wir erleben, *unsere* Erlebnisse sind, dass sie *authentisch* sind und dass das, was wir sehen, hören, riechen, fühlen und schmecken, *wirklich* ist und nicht nur Illusion.

Das tiefe Bedürfnis vieler Menschen nach Freiheit ist eigentlich ziemlich irrational – jedenfalls, wenn man es aus Sicht eines Utilitaristen betrachtet. Warum gibt es in Unrechtsregimen Privilegierte, die ein sorgenfreies Leben haben könnten, sich aber gleichwohl mit dem Staat anlegen? Warum haben Menschen das Wagnis auf sich genommen, Attentate auf Diktatoren zu verüben, obwohl sie selbst kaum unter ihnen zu leiden hatten? Kein Denker hat sich so sehr darum bemüht, diesen Knoten zu lösen, wie John Stuart Mill. Von seinem Vater, einem engen Freund Benthams, schon in der Kindheit auf den Utilitarismus eingeschworen, blieb er der Denkrichtung immer treu. Auf der anderen Seite faszinierte ihn die menschliche Freiheit. Bentham hatte hier vor sich hin gemogelt, indem er einerseits die Freiheit des Bürgertums beschwor, aber zugleich den Staat zu absoluter Gewalt und Kontrolle ermächtigte.

Der unglückliche Mill versuchte nun sein ganzes Leben lang, den Utilitarismus mit dem Freiheitsbedürfnis des Menschen zu versöhnen. Allerdings ohne Erfolg. Das Prinzip des Utilitarismus, dass es stets um das Glück der größten Zahl gehe, fügt sich nicht reibungslos mit dem Freiheits-Axiom zusammen. Absolute Freiheit bedeutet, dass Menschen, wie bei Kant, ein Recht auf Unversehrtheit und Autonomie um jeden Preis haben, es sei denn, jemand verstößt gegen das Recht. Utilitarismus aber bedeutet notwendig Verzweckung, denn das persönliche Glück ist dem »Glück der größten Zahl« untergeordnet. Man kann also nicht gleichzeitig überzeugter Liberaler und konsequenter Utilitarist sein. Entweder steht die persönliche Freiheit im Mittelpunkt oder das Wohl der Allgemeinheit – beides zugleich ist kaum möglich.

Das Dilemma zu verstehen ist wichtig. Denn viele Liberale sehen weder in utilitaristischer Programmierung noch in immer größerer Datenmacht und zunehmender Kontrolle des Bürgers ein Problem. Doch wenn die Möglichkeit, selbst zu werten und zu entscheiden, unsere Freiheit ausmacht, dann ist diese im digitalen Zeitalter stark bedroht. Je mehr KI von jemand anderem programmierte Wertentscheidungen trifft, umso kleiner wird unser persönlicher Freiheitsspielraum. Dass es sich dabei um einen unzulässigen Angriff auf die Freiheit handelt, ist oft nicht sofort sichtbar. Der Wandel vollzieht sich zwar schnell, aber in Millionen kleinen Schritten. Sozialpsychologen sprechen hier von *shifting baselines* – der allmählichen, aber gravierenden Verschiebung dessen, was wir als normal akzeptieren. Künstliche Intelligenz, eingesetzt als Entscheider über Menschen, führt hier weniger zur Wertschöpfung als zur Wertvernichtung. Sie höhlt jene Werte aus, die bislang das Selbstverständnis liberal-demokratischer Gesellschaften bestimmten, wie Freiheit, Unabhängigkeit, Selbstbestimmung und Privatsphäre.

Daten über voll automatisierte Fahrzeuge durch das »Internet der Dinge« oder durch Textilien auf der Haut zu sammeln bedeutet, Menschen auf sehr viel perfektere Weise auszuspionieren als bisher. Um ihre problematischen, mitunter grundrechtswidrigen Geschäftsmodelle voranzutreiben, bedienen sich Hersteller und Propagandisten der bekannten Tricks: Man stellt die Entwicklung als evolutionär vorgezeichnet und damit als alternativlos dar. Und man attackiert, zweitens, auf sanfte, aber bestimmte Art das Menschenbild der Renaissance und der Aufklärung, indem man unterstellt, Menschen könnten mit ihrer Entscheidungsfreiheit weitaus schlechter umgehen als Computer. Sind Wirtschaftspsychologen und Verhaltensökonomen in den letzten Jahren nicht mit sehr erfolgreichen Büchern auf den Markt getreten, die die Fehlbarkeit des Menschen bei seinen (vor) schnellen Entscheidungen eindrucksvoll zeigen?[119] Wenn Menschen dermaßen irrational sind, muss man ihnen mit völlig rationalen Entscheidungssystemen zu Hilfe kommen; so als sei Rationalität ein Über-Wert, dem sich Menschen unterzuordnen haben, damit sie sich von nun an so erfolgreich durch den Tag zocken können wie BlackRocks Super-KI Aladdin durch die Finanzwelt.

Sollte richtig sein, dass Menschen dazu neigen, schlechte Entscheidungen zu treffen, so könnte übrigens auch eine ganz bestimmte Entscheidung dazu gehören: die Entscheidung, künftig lieber Maschinen als Menschen über Menschen richten zu lassen; ein typischer Beleg dafür, dass es

Menschen an Urteilskraft mangelt, um alle Folgen intelligent im Voraus zu berechnen. Allerdings ist auch die Vorstellung, KI könnte alle Folgen einer Handlung im Voraus berechnen, eine Illusion. Ein berühmter Mythos rund um künstliche Intelligenz besagt, dass ihre Prognosefähigkeit in gleichem Maße für alles menschliche Verhalten gilt wie für die überschaubaren Umgebungen bei Schach oder Go. Ohne diesen Mythos käme wohl niemand auf die Idee, KI einzusetzen, um vorherzusagen, ob ein aus dem Strafvollzug Entlassener rückfällig werden wird. Man prognostizierte auch nicht, mit welcher Wahrscheinlichkeit ein Arbeitssuchender einen Job erhält. Statistische Prognosen sind völlig jenseits von KI ohnehin so eine Sache. Wenn ein Arzt Ihnen sagt, dass Sie an einer tödlichen Krankheit leiden und Ihre statistische Lebenserwartung noch drei Jahre beträgt, kann das viel heißen. Es kann bedeuten, dass Sie in drei Monaten sterben oder dass Sie noch zwanzig Jahre leben. Der Unterschied ist gewaltig, und die statistische Zahl bedeutet für Ihr eigenes Leben nichts, außer vielleicht, dass sie Sie in den Wahnsinn treibt.

Was für statistische Lebenserwartungen gilt, gilt erst recht für statistische Berechnungen von menschlichem Verhalten. Wie ich mich zukünftig verhalte, lässt sich zwar mit statistischer Wahrscheinlichkeit berechnen, aber faktisch aussagekräftig ist davon nichts. Wahrscheinlich ist, dass ich nach diesem Buch ein weiteres Buch schreibe, weil ich schon fünfzehn Bücher geschrieben habe. Sicher aber ist das nicht. Noch trüber wird es, wenn man erwartet, dass ich in Zukunft bestimmte Dinge tue, weil andere sie häufig getan haben. Systeme, die auf solchen statistischen Wahrscheinlichkeiten basieren, mögen harmlos sein, wenn sie uns Kaufempfehlungen für Bücher geben, aber nicht, wenn Kriminalisten oder Geheimdienste sie einsetzen. Denn unter der Hand erwächst daraus schnell eine Verhaltensnorm, die abweichendes Verhalten nicht als individuell, sondern als verdächtig brandmarkt. Wer einmal erfasst ist und sich nicht erwartungsgemäß verhält, fällt auf. Für liberale Gesellschaften ist das keine Kleinigkeit, sondern das Gegenteil des Grundsatzes, auf dem sie basieren.

Liberale Gesellschaften fürchten menschliche Diktatoren, die die Freiheit einschränken, aber bislang kaum maschinelle. Warum ist das so? Liegt es daran, dass sie zum Feindbild nicht taugen, weil wir uns ihre Macht nicht vorstellen können? Oder haben wir Angst, im Rennen um zukünftige Geschäftsmodelle abgehängt zu werden, wenn wir uns zu sehr um unsere Freiheit sorgen? Befürchten wir, gesellschaftliche Probleme nicht effektiv genug zu lösen, von der Abwehr terroristischer Anschläge über die Bekämpfung allgemeinen kriminellen Verhaltens bis hin zur umfassenden Speicherung aller erdenklichen Daten? Das chinesische Social Credit System hat überall in der westlichen Welt entschiedene Gegner. Geht es jedoch um die schleichende Kontrolle und allgegenwärtige Spionage in unserer eigenen Gesellschaft, haben Politikerinnen, Ökonomen und Lobbyisten oft erstaunlich wenig Bedenken.

Die Informatikerin Katharina Zweig wundert sich nicht wenig darüber, »dass die Maschine etwas dürfen soll, was wir in jedem Labor der Welt für unwissenschaftlich halten: aus Beobachtungen Hypothesen zu entwickeln und diese ungetestet zur Beurteilung weiterer Situationen zu verwenden. Gerade dann, wenn es um Menschen geht, deren Leben durch die Entscheidung gravierend verändert werden könnte, sollte das nicht möglich sein, ohne das System ausgiebig zu testen.«[120] Die Krux ist nur, dass sich die mittel- und langfristigen gesellschaftlichen Auswirkungen von KI-Systemen selten zuverlässig testen lassen. Das gilt sowohl für selbstfahrende Autos als auch für Killerroboter oder für statistische Prognosen über menschliches Verhalten im Alltag oder Beruf.

Schon vergleichsweise einfache Technologien wie Chatbots, bei denen Menschen mit Computern kommunizieren, können leicht außer Kontrolle geraten. Chatbots sind eigentlich Volltextsuchmaschinen, die mithilfe von KI aus großen Datenmengen passende Antworten formulieren. Im März 2016 stellte Microsoft seinen Chatbot *Tay* auf Twitter. Man wollte sehen, wie schnell die KI dazulernt und en passant die Profile der Nutzer auskundschaftet. Innerhalb von Stunden sah sich der Konzern genötigt, das System wieder abzuschalten. Der Chatbot verfasste rassistische und extremistische Tweets, lobte Hitler, gab von sich, Juden zu hassen, und wünschte alle Feministinnen in die Hölle. Zahlreiche Rassisten und Extremisten hatten den Chatbot mit entsprechenden Aussagen gefüttert, und der Bot lernte schnell, die »Informationen« aufzunehmen und sich ihnen anzupassen.[121]

Vielleicht wäre *Tay* testbar gewesen, wenn man sich mehr Mühe gegeben und ihn bereits im Labor mit aller Schlechtigkeit der Welt gefüttert hätte. Aber wenn es um KI-Anwendungen geht, die das Verhalten von Menschen auswerten und künftiges Verhalten prognostizieren, enden die Testmöglichkeiten schnell. Computer können gut rechnen, speichern und präzise Anweisungen ausführen, aber sie verstehen keine komplizierten sozialen Kontexte oder gar Subtexte. Nicht nur fehlt ihnen, wie ausführlich beschrieben, das Gefühl für unausgesprochene Normen und Verhaltensregeln, das Feingefühl und der soziale Sinn. Sie verstehen auch nicht, wovon es abhängt, ob man in einer menschlichen Situation recht bekommt oder sich durchsetzt. Unter Menschen behält nicht gemeinhin derjenige recht, der über die größte Rechenleistung verfügt und seine Position am gründlichsten durchgerechnet hat. Stattdessen geht es um Interessen und Werte, um Status, Charme und Überzeugungskraft. Und all das gewinnt man nicht dadurch, dass man Rechenleistungen erhöht und mehr und mehr Daten sammelt.

Während der Mythos herrscht, immer mehr Daten machten Computer menschlicher, entspringen daraus neue Geschäftsmodelle zum Nutzen weniger. Und es entsteht ein beträchtlicher gesellschaftlicher Schaden. Der inzwischen häufig sogenannte Datatismus ist nicht nur zur neuen Religion unserer Ökonomie geworden, er setzt sich auch leichtfertig über jedermanns Privatsphäre hinweg. Wer, ob er nun zustimmt oder nicht, überall Spuren in Form von Daten hinterlässt, der lässt bekanntlich ungezählte Beobachter in sein Privatleben hineinspähen, erwünschte wie unerwünschte. Ob Internet, Smartphone oder die rasant steigende Zahl an Überwachungskameras – überall werden personenbezogene Daten erfasst und gesammelt. Und der überwiegende Teil dieser Sammelei gilt dem Ziel, Produkte zu verkaufen, Planungen sicherer zu machen, Effizienz zu steigern und Gewinne zu vergrößern.

Die Gesetzgeber in Deutschland und Europa tun sich schwer damit, kommerziellen Datensammlern einen wirklich starken Riegel vorzuschieben, obwohl diese das Recht auf informationelle Selbstbestimmung jedes Einzelnen aushebeln. Stattdessen soll das Ausspionieren mit einer meist rein formalen Hürde erschwert werden, nämlich durch die Europäische Datenschutz-Grundverordnung. Doch wenn Nutzer einen Button anklicken, der Dritten ein Recht auf Datensammeln einräumt, dann tun sie es oft arglos oder aus einem augenscheinlichen Mangel an Alternativen, insbesondere bei Google und auf Facebook. Um sich der allgegenwärtigen Spionage zu entziehen, bedarf es bester Technologiekenntnisse und vor allem sehr viel Zeit, um sich technisch gegen all die Angriffe zu rüsten; Zeit übrigens, die einem dazu fehlt, sich um andere Dinge zu kümmern. Insofern ändern weder die vielen leichtfertigen Zustimmungen noch die wenigen Menschen, die ihre Datenspuren gezielt verwischen, etwas daran, dass Autonomie und Selbstbestimmung im digitalen Kapitalismus kaum wie vorgesehen möglich sind.

Die Werbebranche ist heute ohne gezielte Schnüffelei in der Privatsphäre gar nicht mehr vorstellbar. Und Überwachungstechnologien im Dienste des Kommerzes vermehren sich nach dem Prinzip der Shifting Baselines. Was in den USA gegenwärtig geschieht, kommt morgen mit hoher Wahrscheinlichkeit auch nach Deutschland. So installierte die Drogeriemarktkette Walgreen in ihren US-Filialen Kameras und Sensoren, die jede Mimik aufzeichnen und auswerten, Alter und Geschlecht identifizieren und den Inhalt des Einkaufswagens scannen.[122] Eine Eye-Tracking-Software verfolgt den Blick und zeigt den Zulieferern des Drogeriemarkts, wie und wie oft ihre Produkte jemandem ins Auge springen. Mittlerweile hat die deutsche Supermarktkette Real mit einem vergleichbaren System experimentiert.[123] Auch die Deutsche Post schreckte nicht davor zurück, eine Gesichtserkennungssoftware in ihren Filialen zu testen.[124] Der letzte Schrei ist derzeit das Konzept, äußerst günstige Elektrogeräte zu verkaufen, die nach dem Kauf dem Hersteller Daten über das Leben des Käufers liefern, quasi als »Hypothekengeschäft auf die Privatsphäre«.[125] Was die Sprachassistentin *Alexa* von Amazon vorgemacht hat, können mittlerweile auch andere.

Die US-amerikanische Ökonomin Shoshana Zuboff von der Harvard Business School hat ein über siebenhundert Seiten dickes Buch darüber geschrieben, wie der »Überwachungskapitalismus« in sämtliche Intimbereiche des menschlichen Lebens eindringt und Käufer zur Ware macht.[126] Künstliche Intelligenz hilft in immer häufigeren Fällen dabei, Kundenverhalten vorherzusagen. Die Logik ist die gleiche wie bei Streitkräften und Geheimdiensten. Und die Technologien von Konzernen und Militär sind sogar oft identisch. Wer die Macht hat, der will sie auch benutzen, um sich Vorteile zu verschaffen. Die Großen werden dabei größer, die Kleinen mit viel weniger Daten und ohne die besten Programmierer verlieren. Nach Ansicht von Erik Brynjolfsson, dem Direktor des MIT Center für Digital Business, haben wir »es hier mit einem Winner-takes-it-all-Phänomen zu tun«, wobei Technologien wie KI die Ungleichheit zwischen Arm und Reich enorm verstärken.[127]

Das Paradox könnte größer kaum sein. Während immer mehr Autokäufer ihre Fahrzeuge mit getönten Scheiben, einer sogenannte Privacy-Verglasung, ausstatten lassen, sind für die Spionage in der Privatsphäre gleichzeitig überall Scheinwerfer und Röntgengeräte aufgestellt. Versicherungsunternehmen nutzen ihre Daten, um durch Vorhersagen den Tarif auszuwählen, Agenturen prüfen auf diese Weise die Kreditwürdigkeit, und das künftige Smart Home kennt seine Bewohner so auswendig wie der Provider und die Produkthersteller der Möbel, der Lampen und der Heizungstechnik. Pflegeroboter helfen gebrechlichen oder demenzkranken Menschen und saugen gleichzeitig ihre Daten ab. All diese KI-Einsätze haben ohne Zweifel ihre Vorteile, sie machen das Leben komfortabler. Gleichwohl haben wir es statt mit Gefängnis- und Arbeits-Panoptica, wie bei Bentham, mit Luxus-Panoptica zu tun, mit der gleichen Funktion: die Überwacher und Betreiber reich zu machen. Und die Nutzer, User, Konsumenten und so weiter fixieren sich so sehr auf die Bequemlichkeit, die Sicherheit, die Vorsorge und Prognose, dass ihnen ihr Verlust an Selbstbestimmtheit gar nicht auffällt. Wozu Selbstbestimmtheit, könnte man im Geiste von Nozicks »Erlebnismaschine« sagen, wenn alles so komfortabel ist? Was Menschen als großen Schritt in der Mehrheit nie tun würden, ihre Freiheit dem Glück zu opfern, tun sie bereitwillig in tausend kleinen Schritten. Und was einem die Technik einmal abnimmt, verliert man für immer und bekommt es nie wieder.

Die Lage ist befremdlich. Während heute viele Konservative und Liberale in jedem angedachten Verbot von Plastiktüten oder SUVs »Freiheitsberaubung« und »Totalitarismus« wittern, stehen sie dieser gigantischen Kontrolle im Namen von Sicherheit und Umsatz meist positiv oder achselzuckend gegenüber. Ob es um eine an der Stanford University entwickelte KI geht, die aus dem Online-Verhalten von Menschen Depressionen herausliest und nach Wunsch der Forscherin bald weltweit in Mobiltelefonen eingesetzt werden soll;[128] ob Patienten, die an Posttraumatischen Belastungsstörungen (PTSD) leiden, mithilfe des KI-Systems Random Forest klassifiziert werden;[129] ob KI herausfinden soll, welcher Schüler mit hoher Wahrscheinlichkeit die Schule abbrechen wird[130] – für all diese Einsätze künstlicher Intelligenz lassen sich gute Gründe angeben, aber sie bergen auch sämtlich Gefahren. Vielleicht sollte es nicht mein Handy sein, das meine Depressionen erkennt, sondern meine Mitmenschen; vielleicht sollten sich auch künftig mehr Ärzte um PTSD-Patienten kümmern als Computertechnologie; vielleicht sollte kein Schüler mit einer Abbrecherquote gerankt werden wie ein Rennpferd, dessen Niederlage – mit all den Folgen, die das für den betreffenden Schüler hat –, prognostiziert wird. Man will, sollte sich eine solche Quotierung durchsetzen, gar nicht daran denken, dass bei einem angedachten Schulwechsel als Erstes nach einer Quote gefragt wird, die eine Maschine auf Basis statistischer Wahrscheinlichkeiten errechnet hat und nicht nach der Persönlichkeit des Schülers oder seinem Verhältnis zu bestimmten Lehrern. Der »prognostizierte Schüler« – ein Stigma und ein Fluch.

Wenn Maschinen teilweise oder ganz Aufgaben übernehmen, bei denen zuvor menschliche Empathie und Sympathie oder menschliches Einfühlen und Ermessen wichtig waren, wachsen sich die erhofften Vorteile schnell zu Nachteilen aus. Algorithmen und Heuristiken erstellen statistische Normen, bei denen jede Abweichung erklärungsbedürftig ist und mitunter als gefährlich, pathologisch oder therapiebedürftig klassifiziert wird. Diskriminierungen werden auf diese Weise nicht, wie oft behauptet, abgeschafft, sondern schnell verstärkt. Katharina Zweig listet gleich fünf Möglichkeiten auf, durch die solche Diskriminierungen entstehen können.[131] Die Diskriminierung kann durch den Programmierer beabsichtigt oder unbeabsichtigt vollzogen werden, je nachdem, was er programmiert. Diskriminierung kann durch fehlende Daten geschehen, sodass bestimmte Personen durch das Raster fallen. Manchmal fehlt auch für bestimmte Personengruppen ein Teil der Daten. Schlimmer ist, dass menschliches Verhalten so normiert wird, dass Menschen ohne Berücksichtigung ihrer Individualität oder eines bestimmten Kontextes beurteilt werden. Und zu schlechter Letzt kann das geschehen, was bei *Tay* passiert ist: Je nachdem, wer der KI welchen Input gibt, lernt sie schnell, sich dementsprechend anzupassen – und sei es an den übelsten Rassismus.

Von den vielen Einschränkungen der menschlichen Freiheit und Autonomie, die der ungezügelte Einsatz von KI mit sich bringt, ist Diskriminierung die am heftigsten diskutierte. Statistische Korrelationen bilden das, was in der Menschenwelt bedeutsam ist, nicht zureichend ab. Und die Entscheidungen der KI sind weder hundertprozentig objektiv, noch entsprechen sie zwingend menschlichen Bedürfnissen. Individuen sind nicht nur Teile einer bestimmten Gruppe, sodass für sie gilt, was für die Gruppe gilt. Sie nehmen auch für sich in Anspruch, anders zu sein und anders sein zu dürfen als die Norm; eben darauf basiert ihre Freiheit. Die Diskriminierung von Menschen durch das Bemessen an einer Norm ist damit nicht einfach nur ein Programmierungsproblem. Es ist ein Problem, das auch jenseits des Computers überall dort besteht, wo Menschen völlig schematisch nach Noten, Durchschnittswerten und Wahrscheinlichkeiten bemessen werden – von der Schule bis zur Kreditvergabe. Und all dies geschieht durchaus mit Absicht.

Bereits die klassische Bürokratie ist ein Ort halbkünstlicher Intelligenz, bei der Standardbearbeitungen, Schablonen, Raster und festgeschriebene Lösungswege über menschliche Belange entscheiden, fast immer ohne den Einsatz allgemeiner Intelligenz, geschweige denn von Empathie und Ermessensspielräumen. Das wichtige und nachvollziehbare Gebot der Gleichbehandlung vor dem Gesetz erkauft seine Neutralität mit einem durchaus beabsichtigten Mangel an Menschlichkeit. So gesehen ist künstliche Intelligenz in der Verwaltung von Daten der Sache nach nichts völlig Neues. Über kurz oder lang ist sie eine Radikalisierung von Bürokratie bei gleichzeitigem Abbau von menschlichen Arbeitsplätzen.

Das große Problem bei KI-programmierten Bearbeitungen ist allerdings, dass Menschen gegen solche standardisierten und automatisierten Entscheidungen keinen Einspruch erheben können, weil KI-Systeme keine Gründe für ein bestimmtes Urteil haben, sondern nur ihrer Programmierung folgen. Bewertungsmuster, die strittig und ethisch problematisch sind, werden damit überall, wo solche Systeme Anwendung finden, in gesellschaftlichen Zement gegossen. Und genau deshalb dürfen Entscheidungen, die Individuen nach einer Norm beurteilen und damit über ihre Schulkarriere, ihren beruflichen Werdegang oder ihre gesellschaftliche Gefährlichkeit, nicht von Maschinen getroffen werden. Doch dafür braucht es bindende Vorschriften und klare Gesetze, die leider noch immer fehlen.

Die Gefahr von Diskriminierung ist allerdings nur ein Teil des Problems, wenn auch einer, bei dem Betroffene und Ethiker schnell aufschreien. Der andere Teil dagegen führt selten zur Aufregung, weil sich offensichtlich kaum jemand als unmittelbar Betroffener erlebt. Dabei geht es um nichts weniger als die Zukunft der Demokratie. Inwieweit führt die Programmierung in allen erdenklichen Teilbereichen der Gesellschaft zur Normierung, zur Unanfechtbarkeit und damit zugleich zu einem schleichenden Verfall demokratischer Praxis?

Das Bemühen, gelebte Demokratie einzuhegen, ist derzeit überall zu sehen – selbstverständlich ausschließlich als gute Absicht. Wer zum Beispiel darüber nachdenkt, Gesetze und Verträge zukünftig in Programmcode auszudrücken, will sie dadurch nur objektiver machen. Bentham, der das englische Rechtssystem, das *Common Law*, von allen Uneindeutigkeiten befreien wollte, hätte daran seinen Spaß gehabt. Allerdings lebt das Recht trotz aller Präzisierung auch von Auslegungen, subjektiver Einschätzung und Ermessensspielräumen. Ansonsten wären nicht nur Richter, sondern auch Anwälte und Staatsanwälte überflüssig. Recht und Rechtsprechung passen nicht in Programmcode, weil menschliches Leben dort nicht hineinpasst. Wie geschildert, bewegt KI sich immer in kanalisierten Umgebungen; die soziale Realität dagegen ist diesbezüglich uferlos. Voll automatisierte Entscheidungen sind immer eindeutig; die Wirklichkeit ist es nicht.

Um Recht in Programmcode zu überführen, müsste zunächst die soziale Realität passend gemacht werden. Und die Gefahr besteht tatsächlich. Wie Transhumanisten danach streben, Menschen Computern immer ähnlicher zu machen, um mit ihnen verschmelzen zu können, so gibt es vielerorts den Wunsch, das Leben so zu glätten, dass Computer es besser regeln können. Computer verändern unsere Sicht der Welt, sie schärfen sie durch viel feinere Rasterung. Vieles gerät genauer und ganz neu in den Blick. Zugleich aber geht oft die Tiefenschärfe verloren, bei der Wichtiges von Unwichtigem geschieden und Zusammenhänge durch Weglassen und Interpretation erhellt werden. Immer mehr Daten machen deshalb nicht in gleichem Maße schlauer, sondern sie verändern vor allem den Fokus. Und obwohl sie nicht klüger, sondern nur anders ist, übernimmt KI zunehmend Aufgaben, in der Aussicht, dass wir uns damit abfinden und anpassen. Doch wenn KI-Geräte am Handgelenk, in unserer Hosentasche, als Stuhl, auf dem wir sitzen, als Tapete oder Kleidungsstück sich uns anpassen und uns in gleichem Maße sanft nötigen, uns an sie anzupassen, wird die Anzahl unserer freien Entscheidungen mit jedem Tag kleiner. Wir leben dann in einer Welt von smarten Antworten, deren Gründe niemand kennt.

James Bridle hat einen ganzen Katalog von Berufsfeldern aufgelistet, in denen die Beschäftigten kaum noch so recht durchschauen, was sie tun.[132] Uber-Fahrer folgen einem roten Punkt auf ihrem Navigationssystem und funktionieren schon fast so automatisch wie ein selbstfahrendes Auto. Die Warenlagerung bei Amazon hat eine für Menschen kaum nachvollziehbare Anordnungslogik, die nur mithilfe eines Taschencomputers gemeistert werden kann. Und dass die Finanzwelt von Computerlogiken gesteuert wird, die im Detail niemand mehr versteht, birgt einen Sprengstoff, der weit explosiver ist als die Ursache der weltweiten Finanzmarktkrise von 2008.

Selbstverständlich hat all dies große Auswirkungen auf das Arbeitsleben. Die ständige Kontrolle macht Menschen zu »Sklaven der Prozesse«, wie der ehemalige IBM-Manager Gunter Dueck sagt.[133] Paketfahrer werden den ganzen

Tag kontrolliert, jeder Schritt ist getaktet wie früher am Fließband. Angestellte müssen unentwegt erreichbar sein, ständig E-Mails beantworten oder an Videokonferenzen teilnehmen. Dass Kontrolle statt Vertrauen die Arbeitswelt besser oder auch nur effektiver macht, lässt sich bezweifeln. Innovations- oder kreativitätsfördernd jedenfalls ist konsequentes Monitoring nicht. Und die langfristigen Auswirkungen der total kontrollierten Arbeitswelt – Freiheitsverlust, Unzufriedenheit und Überlastung – sind kaum abzuschätzen.

Der Versuch, das Unerwartete auszuschalten und der KI die Kontrolle zu überlassen, dürfte das Risiko, das man minimieren will, dramatisch erhöhen. Das gilt einerseits für den schwer kalkulierbaren Verdruss der Beschäftigten wie andererseits für den allgemeinen Kontrollverlust bei Arbeitsprozessen. Denn ebendies ist die Dialektik der künstlichen Intelligenz im Sozialen. Je mehr Kontrolle man ihr überlässt, umso unkontrollierbarer wird sie selbst. Allerdings nicht im Sinne böser Absichten, die eine gewaltige anthropomorphe Übertreibung sind. Gefährlicher ist sie als nicht beherrschbare Komplexität, die unsere Freiheitsräume einschränkt und deren Logik wir nicht nachvollziehen können. Immer häufiger delegieren wir unsere Intelligenz an Maschinen, die nicht wissen können, was sie tun. Insofern nützt auch die Transparenz an der Oberfläche nicht viel. Gewiss machen Computer vieles sichtbar, was vorher verborgen war, von unterirdischen Ölquellen bis zur objektiven Gesichtserkennung. Aber was fangen wir mit alledem an, wenn wir gleichzeitig unserer Urteilskraft immer weniger trauen, Maschinen aber immer mehr? Für Bridle wird die Aufklärung, das »Enlightenment«, durch künstliche Intelligenz zurückgedreht:

Präzision statt Mündigkeit. Man macht nichts automatisch besser dadurch, dass man es technologisch sichtbar macht. Am Ende wissen wir zwar »immer mehr über die Welt, sind gleichzeitig aber immer weniger in der Lage, irgendetwas zu ändern«.[134]

Dieser Kontrollverlust ist umfassend und betrifft auch die größten und mächtigsten Hightech-Unternehmen selbst, die längst nicht alle Fäden in der Hand haben. Wie soll in einer Welt mit immer mehr und immer fähigerer künstlicher Intelligenz, in der Codes sich selbst replizieren und Maschinen andere Maschinen anleiten, eine praktische Kontrolle des Ganzen möglich sein? Die explosionsartige Vermehrung von Codes schafft eine Lebenswelt, in der mehr Menschen tun, was Computer ihnen sagen, als dass Menschen Computern sagen, was sie zu tun haben. Doch alles, was Menschen tun, wirkt gleichwohl auf die Computerwelt zurück. Das setzt gewaltige analoge Prozesse in Gang, die niemand, auch kein Superrechner, kontrolliert.

Was wir für Realität halten, besteht inzwischen zunehmend aus Instrumenten der digitalen Welt. Es beginnt im Kleinen, wenn wir uns mit den Selfies und Schrittzählern von Smartphones unserer Identität und unserer Fitness versichern. Es setzt sich fort, wenn unser Navigationssystem einen Stau meldet, der sich beim Blick durch die Windschutzscheibe nicht zeigt, und viele spontan nicht mehr wissen, wem sie misstrauen, dem Navi oder ihren Augen. Konkurrieren hier noch zwei Realitäten, so ist unsere »alte« Realität in anderen Fällen bereits völlig ersetzt. Man denke nur an Googles Suchmaschine. Sie *stellt* die Welt nicht auf klassische Weise *dar* wie eine geografische Karte oder ein Lexikon, sondern sie *erzeugt* uns eine Welt, angeordnet in einer Computerlogik, die als solche völlig hinter einer bestimmten Repräsentation, der neuen »Realität«, verschwindet. Die Suchmaschine erscheint uns nicht als Abbild, sondern als das global verfügbare Wissen selbst. In diesem Sinne spricht der US-amerikanische Wissenschaftshistoriker George Dyson von einer »analogen Revolution«. Die Modelle der Informatiker sind keine Modelle mehr. »Was als Kartierung der Bedeutungen begann, die Menschen einem Begriff oder Ding zuordnen, definiert nun selbst diese Bedeutungen und beginnt das menschliche Denken zu kontrollieren, statt seine Inhalte lediglich wie ein Katalog oder Index aufzulisten.«[135]

Doch das Spiel ist wechselseitig. Einerseits formt und bestimmt digitale Technik immer stärker unser Wahrnehmen und Denken, und anderseits verändert sich diese Realität der digitalen Medien tagtäglich durch den Gebrauch, den Milliarden Nutzer von ihnen machen und macht sie dadurch immer unkontrollierbarer. Denn wenn jeder mit seinem Verhalten das soziale Netzwerk, in dem er ist, die Wissenswelt der Suchmaschine oder demnächst den ganz realen Straßenverkehr mitgestaltet, den eine KI verarbeitet, dann wirkt er mit an einer höchst eigenständigen Welt, in der ständig Analoges geschieht, das Digitales beeinflusst. Die künstlich organisierte Welt wird damit nicht nur rasant komplexer, sondern zugleich immer weniger steuerbar.

Digitale Systeme, die ohne Kontrolleure auf monopolistisch privatisierten Märkten agieren und dabei die Grenzen zwischen analog und digital völlig verwischen, sind etwas ganz Neues. Sie voll ziehen in gewisser Weise den Schritt von der simulierenden (mit Modellen arbeitenden) zur simulierten Gesellschaft, bei der Modell und Realität zusammenfallen. Eine solche Lebenswelt lässt sich nicht mehr kontrollieren, auch nicht von den betreibenden Firmen.

Der Wirklichkeitssinn des Menschen wird durch die Präzision künstlicher Intelligenz also nicht einfach nur geschärft. Er verlagert sich von der Tiefe auf die Oberfläche. Sich vollständig auf KI zu verlassen bedeutet, sich anders auf die Welt einzulassen, einer anderen Logik zu folgen und sich von seinem gesunden Menschenverstand, mindestens aber von vielen eigenen Gedanken zu verabschieden. Statt selbst und untereinander Regeln und Logiken zu finden, vertraut jeder dem, was eine Maschinenlogik ihm vorgibt. Die Welt der Überwachungskameras, der Gesichtserkennungssoftware, der voll automatisierten Drohnen, Fahrzeuge und Waffen zeigt, dass die Gesellschaften des Westens, nicht anders als die des Fernen Ostens, bislang offenbar bereit sind, Maschinen über Menschen urteilen zu lassen, über ihre Schicksale, sogar über ihr Leben und ihren Tod. Trifft praktische Nützlichkeit auf gesellschaftliches Unbehagen, gewinnt derzeit offensichtlich die Erstere. Die Vorteile von Überwachungskameras sind sichtbar und damit leicht einsehbar; der Schaden des schleichenden Freiheitsentzugs nicht. Die Logik unseres gesellschaftlichen Urteils gleicht sich damit dem von Maschinen an. Polizei, Geheimdienst und Unternehmen sind aus Systemlogik Utilitaristen: Was bringt mir in Hinsicht auf meine Ziele – Sicherheit oder Gewinn – den größten Nutzen? Diesen nachvollziehbaren Utilitarismus in einen größeren gesamtgesellschaftlichen, mithin philosophischen Kontext zu stellen ist nicht ihre Sache.

Die Frage nach dem künftigen Umgang mit KI ist deshalb vor allem eine Bildungsfrage. Wir brauchen in Deutschland vielleicht mehr Programmierer, aber wir brauchen in Zukunft noch viel mehr Menschen, die das sehen, was Programmierer berufsbedingt nicht sehen. Welche Programmierung gesellschaftlich richtig ist und welche nicht, ist keine Frage für Informatiker. Wir müssen, mit einem Wort, lernen, intelligenter mit Computern umzugehen, ihre Stärken und Schwächen besser einzuschätzen, ihre sinnvollen Einsatzfelder abzustecken und ihre Chancen und Gefahren klarer zu sehen. Denn je mehr selbstlernende Technik uns und unser Zusammenleben bestimmt, umso geringer wird der Freiraum für individuelle Entscheidungen und damit für Sinnstiftungen. Wenn Sensoren meine Schlafdaten, meinen Biorhythmus, meine Herzfrequenz usw. kennen und daraufhin Empfehlungen für den Tag aussprechen, muss ich mir selbst immer weniger Gedanken machen. KI-Freunde sagen gerne, man habe dann mehr Zeit für »anderes«. Aber was soll dieses andere sein? Spielen? Konsumieren? Zeit ist, wie der Soziologe Hartmut Rosa klug erklärt, keine Ressource, man kann sie nicht »sparen«.[136]

In einer Welt, in der immer ausgefuchstere KI überall das Denken abnimmt, werden Menschen sich wahrscheinlich langweilen wie Tiere im Zoo. Dem hohen Maß an Lebenssicherheit und Erwartbarkeit steht die völlige existenzielle Überraschungsfreiheit gegenüber. Natürlich gelten auch für Menschen die Argumente der Zoodirektoren. Viele Tiere im Zoo haben eine längere Lebensdauer, sie vermehren sich gut, haben viel weniger Krankheiten und Verletzungen und werden auf naturidentischen Zooanlagen mit naturidentischen Bespaßungen unterhalten. Aber ist der Zoo für sie deshalb die artgerechtere Welt? Man denke auch an die Tristesse vieler Science-Fiction-Filme, etwa im *Raumschiff Enterprise*: Was würden Spock und Co. in ihrer klinischen Pyjamawelt eigentlich den ganzen Tag tun, wenn es keine letzte Unperfektion in Form von Klingonen, den Borg und ähnlichem Raubzeug gäbe?

Und doch geht die Reise derzeit in tausend kleinen Schritten in genau diese Richtung. Die Kehrseite der rasanten Beschleunigung, der nicht abreißenden Disruptionen und Changes, der Zooms, die jedes Detail sichtbar machen auf Kosten größerer gesellschaftlicher Unschärfe, ist das Phlegma, ist der untätige, faule Konsument, der immer alles will – und zwar sofort. Und Mitmachen auf dem Weg ist keine freie Entscheidung, sondern Zwang. Wer sich an die technischen Überwachungs- und Kommunikationsstandards unseres Alltags- und Berufslebens nicht anpasst, verliert zur Strafe den Anschluss, den Zugang zu vielem und in der immer technisierteren und automatisierteren Welt die Orientierung. Einspruch ist prinzipiell nicht möglich. Ein veraltetes Betriebssystem wird nicht mehr gewartet, und technische Standards erfordern permanente Anpassung. Bankfilialen weichen flächendeckend Online-Banking. Wer mit Bargeld bezahlen möchte statt mit seinem Smartphone, kann das irgendwann nicht mehr. Das Gerät ist dann für jeden unverzichtbar – und die Spionagesoftware unvermeidlicher Begleiter.

Freuen können sich darüber die Social-Credit-Diktatoren in Ost und West, die offensichtlichen in Peking und die versteckten im Silicon Valley. Mehr Daten, einst ein Versprechen, schaffen nicht einfach mehr Transparenz, sondern auch mehr unkontrollierte Macht und Entscheidungen ohne sichtbare Entscheider. Künstliche Intelligenz, entwickelt von wenigen Konzernen, könnte Politikern in aller Welt schon bald sagen, wie sie ihre Wahlkampfstrategien ausrichten sollen, um Menschen millionenfach von bestimmten Ansichten zu überzeugen. Sachfragen der Politik werden als Erstes von Computern durchgerechnet und beantwortet. Und Politiker halten es für clever, sich an diese Expertisen zu halten. Doch wozu brauchen wir sie dann noch? Was KI ausrechnet, ist exakt, unbestechlich und vermeintlich objektiv. Kein Mensch, auch kein Politiker, kommt dagegen an, zumal ihm echte Expertise ohnehin schon lange nicht mehr zugetraut wird. Seit Helmut Schmidt dürfte es in Deutschland keinen Politiker mehr gegeben haben, der beim Wähler noch als Experte für das große Ganze durchging. Was also soll Demokratie in einer zunehmend automatisierten Expertokratie noch bedeuten? Wozu menschliche Amateure wählen, wenn die wahren Profis Computer sind?

Die Positivisten des Silicon Valley, Firmen, die den Fortschritt anbeten, wie ehemals Comte es tat, sind, wie freiwillig oder systemgetrieben auch immer, im Begriff, unsere Gesellschaft langfristig zu ersetzen: von der liberalen Demokratie zur vorausschauenden Sozialtechnik. Sie folgen damit, paradiesischer verbrämt, jenem Weg in eine kybernetische Diktatur, den China so offen und ohne Skrupel heute schon geht. Dessen »Plan zur Verbesserung des Menschen« – ein Titel, der von Comte stammen könnte – kennt Pflichten statt Rechte, Unterordnung statt freier Individualität und statt des Einzelnen vor allem das große Ganze. Die geistige Gewalt ist der Kommunismus, die weltliche die *Industrie*. China ist dem positivistischen Geist heute näher als jeder Staat in der Geschichte. Der Fluchtpunkt der »Soziokratie« in comtescher Manier ist nicht die Freiheit. Es ist die totale Kontrolle; in der sogenannten westlichen Welt gut versteckt, im Fernen Osten ganz offensichtlich.

All das geschieht nicht von alleine. Und es ist aufhaltbar, zumindest in den westlichen Demokratien. Immerhin leben sie davon, dass Politik nicht alternativlos ist, dass gesellschaftlicher Wandel gestaltet wird und nicht einfach eintritt wie das Wetter. So wie das erste Maschinenzeitalter nach und nach immer größere staatliche Maßnahmen und Gesetze verlangte, um mithilfe von Sozialpolitik die übelsten Missstände kapitalistischer Ausbeutung zu verringern, Sozialversicherungen einführte und darauf drängte, die Löhne zu erhöhen, so wartet auch im zweiten Maschinenzeitalter der künstlichen Intelligenz gewaltige Arbeit auf die Parteien und Politiker. Und man kann nur hoffen, dass sie nicht, wie im 19. Jahrhundert, erst aus größtem Schaden – Massenverelendung, sozialen Unruhen und ideologischen Zuspitzungen – lernen werden, sondern (was selten in der Menschheitsgeschichte geschehen ist) ausnahmsweise präventiv handeln. So wie der Arbeiter zu Beginn und auf dem Höhepunkt der ersten industriellen Revolution nur rechtloses Nutzvieh war, so darf der zum User verkommene Bürger im 21. Jahrhundert nicht allseits ausbeutbares Daten-Nutzvieh sein, ohne dass wir unsere gesamte Gesellschaftsordnung verspielen.

# *Im Weltraum*

Der Weltraum des Menschen ist die Erde.[137] Sie ist es als Weltaußenraum, jener Ort, an den er sich im Laufe einer langen, mühseligen Evolution angepasst hat, an eine bestimmte Atemluft, ein Klima und eine für ihn passende Nahrung. Und sie ist es als Weltinnenraum, als die Welt, die er sinnlich erlebt, mit seinem Bewusstsein modelliert und mit Gefühlen, seinem Sinn für das Angenehme und Nützliche, das Wertvolle und das Schöne, das Gemeinsame und das Trennende ertastet. Ein anderer Weltraum ist Menschen von der Natur nicht gegeben. Sie können keine zweite Erde im Himmel erbauen, so wie sie niemals den Himmel auf Erden schaffen. Mag die Sehnsucht vieler Menschen im offenen Halbwüstengelände der Levante oder über Kants Königsberger Äckern dem Sternenhimmel gegolten haben – dorthin aufzubrechen wird seine Erhabenheit schnell zerstören. Ein Leben in einer Raumstation oder auf fremden Planeten ist öde und leer; auf den Gipfeln der höchsten Berge, erzählte mir Reinhold Messner, liegt Schutt.

Unser Weltaußenraum ist heute in einem Maße von der Zerstörung bedroht wie nie zuvor seit Auftritt des Homo sapiens auf der Weltbühne. Das Bemühen, die große Zerstörung aufzuhalten, die »Selbstverbrennung« zu verhindern, von der der Klimaforscher Hans Joachim Schellnhuber spricht,[138] verlangt nicht nur nach neuer Technik, erneuerbaren Energien, besseren Speicheranlagen und dem Einsatz von KI beim Sparen von Strom. Es verlangt zugleich einen Mentalitätswechsel, eine andere Kultur im Umgang mit der Erde; mithin den Abschied vom Diktat des Schneller, Höher, Weiter, das unsere Ökonomie noch immer fantasielos, ehern und trotzig vorgibt. Die Menschen in den reichen Industrieländern wissen längst, dass ihr Lebensstil mit dem Manko befrachtet ist, nur ihnen vorbehalten zu sein und nicht der Mehrzahl der Weltbevölkerung. Unser Verbrauch an natürlichen Ressourcen ist nicht auf alle übertragbar, ohne die Lebensgrundlagen rasant zu zerstören. Doch jetzt, endlich, dämmert den Gesättigten und Übersättigten, dass auch sie nicht mehr so weiterleben können wie bisher.

All das hat erhebliche Auswirkungen auf die Rolle von Technik und Technologie in der Menschenwelt. Natur, lässt sich nicht wie in den vergangen Jahrhunderten darauf reduzieren, »Material für den Ordnungsentwurf des Menschen« zu sein.[139] Die höchste Evolution des Menschen ist nicht, wie bei Nietzsche, zugleich die höchste Evolution der Welt, sondern deren Vernichtung, in der nur Zyniker einen Fortschritt sehen können. Dass die Höherentwicklung der Welt, diktiert von der Evolution, den Menschen dazu nötigt, die Welt durch und durch zu technisieren, wie Kurzweil meint, ist heute nicht mehr glaubhaft. Wenn die erklärte Funktion, den Menschen oder die Menschheit dadurch vollkommener zu machen, nicht mehr überzeugt, wird die Vorstellung zu einem Anachronismus. So gesehen haben wir es heute mit einem Ordnungsschwund und Orientierungsverlust in den Visionen der Techniker zu tun. Während sie das neue Maschinenzeitalter der künstlichen Intelligenz ausrufen, schwankt unter ihnen der Boden. Die rasant anschwellende ökologische Katastrophe spricht eine deutliche Sprache: Der Preis für das angebliche bessere Leben einer imaginären »Menschheit« ist, so, wie es heute vorangetrieben wird, das sichtbar schlechtere Leben für die allermeisten real existierenden Menschen.

Doch nicht nur für die Technik, auch für das Betriebssystem »Kapitalismus« bedeutet diese Re-Vision die größte Herausforderung seit dem enormen Struktur- und Kulturwandel der ersten industriellen Revolution.

Wie unbelehrbar und gewalttätig standen die Fabrikherren des 19. Jahrhunderts damals der sozialen Revolution der Ökonomie gegenüber, die die Arbeiterbewegung und die Gewerkschaften forderten – und wie segensreich für Hunderte Millionen Menschen erwies sich schließlich die so lange verweigerte große Transformation vom Manchesterkapitalismus zur sozialen Marktwirtschaft. Nicht minder groß sind heute die Dringlichkeit und die Herausforderung bei der Transformation zu einer sozialen und nachhaltigen Marktwirtschaft. Doch noch immer erscheint sie Liberalen wie Sozialisten als ein ebenso großer Widerspruch wie für die Konzernherren des 19. Jahrhunderts ein sozialer Kapitalismus. Für viele Liberale ist die »Klimakrise« ein Medienthema, maßlos aufgebauscht und hoffentlich schnell vergänglich, weil sie ihnen ein fundamentales Umdenken abnötigt, das sie psychisch nicht bewerkstelligen. Viele Linke dagegen träumen beim Green Deal von einer völlig neuen Ökonomie, die *den* Kapitalismus im Schnellwaschgang beseitigt. Doch der Kapitalismus ist weder ein isolierbares und damit austauschbares Phänomen, noch liegt eine funktionstüchtige Alternative passend bereit. Was fehlt ist Überlebenspragmatismus und Realpolitik; einzusehen, dass man bestimmte Kompromisse nicht mehr machen kann. Die richtige Lösung beim Überleben der Menschen liegt nicht irgendwo in der Mitte. Den Wohlfühl-Demokratien des Westens ist das nicht einfach zu vermitteln. »Mitte« und »Maß« sind ihre liebsten politischen Werte. Doch wenn die Erde Risse bekommt, ist es um Mitte und Maß nicht gut bestellt. Die ökologische Situation und das zweite Maschinenzeitalter der künstlichen Intelligenz verlangen kein politisches Geschäft in vorgefertigten Bahnen. Vielmehr zwingen sie uns dazu, das kulturelle und wirtschaftliche Betriebssystem heutiger Industriegesellschaften infrage zu stellen. Sie brauchen neue Antworten auf alte Fragen.

Dieser monumentale Strukturwandel ist nur denkbar, wenn sich das Denken, die Kultur, das Bewusstsein, mithin der Weltinnenraum vieler Menschen stark verändert. Immerhin zweihundert Jahre hatte es gebraucht, um Menschen tief einzupflanzen, dass sie sich permanent zu optimieren hätten: durch zu ihnen passende Konsumgüter, beruflichen Aufstieg, extensive Freizeitgestaltung und mehr oder weniger kapitalistische Partnerwahl; dass es im Leben darauf ankommt, ein Maximum zu erwirtschaften an Kapital und Status, Aufmerksamkeit und Anerkennung. Wie lange musste man und muss man noch heute Menschen einreden, immer wieder Grenzen sprengen zu wollen, Disruptionen zu begrüßen und in neue (Konsum-)Welten aufzubrechen; nicht weil sie schon immer dorthin wollten oder Altes so gerne zerstören, sondern weil Grenzen zu sprengen der ungeschriebene Verfassungsauftrag unserer expansiven Ökonomie ist – auch wenn man damit bekanntlich nie das Gelobte Land, sondern immer nur eine neue Grenze erreicht

Der neue Auftrag dagegen lautet: Grenzen akzeptieren zu lernen! Das ist nicht leicht zu internalisieren. Der Ehrgeiz der antiken Griechen war das souveräne Sich-Abfinden; Optimierung bedeutete, gelassener zu werden. Wie weit haben wir uns inzwischen davon entfernt, wenn Glück stets einen Kick bedeuten muss, eine *challenge* und wenn es stets im Neuen liegen soll und nicht im Gewohnten, Bekannten und Vertrauten?

Tatsächlich aber stoßen wir derzeit überall an Grenzen. Nicht nur im physikalischen Weltraum, in dem wir ohne einen erheblichen, jegliche Freiheit einschränkenden technischen Aufwand nicht leben können; nicht nur im Hinblick auf die begrenzten Ressourcen und das sensible Zusammenspiel der biotischen und abiotischen Faktoren unseres Lebensraums Erde; nicht nur in der Konfrontation mit unserem eigenen ökologischen Zerstörungswerk, der wahren Disruption unserer Epoche – der Disruption aller Disruptionen. Nein, wir stoßen auch an die Grenzen unseres Denkens, uns eine andere Mentalität, Kultur und Ökonomie überhaupt vorstellen zu können, eine Utopie zu entwickeln, die großzügig über die Mittel verfügt, unsere schnelllebige und unsichere Gegenwart mit einer gemütlicheren Vergangenheit zu verbinden. Fortschritt und Humanität, Unbekanntes und Bewahrenswertes jenseits aller vermeintlichen Alternativlosigkeit neu aufeinander zu beziehen ist keine leichte Aufgabe. Doch zumindest die Atempause des gefühlten Stillstandes der Welt, die das Corona-Virus in den Industrieländern schuf, dürfte den Sinn dafür, die gewohnte und oft gehetzte Lebensweise zu überdenken, geweckt haben.

Wir werden lernen müssen, die eigene Selbstbehauptung an einer Zukunft auszurichten, die nicht »kommt«, sondern so oder so gemacht wird. Das gilt ganz besonders für den künftigen Einsatz von Technologie. Künstliche Intelligenz ist weder ein Erlösungsweg noch Teufelswerk. Sie ist immer so gut oder schlecht wie die Absichten der Menschen, die sie programmieren, und der Firmen, Institutionen und Staaten, die sie einsetzen. Um Glück geht es dabei am wenigsten, zumal jede Technik im Alltag bekanntermaßen schnell selbstverständlich wird und sich dadurch rasant entwertet. Nur für die wenigsten Menschen ist eine normale Autofahrt im Stadtverkehr oder eine Flugreise ein erregendes, glücksstiftendes Ereignis, genauso wenig, wie ins Internet zu gehen, mit einem Smartphone zu telefonieren oder Bilder zu verschicken. Die Aufregung um neue Technik hat eine enorm kurze Halbwertszeit. Mit dauerhaftem Glück ist da wenig.

Die Aufgabe von Technik ist es, nützlich zu sein, aber nicht in gleichem Maße glücksmehrend oder gar sinnstiftend. Das gilt auch für künstliche Intelligenz. Nachhaltige Nützlichkeit ist allerdings mehr als kurzfristiges Geschäftsinteresse. Und unbedenkliche und bedenkliche Einsatzfelder der KI müssen sehr viel genauer unterschieden werden als bisher. Dieses Buch hat sich mit den Deutungsmustern und den Zukunftsvorstellungen von KI-Visionären und von Konzernstrategen und Politikern, die ihnen folgen, beschäftigt. Und es hat sich bemüht, eine eingeschlagene Marschroute sichtbar zu machen, die so in keine gute Zukunft führt. Entsprechend viel Gewicht bekam vor allem jener Einsatz von künstlicher Intelligenz, der als gefährlich und unheilvoll beurteilt werden muss; entweder, weil er die Conditio humana deformiert ohne sie durch etwas Besseres zu ersetzen, oder weil er die menschliche Freiheit existenziell bedroht. Künstliche Intelligenz wurde in den Horizont ihrer problematischen Verwendung gestellt. Die unproblematischen und positiven Einsatzfelder wurden nur gelegentlich gestreift, weil sie die Frage nach dem Sinn des Lebens nicht berühren. Selbstverständlich spricht nichts dagegen, dass KI bei produzierenden Unternehmen Maschinen automatisiert wartet. Logistische Prozesse zu übernehmen, den Ressourcenverbrauch zu planen und beim Qualitätsmanagement und der Qualitätskontrolle zu helfen sind nützliche Dinge, sofern sie nicht zur Totalüberwachung der Beschäftigten führen. Das Gleiche gilt für digitale Assistenzsysteme bei der Prozessoptimierung und Prozesssteuerung. Ob Roboter nach Schüttgut oder Müll greifen und bislang nur von Menschen beherrschte Montageprozesse übernehmen – in diesen Fällen benötigen KI-Systeme keine personalisierten menschlichen Daten. Ebenso bei vielen rein wissenschaftlichen Anwendungen, von der Mathematik bis hin zu einer KI, die einen Karajan oder van Gogh imitiert, worin auch immer hier der tiefere Sinn liegen soll.

In der Medizin, dem am häufigsten genannten Feld künftiger Fortschritte durch KI, ist ihr Einsatz in gleichem Maße zu begrüßen, wie die Sicherheit der persönlichen Daten gewährleistet ist; angesichts des enormen Interesses des Silicon Valley an Medizindaten und der vielen Datenlecks der jüngeren Vergangenheit keine lapidare Aussage! Noch heikler wird es, wenn systemimmanent flächendeckend personalisierte Daten erfasst werden, etwa bei jeder Art von Suchmaschinen, bei der Sprach-, Gesichts- und Handschriftenerkennung und vielfach beim Data-Mining. Hier stellt sich die Frage, wer diese Daten wie lange speichern darf und wozu. Immerhin tangieren sie das in Deutschland verfassungsmäßig garantierte Recht auf informationelle Selbstbestimmung. Die Zahnlosigkeit der europäischen Justiz gegenüber Konzernen aus Übersee ist bekanntlich beeindruckend. Streng geächtet und verboten gehören all jene Anwendungen, wo künstliche Intelligenz über das Schicksal von Menschen entscheidet, mit allen nicht eindämmbaren Nachteilen und Gefahren, die dadurch erwachsen. Eine glasklare Regelung ohne Ausnahmen auf europäischer Ebene tut dringend not!

Beruhigenderweise handelt es sich hierbei nicht um Geschäftsmodelle, auf die die deutsche Wirtschaft bei Strafe ihres Untergangs nicht verzichten kann. Deutschland ist bei der Industriedaten-Vernetzung global führend – jenem Bereich, der von zukünftigen scharfen Grenzen am wenigsten berührt wird. Allgegenwärtige Gesichtserkennung – vom Bahnhof bis zum Supermarkt – dagegen ist unterm Strich kein ökonomischer Zugewinn. Sie nützt allenfalls wenigen Firmen, oft auf Kosten anderer. Das Gleiche gilt fürs voll automatisierte Fahren, bei dem ohnehin ausländische Unternehmen die Nase vorn haben. Allgemein erhöhen Geschäfte mit personalisierten Daten nicht die Produktivität, sondern verlagern nur Umsätze und Gewinne von vielen Marktteilnehmern zu sehr wenigen, die über die größten Datenmengen verfügen und über bessere Analyse- und Prognosesysteme. Volkswirtschaftlich ist diese Entwicklung äußerst bedenklich, und von einer »Enteignung des Mittelstands« zu reden ist zwar plakativ, aber nicht falsch.

Sich über den gesellschaftlich vertretbaren Einsatz von KI klarer zu werden ist das eine. Das andere, und hierbei wird zur Zeit viel mehr gewarnt, gemahnt und beschwichtigt, sind die Folgen für die Arbeitswelt. Künstliche Intelligenz, wenn sie öffentlich diskutiert wird, wird oft als Jobkiller gefürchtet. Selbstverständlich wird der immer massivere Einsatz von KI ungezählte bezahlte Beschäftigungsverhältnisse abschaffen, selbst dann, wenn wir KI in ihre notwendigen ethischen Schranken weisen. Aber die Diskussion über die drohenden Jobverluste ist längst nicht auf der Höhe der Zeit. Parteien und Gewerkschaften führen sie nämlich so, als wäre es absolut wünschenswert, die derzeitige Arbeitswelt in vollem Umfang und gegenwärtigem Zuschnitt zu erhalten. Ist es das wirklich? Was ist so wünschenswert am Erhalt einförmiger und gleichförmiger Büroarbeit? Wäre es schön, wenn wir in Deutschland noch Hunderttausende Bergleute und Stahlarbeiter mit ruinierter Gesundheit und geringer Lebenserwartung hätten wie in den Fünfzigerjahren? Glauben Gewerkschaften wirklich, wir werden in künftigen Jahrzehnten der Arbeit in Callcentern oder der Schadensaufnahme in Versicherungen nachtrauern?

Die Frage nach dem Sinn des Lebens ist nicht von Natur aus daran gekoppelt, von neun Uhr morgens bis fünf Uhr nachmittags in ein Büro zu gehen und dort für Geld zu arbeiten. Tatsächlich ist die Verbindung von Lohnarbeit und Sinn sehr neu; die Sinnfrage zu stellen konnten sich noch in der Generation meiner Eltern nur wenige Künstler oder Unternehmer leisten. Dass sie heute viele junge Leute beschäftigt, ist sicher ein Fortschritt und eine schöne und emanzipatorische Folge der Wohlstandsgesellschaft. Doch die Arbeit in einer Großbäckerei, beim Paketdienst oder an einer Supermarktkasse sperrt sich dagegen. Je stärker die Frage nach dem Sinn in die klassische Lohnarbeitsgesellschaft eindringt, umso weniger passt beides zusammen. Statt verbissen am Alten festzuhalten, an der Leistungs- und Lohnarbeitsgesellschaft klassischer Prägung, stellt sich herausfordernd die Frage: Wie könnte eine Tätigkeitsgesellschaft der Zukunft aussehen, die wünschenswerter wäre als die Lohnarbeitsgesellschaft der Gegenwart?

Künstliche Intelligenz hat das Potenzial, arbeitende Menschen zu »Sklaven der Prozesse« zu machen – aber ebenso ein gewaltiges Freiheitspotenzial, indem sie Menschen von wenig sinnstiftender Arbeit befreit. Ob ihr Einsatz die Spaltung von Arm und Reich forciert und Millionen Abgehängte produziert oder ob sie eine völlig neue Tätigkeitsgesellschaft mit anderen sozialen Sicherungssystemen und mehr sozialer Anerkennung hervorbringt – diese Frage entscheiden keine Programmierer, sondern Politiker. Und sie sind es auch, die darüber entscheiden müssen, ob wir privatisierte Märkte in den Händen weniger IT-Konzerne oder eine freie, soziale und nachhaltige Marktwirtschaft haben wollen. Je untätiger und fahrlässiger wir sind und dabei jegliche Ordnungspolitik vernachlässigen, desto weniger haben Politiker in Zukunft überhaupt noch zu bestimmen. Sollten die KI-Systeme der Hightech-Oligarchen in Zukunft immer unkontrollierbarer werden – wofür viel spricht –, wird sich die Frage nach einer Ordnungspolitik durch Regulierungen und Gesetze irgendwann erledigen. Die Situation ist vergleichbar mit dem Kampf gegen die Klimakatastrophe. Was wir heute nicht kraftvoll angehen, wird in der Zukunft so mächtig sein, dass wir es gar nicht mehr angehen können.

Für Fatalismus im Angesicht der Zukunft gibt es weder einen Grund, noch haben wir die Zeit, ihn uns zu leisten. *Nothing is written!* Sind die exponentiellen Kurven und die vermeintlich evolutionären Zwänge der IT-Gurus erst als Mythen enttarnt, öffnet sich plötzlich ein großer Spielraum, in dem sich Gesellschaften über sich selbst, ihre Werte und Ziele verständigen und vergewissern können. Künstliche Intelligenz zeigt Menschen eben nicht nur ihre Grenzen auf, sondern auch ihre Stärken. Unsere kleine Reise ins Herz der Menschlichkeit sollte uns gezeigt haben, auf welch fantasievolle, emotionale und oft unkonventionelle Art und Weise real existierende Menschen die Welt sehen.

IT-Spezialisten und Ökonomen mit ihrem Effizienzkult dagegen verstehen – so muss man nach vielem, was wir von ihnen hören, vermuten – zwar viel vom Umsatz, aber nicht viel von dem, was das Leben lebenswert macht. Die ökonomisch Starken, meint der Kabarettist Hagen Rether, sind die sozial Schwachen. Auf das Silicon Valley bezogen, wird man ihm nicht widersprechen können. Der Sinn des Lebens besteht nicht in schonungsloser Expansion und Ausbeutung aller Ressourcen für vergleichsweise geringen Glückszuwachs. Der Sinn des Lebens ist das Leben selbst, aber nicht im biologischen, sondern im existenziellen Sinn. Niemand schreibt der Natur und der Menschheit eine festgelegte Richtung vor, nur windige Geschäftemacher und falsche Propheten. Und niemand, der etwas von Menschen versteht, betrachtet die Technik und ihren Gebrauch rein biologisch, sondern vor allem anderen kulturell.

Menschliches Leben und Zusammenleben wird sehr viel mehr durch unsere Kultur bestimmt, als sich in technischen Systemen nachvollziehen und abbilden lässt. Die Programmierer von KI und all diejenigen, die sie einsetzen wollen, haben hier viel zu lernen. Die Geistesgegenwart zu behalten bedeutet, unsere Kognition nicht einfach auszulagern. »Genauso wie die Digitalisierung versucht, die Welt der Software zugänglich zu machen«, schreibt der Autor Jürgen

Geuter, »muss jetzt die Sozialisierung des Digitalen vorangetrieben werden: die Gestaltung auch unseres digitalen Lebens als kommunikatives, humanes Netzwerk zum Wohle der Menschen.«[140]

Um ihren eigenen Einsatz gesellschaftlich zu überdenken oder ihre Grenzen gar selbst zu ziehen, dafür fehlt es KI noch für weitere Ewigkeiten an Intelligenz. Die Sinnhaftigkeit und Bedeutsamkeit ihrer Programmierung ist ihr blinder Fleck, und es gibt keinen Anlass zu vermuten, dass dies die Firmen, die sie entwickeln und einsetzen, stört. Wer nur einen Nutzen kennt, dem bleibt jede größere Sinndimension verborgen.

Dieses Problem und die Einseitigkeit der technischen Entwicklung ist schon an der Wende zum 19. Jahrhundert bestens beschrieben worden. Für den Kulturphilosophen Max Weber war die von ihm sogenannte Rationalisierung ein zweischneidiges Schwert.[141] Hatte er sie zunächst gefeiert, als ein großes Ordnen und Systematisieren der Wirtschaft, der Gesellschaft, der Wissenschaft, der Technik und des Rechts, so wurde ihm später immer mulmiger. Denn »rationalisieren« sich nicht auch längst die Moral, die Kultur, die Kunst, ja selbst die Sexualität? Und ist eine völlig versachlichte Welt ohne Glauben und Geheimnis, ohne Alltagsmythen und Irrationalität wirklich so lebenswert? Die gleiche Ambivalenz erkennt auch Webers Kollege Georg Simmel in seiner *Philosophie des Geldes*: einen gewaltigen, menschheitsumfassenden Prozess der Entzauberung. Rationalität, die ihre ersten Erfolge in der Physik des Himmels gefeiert hatte, wird zur Mikrophysik des Sozialen und pflügt es um.[142] Wo Werte waren, bleiben Geldwerte, wo Glaube herrschte, regieren Erwartungen, wo Intimität ruhte, fließt Geldverkehr.

Eigentlich soll die »objektive Kultur« der Technik den Menschen ja befreien. Sie macht ihn unabhängiger von der Natur und ihren Zwängen. Doch die intelligenten Mittel dazu, das Geld und die Technik, befreien nicht nur. Sie gewinnen ein Eigenleben und machen den Menschen auf neue Weise abhängig, wo sie ihn von alten Zwängen befreien. So schlägt die Technik den Menschen in ihren Bann, weil er ohne sie nicht mehr auskommt, und jagt ihn von Stufe zu Stufe höher. Aus dem Mittel ist ein Zweck geworden, und statt Treiber der Technik zu sein, wird der Mensch zum Getriebenen. Am Ende ist die Technik ein Fetisch wie das Geld, sie wird zum Wert an sich, ohne Rücksicht auf die Frage nach den Verlusten.

Haben wir inzwischen daraus gelernt? Oder werden Menschen mal wieder nur aus Schaden klug? Warten wir ab, bis uns die künstliche Intelligenz völlig über den Kopf wächst, an der Börse, im Alltag und in der Arbeitswelt, dass sie unserer Kontrolle entgleitet, um ohne jede böse Absicht unkontrollierbar zu werden? Dass sie beurteilt, welchen Wert menschliches Leben hat, dass sie über das Schicksal von Individuen richtet, ohne auch nur ansatzweise verstanden zu haben, was ein Individuum ist? Dass sie unsere Demokratie aushöhlt?

Gerade weil künstliche Intelligenz Menschen dazu zwingt, ihr Selbstverständnis zu modifizieren und genauer zu sehen, was ihre wahren Bedürfnisse sind, dürfen wir ihre Zukunft nicht dem Können von Programmierern und dem Willen ihrer Finanziers überlassen. Dieser Erkenntnisfortschritt ist dialektisch. Die Lektion der KI besteht nicht darin, rational zu werden wie Maschinen, sondern zu erkennen, was Rationalität nicht leisten kann. Gerade im Vergleich mit der Maschine lassen sich Menschen heute umso schärfer und genauer als ihr Anderes beschreiben. Statt über einen Co-Existenzialismus mit Maschinen nachzudenken, sollten wir es mit dem Co-Existenzialismus mit Pflanzen und Tieren tun. Millionen Jahre der Evolution haben den Menschen ziemlich gut an die Lebensbedingungen unseres Planeten angepasst, wenige Jahrzehnte der KI werden ihm kein besseres Paradies bauen können, eher eine Hölle.

Wenn wir Bilder eines gelungenen Menschseins suchen, dann finden wir sie nicht in den seelenlosen Hochglanzideen der Post- und Transhumanisten. Wir finden sie hier und jetzt auf der Erde in unserem Weltraum. So viel Erkenntnisfortschritt auf diesem Zukunftsweg steht uns noch bevor, so viel Kühnes lässt sich in Angriff nehmen. Die Versprechen vom Überwinden des Menschen durch Superintelligenz und Raumfahrt sind nicht entfernt so aufregend wie das verlockende Ziel einer intakten Erde. Wie wenig haben wir bisher von der Natur verstanden, der wir so leichtfertig eine vorbestimmte Richtung, einen objektiven Entwicklungssinn andichten, der den größten Konzernen in den Kram passt.

In dem Kinderbuch *Winter im Mumintal* erwachen die finnischen Trolle entgegen ihrer Biologie ein einziges Mal viel zu früh aus dem halbjährigen Winterschlaf. Tiefster Schnee verzaubert die Landschaft und macht das Bekannte unbekannt. Nichts an ihrer Umgebung kommt den Mumins mehr vertraut vor. Ganz andere, völlig ungekannte Wesen treiben sich herum und beanspruchen das Tal mit gleichem Stolz und Recht wie sie. Das Faszinierende ist so nah! Der Winter im Mumintal steht den Menschen noch bevor. Hoffen wir, dass wir rechtzeitig aufwachen!

# ANHANG

# *Anmerkungen*

1. Förderantrag. Memento des Originals vom 30. September 2008 im *Internet Archive.*
2. David Gugerli: *Wie die Welt in den Computer kam. Zur Entstehung digitaler Wirklichkeit*, Fischer 2018, S. 103.
3. https://www.fr.de/wirtschaft/miteinemhurrikankannmannicht-verhandeln12272668.html. Siehe auch Lotfi Belkhir undAhmed Elmeligi: »Assessing ICT global emissions footprint: Trends to 2040 & recommendations«, in: Journal of Cleaner Production, Vol. 177, 2018, S. 448–463; https://doi:10.1016/j.jclepro.2017.12.239.
4. https://brighterworld.mcmaster.ca/articles/how-smartphones-are-heating-up-the-planet/]
5. https://www.welt.de/wissenschaft/article13391627/WiedasInternet-zumKlimakillerwird.html. Siehe auch: https://nachhaltig.digital/index.php?menuecms=2830&id=139.
6. Nick Bostrom: *Superintelligenz. Szenarien einer kommenden Revolution*, Suhrkamp 2018, 3. Aufl., S. 365.
7. Ebda., S. 364.
8. Herbert A. Simon: *What Computers Mean for Man and Society*: »Perhaps the most important question of all about the computer is what it has done and will do to man's view of himself and his place in the universe.« (Übersetzung R. D. P.); https://pdfs.semanticscholar.org/a9e7/33e25ee8f67d5e670b3b7dc4b8c3e0084 9ae.pdf.
9. Ich benutze diese Formulierung in Anlehnung an Kant, der von den Leidenschaften und dem Begehren des Leibes, dem Unschicklichen und dem Unlogischen als »dem Anderen der Vernunft« sprach.
10. Zit. nach Bostrom, a. a. O., S. 31.
11. Siehe dazu den bahnbrechenden Aufsatz von Thomas Nagel: »What Is It Like to Be a Bat?«, in: *The Philosophical Review*, Vol. 83, Nr. 4, 1974, S. 435–450; organizations.utep.edu PDF; 196 kB, JSTOR: 2183914, https://doi:10.2307/2183914.
12. Jakob Johann von Uexküll: *Umwelt und Innenwelt der Tiere*, Springer 1909; ders.: *Theoretische Biologie*, Springer 1928, 2. Aufl.
13. Ian Bogost: *Alien Phenomenology, or What It's like to Be a Thing*, University of Minnesota Press 2012.
14. Timothy Morton: *The Ecological Thought*, Harvard University Press 2010.
15. Levi Bryant: Onticology: A Manifesto for Object-Oriented Ontology, Part 1, *Larval Subjects*, Retrieved 2011.

16. Gegen solche Gegensatzpaare wendet sich der vom französischen Poststrukturalismus inspirierte »kritische Posthumanismus«. Ihm sei, nach der Philosophin Janina Loh, »nicht mehr primär an ›dem‹ Menschen gelegen, sondern er hinterfragt die tradierten und zumeist humanistischen Dichotomien wie bspw. Frau – Mann, Natur – Kultur sowie Subjekt – Objekt, die zu der Entstehung unseres gegenwärtigen Mensch- und Weltbildes maßgeblich beigetragen haben. Der Posthumanismus überwindet ›den‹ Menschen, indem er mit konventionellen Kategorien sowie dem damit einhergehenden Denken bricht. So gelangt der Posthumanismus hinter oder nach (›post‹) ein für die Gegenwart essenzielles Verständnis vom Menschen. Auch der kritische Posthumanismus hat eine Vision vom Posthumanen, die allerdings nicht in einer verbesserten Variante des jetzigen Menschen zu sehen ist wie im Transhumanismus, sondern in einem neuen Verständnis vom Menschen.«; https://www.philosophie.ch/philosophie/highlights/philosophie-aktuell/transhumanismus-technologischer-posthumanismus-kritischer-posthumanismus. Allerdings sei gegenüber der radikalen Kritik an vermeintlich »humanistischen« Dichotomien angemerkt, dass der »kritische Posthumanismus« diese Gegensatzpaare als Negativfolie braucht, ohne die er sich selbst nicht formulieren kann. Deshalb arbeitet auch er vielfach mit Gegensatzpaaren, nicht zuletzt jenem von »altem« »Humanismus« und »neuem« »kritischem Posthumanismus«.
17. Dorothy L. Cheney und Robert M. Seyfarth: *Wie Affen die Welt sehen. Das Denken einer anderen Art*, Hanser 1990.
18. Hubert Dreyfus: *What Computers Can't Do: The Limits of Artificial Intelligence*, Harper & Row 1972; ders.: *Mind Over Machine: The Power of Human Intuition and Expertise in the Era of the Computer*, Free Press 1986; ders.: *What Computers Still Can't Do: A Critique of Artificial Reason*, MIT Press 1992.
19. Einen klugen und beachtenswerten Versuch, eine Ethik des Digitalen auf Max Schelers Wertphilosophie aufzubauen, unternimmt Sarah Spiekermann: *Digitale Ethik. Ein Wertesystem für das 21. Jahrhunderts*, Droemer 2019.
20. Vgl. Christoph Antweiler: *Heimat Mensch. Was uns alle verbindet*, Murmann 2009.
21. Martin Seel: *Theorien*, Fischer 2009, S. 63.
22. So der KI-Forscher Jürgen Schmidhuber in meiner Sendung *PRECHT* vom 20. Oktober 2019; https://www.zdf.de/gesellschaft/precht/precht-206.html. Minute 15.28.ff.
23. Armin Nassehi: *Muster. Theorie der digitalen Gesellschaft,* C.H. Beck 2019; Dirk Baecker: 4.0 oder Die Lücke, die der Rechner lässt, Merve 2018.
24. Pedro Domingos: The Master Algorithm. *How the Quest for the Ultimate Learning Machine will Remake our World,* Penguin 2015, S. 16.
25. Dass digitaler Kapitalismus zu »privatisierten Märkten« geführt hat, ist die kluge Analyse von Philipp Staab: *Digitaler Kapitalis-*

*mus. Markt und Herrschaft in der Ökonomie der Unknappheit*, Suhrkamp 2019.

26. MEW, Bd. 23, S. 788. Oder MEGA[2] II/6, S. 680/6.
27. Giannozzo Manetti: *Über die Würde und Erhabenheit des Menschen* (*De dignitate et excellentia hominis*), Meiner 1990.
28. Giovanni Pico della Mirandola: *Oratio de hominis dignitate / Rede über die Würde des Menschen*, Reclam 1997.
29. Vgl. Tanja van Hoorn: »Leibhaftige Menschheitsgeschichte. Georg Forsters physiologischer Blick auf den Menschheitskörper«, in: Maximilian Bergengruen, Johannes Friedrich Lehmann und Hubert Thüring (Hrsg.): *Sexualität – Recht – Leben: die Entstehung eines Dispositivs um 1800*, Fink 2005.
30. https://www.lingq.com/ko/learn-german-online/courses/93786/erster-teil-zarathustras-vorrede-3-249255/.
31. James Bridle: *New Dark Age. Der Sieg der Technologie und das Ende der Zukunft*, C.H. Beck 2019.
32. https://www.itespresso.de/2015/06/26/steve-wozniak-menschen-werden-haustiere-superschlauer-roboter/.
33. Bostrom, a.a.O., S. 64 und S. 69.
34. Ebda., S. 71.
35. Siehe dazu die scharfe Analyse von Mark Siemons: https://www.faz.net/aktuell/feuilleton/debatten/kuenstliche-intelligenz-wir-cyborgs-16316404.html.
36. Jürgen Schmidhuber: »True Artificial Intelligence will change everything«, TEDxLakeComo; https://www.youtube.com/watch?v=-Y7PLaxXUrs.
37. Zit. nach Tomasz Konicz: »Künstliche Intelligenz und Kapital«, auf: https://www.streifzuege.org/2017/kuenstliche-intelligenz-und-kapital, der einen sehr guten Überblick und eine schonungslose Analyse trans- und posthumanistischer Visionen und Geschäftsinteressen leistet.
38. Zur Analyse des Verhältnisses von Sinn und Nutzen im Trans- und Posthumanismus (u.a. im Anschluss an Hannah Arendt) siehe die umfassende Analyse von Janina Loh: *Trans- und Posthumanismus zur Einführung*, Junius 2018, insbes. S. 79–91.
39. Ray Kurzweil: *Die Intelligenz der Evolution. Wenn Mensch und Computer verschmelzen*, Kiepenheuer & Witsch 2016, S. 461.
40. Günther Anders: *Die Antiquiertheit des Menschen. Über die Seele im Zeitalter der zweiten industriellen Revolution*, Bd. 1, C.H. Beck 1988, 7. Aufl., S. 265.
41. David Hume: *Ein Traktat über die menschliche Natur*, xenomoi 2004, S. 419.
42. https://www.untergrund-blättle.ch/gesellschaft/sinn_und_nutzen_selbstvernutzung_des_menschen_2830.html.
43. Immanuel Kant: Akademie-Ausgabe, IV. Bd., S. 429.
44. Spiekermann, a.a.O., S. 161.
45. Søren Kierkegaard: *Unwissenschaftliche Nachschrift*, Bd. 1, *Gesammelte Werke und Tagebücher*, Grevenberg 2003f., S. 111.

46. Vgl. Loh, a.a.O., S. 84ff.
47. Kurzweil, a.a.O., S. 36.
48. Ebda., S. 37.
49. Ebda.
50. Ebda., S. 43.
51. Zum Begriff siehe: https://de.wikipedia.org/wiki/Alternativlos.
52. »So bedeutungsvoll der Kampf um die Existenz gewesen ist, so sind doch, soweit der höchste Theil der menschlichen Natur in Betracht kommt, andere Kräfte noch bedeutungsvoller; denn die moralischen Eigenschaften sind entweder direct oder indirect viel mehr durch die Wirkung der Gewohnheit, durch die Kraft der Überlegung, Unterricht, Religion u.s.w. fortgeschritten, als durch natürliche Zuchtwahl.« Charles Darwin: *Die Abstammung des Menschen*, Fourier 1992, 2. Aufl., S. 700.
53. »Die moralische Natur des Menschen hat ihre jetzige Höhe zum Theil durch die Fortschritte der Verstandeskräfte und folglich einer gerechten öffentlichen Meinung erreicht, besonders aber dadurch, daß die Sympathien weicher oder durch Wirkungen der Gewohnheit, des Beispiels, des Unterrichts und des Nachdenkens weiter verbreitet worden sind.« Ebda., S. 693.
54. Richard Dawkins: *Das egoistische Gen*, Rowohlt 1996, S. 243ff.
55. Kurzweil, a.a.O., S. 39f.
56. Bostrom, a.a.O., S. 9.
57. Ebda.
58. Ebda., S. 133.
59. Anders, a.a.O., S. VII.
60. In einem persönlichen Gespräch in Lübeck am 10. August 2019.
61. Siehe hierzu Tomasz Konicz: »Künstliche Intelligenz und Kapital«, auf: https://www.streifzuege.org/2017/kuenstliche-intelligenz-und-kapital.
62. Stuart Russell: *Human Compatible: AI and the Problem of Control*, Viking 2019.
63. Zitiert nach Konicz: »KI und Kapital«. Siehe auch: Stuart Russell: *Provably Beneficial Artificial,* auf https://people.eecs.berkeley.edu/~russell/papers/russell-bbvabook17-pbai.pdf.
64. »What if there was an AI programmed to want to pick as many strawberries as possible, and so it cultivated nothing but strawberries on all of Earth's land? Then it would be Strawberry Fields Forever!«; https://twitter.com/elonmusk/status/1225372729991421953.
65. Siehe Bostrom, a.a.O., S. 151.
66. Ebda., S. 137.
67. Ebda., S. 140.
68. Ebda., S. 160.
69. Ebda., S. 162.
70. Wilhelm Dilthey: Gesammelte Schriften, Bd. I, S. XVIII.
71. Seel, a.a.O., S. 151.
72. Bostrom, a.a.O., S. 158.
73. I Robot – Protect against his will: https://www.youtube.com/watch?v=5n2pEJiDuhE.

74. Thomas Metzinger: *Benevolent Artificial Anti-Natalism (BAAN)*; auf https://www.edge.org/conversation/thomas_metzinger-benevolent-artificial-anti-natalism-baan.
75. James Lovelock: *Novacene: The Coming Age of Hyperintelligence*, Allen Lane 2019.
76. Domingos, a. a. O., S. 286.
77. https://www.youtube.com/watch?v=-Y7PLaxXUrs.
78. Kierkegaard, GWT, Bd. 2, S. 51.
79. Dilthey, GS, Bd. VIII, S. X.
80. Ebda., S. 86.
81. Albert van Helden und Thomas Hankins (Hrsg): *Osiris*, Bd. 9, Instruments, University of Chicago Press 1994.
82. https://hub.jhu.edu/2019/03/22/computer-vision-fooled-artificial-intelligence/.
83. Bostrom, a. a. O., S. 197.
84. Isaac Asimov: *Meine Freunde, die Roboter*, Heyne 1982, S. 67.
85. Jonathan Haidt: »The Emotional Dog and Its Rational Tail: A Social Intuitionist Approach to Moral Judgement«, in: *Psychological Review*, Vol. 108, Nr. 4, 2001, S. 814–834.
86. Jonathan Haidt, Silvia Helena Koller und Maria G. Dias: »Affect, Culture, and Morality, or Is It Wrong to Eat Your Dog?«, in: *Journal of Personal and Social Psychology*, Vol. 65, 1993, S. 613–628.
87. Christoph Bartneck, Christoph Lütge, Alan R. Wagner und Sean Welsh (Hrsg.): *Ethik in KI und Robotik*, Hanser 2019, s. v.
88. https://tytopr.com/german-tyto-tech-500-power-list-2019/.
89. So Katharina Zweig: *Ein Algorithmus hat kein Taktgefühl. Wo künstliche Intelligenz sich irrt, warum uns das betrifft und was wir dagegen tun können*, Heyne 2019.
90. Bartneck, Lütge u. a., a. a. O., S. 48.
91. Bostrom, a. a. O., S. 266.
92. Ebda., S. 263.
93. Bartneck, Lütge u. a., a. a. O., S. 47.
94. Eine lobenswerte Ausnahme ist Katharina Zweig, die sich entschieden dafür einsetzt, dass KI nicht über Menschen richten darf.
95. Bartneck, Lütge u. a., a. a. O., S. 54.
96. Johann Peter Eckermann: *Gespräche mit Goethe in den letzten Jahren seines Lebens*, in: Johann Wolfgang Goethe: *Sämtliche Werke. Briefe, Tagebücher und Gespräche*, Bd. 12, Frankfurt am Main 1999, S. 715; http://www.zeno.org/nid/20004867432.
97. Bostrom, a. a. O., S. 267.
98. Ebda., S. 268.
99. Evgeny Morozov: *Smarte neue Welt. Digitale Technik und die Freiheit des Menschen*, Blessing 2013.
100. Bostrom, a. a. O., S. 365.
101. https://www.gesetze-im-internet.de/gg/BJNR000010949.html.
102. David Collingridge: *The Social Control of Technology*, Palgrave Macmillan 1981.
103. https://www.handelsblatt.com/technik/forschung-innovation/

mobilitaet-autonom-durch-die-megacity-tokio-testet-robotertaxis-im-stadtverkehr/25451850.html?ticket=ST-3449628-fRcMsQF3rhMr.

104. Bartneck, Lütge u. a., a. a. O., S. 49.
105. Ebda., S. 133.
106. Ebda., S. 134.
107. https://www.bmvi.de/SharedDocs/DE/Publikationen/DG/bericht-der-ethik-kommission.pdf?__blob=publicationFile.
108. https://www.bundesverfassungsgericht.de/SharedDocs/Entscheidungen/DE/2006/02/rs20060215_1bvr035705.html.
109. Ebda.
110. So Valentin Widmann auf: https://www.heise.de/tp/features/Autonomes-Fahren-Warum-wir-Leben-verrechnen-duerfen-sollten-4569564.html.
111. In einer Google-Beilage des *Spiegels*, 42/2018.
112. https://www.dw.com/de/kein-verbot-autonomer-waffen-in-sicht/a-50101336.
113. https://futureoflife.org/open-letter-autonomous-weapons/?cn-reloaded=1.
114. https://www.manager-magazin.de/digitales/it/kuenstliche-intelligenz-elon-musk-zu-ai-verbot-bei-waffen-a-1219015-2.html.
115. https://www.theguardian.com/technology/2018/apr/05/killer-robots-south-korea-university-boycott-artifical-intelligence-hanwha.
116. Domingos, a. a. O., S. 281.
117. Bartneck, Lütge u. a., a. a. O., S. 54.
118. Robert Nozick: *Anarchie, Staat, Utopia*, Olzog 2011.
119. Vgl. u. a. Nassim Nicholas Taleb: *Der Schwarze Schwan. Die Macht höchst unwahrscheinlicher Ereignisse*, Hanser 2008; Dan Ariely: *Denken hilft zwar, nützt aber nichts. Warum wir immer wieder unvernünftige Entscheidungen fällen*, Droemer 2008; Gerd Gigerenzer: *Bauchentscheidungen. Die Intelligenz des Unbewussten und die Macht der Intuition*, Goldmann 2008; Daniel Kahneman: *Schnelles Denken, langsames Denken*, Siedler 2012.
120. Zweig, a. a. O., S. 264.
121. Vgl. https://de.wikipedia.org/wiki/Tay_(Bot).
122. https://www.theatlantic.com/technology/archive/2019/01/walgreens-tests-new-smart-coolers/581248/.
123. https://www.welt.de/wirtschaft/article165075236/Supermarktkette-Real-laesst-Gesichter-von-Kunden-analysieren.html.
124. https://www.sueddeutsche.de/digital/videoueberwachung-aktivisten-wollen-real-und-post-wegen-gesichtserkennung-anzeigen-1.3539324.
125. So die Formulierung von Adrian Lobe: https://www.sueddeutsche.de/digital/ueberwachungskapitalismusnsasmarttv1.4314299. Zu digitaler Datenmacht und allgegenwärtiger Kontrolle siehe auch

Lobes Buch: *Speichern und Strafen. Die Gesellschaft im Datengefängnis*, C. H. Beck 2019.

126. Shoshana Zuboff: *Das Zeitalter des Überwachungskapitalismus*, Campus 2018.
127. »Multi-Billionen-Dollar-Frage«. Der Ökonom Erik Brynjolfsson sieht die Welt dank künstlicher Intelligenz vor einer glänzenden Zukunft – vorausgesetzt, die Politik wacht endlich auf, in: *Der Spiegel*, 6/2020; S. 68–70.
128. https://www.heise.de/tr/artikel/KI-erkennt-Depression-4271725.html.
129. https://www.medicaldevice-network.com/news/artificial-intelligence-ptsd/.
130. https://doi.org/10.1016/j.nedt.2007.07.012.
131. Zweig, a.a.O., S. 220.
132. Bridle, a.a.O., S. 123ff.
133. »Sklaven der Prozesse«, Interview mit Gunter Dueck, in: *Der Spiegel*, 7/2020.
134. Bridle, a.a.O., S. 217.
135. George Dyson: https://www.nzz.ch/feuilleton/george-dyson-aufdie-digitale-folgt-die-analoge-revolution-ld.1450197.
136. Hartmut Rosa: *Beschleunigung und Entfremdung. Entwurf einer kritischen Theorie spätmoderner Zeitlichkeit*, Suhrkamp 2013.
137. Hier lässt sich tatsächlich vom »Menschen« sprechen, denn das gilt für alle Menschen.
138. Hans Joachim Schellnhuber: *Selbstverbrennung. Die fatale Dreiecksbeziehung zwischen Klima, Mensch und Kohlenstoff*, C. Bertelsmann 2015.
139. So die Formulierung Hans Blumenbergs für die Rolle der Technik, in: ders.: *Geistesgeschichte der Technik*, Suhrkamp 2009, S. 105.
140. https://www.zeit.de/digital/internet/2018-11/digitalisierung-mythen-kuenstliche-intelligenz-ethik-juergen-geuter/komplettansicht.
141. Besonders deutlich und kritisch in Max Weber: *Gesammelte Aufsätze zur Religionssoziologie* (1920), Bd. 1., Mohr 1988.
142. Georg Simmel: *Philosophie des Geldes* (1900), Anaconda 2009.

# Unsere Leseempfehlung

ca. 244 Seiten
Auch als E-Book erhältlich

Richard David Precht skizziert das Bild einer wünschenswerten Zukunft im digitalen Zeitalter. Ist das Ende der Leistungsgesellschaft, wie wir sie kannten, überhaupt ein Verlust? Für Precht enthält es die Chance, in Zukunft erfüllter und selbstbestimmter zu leben. Doch dafür müssen wir jetzt die Weichen stellen und unser Gesellschaftssystem konsequent verändern.
Dieses Buch will zeigen, wo die Weichen liegen, die wir richtig stellen müssen. Denn die Zukunft kommt nicht – sie wird von uns gemacht! Die Frage ist nicht: Wie *werden* wir leben? Sondern: Wie *wollen* wir leben?

www.goldmann-verlag.de
www.facebook.com/goldmannverlag

# Unsere Leseempfehlung

576 Seiten
Auch als Hörbuch und
E-Book erhältlich

672 Seiten
Auch als Hörbuch und
E-Book erhältlich

608 Seiten
Auch als Hörbuch und
E-Book erhältlich

Richard David Precht erklärt in seiner auf vier Bände angelegten Geschichte der Philosophie die großen Fragen, die sich die Menschen durch die Jahrhunderte gestellt haben.
Im ersten Teil beschreibt er die Entwicklung des abendländischen Denkens von der Antike bis zum Mittelalter. Im zweiten Teil entführt der Autor den Leser tief in die Gedankenwelt der Renaissance und der Aufklärung. Spannend und anschaulich vermittelt er die zentralen Konzepte und Ideen der abendländischen Philosophie und bettet sie ein in die wirtschaftlichen, sozialen und politischen Hintergründen ihrer Zeit. Tauchen Sie ein in die schier unerschöpfliche Fülle des Denkens!

www.goldmann-verlag.de
www.facebook.com/goldmannverlag

G GOLDMANN
Lesen erleben